Nosso universo

Jo Dunkley

Nosso universo

A história do cosmo e seus mistérios

tradução
Alexandre Bruno Tinelli

todavia

Para minhas meninas

Introdução 9

1. Nosso lugar no espaço 25
2. Somos feitos de estrelas 79
3. Vendo o invisível 137
4. A natureza do espaço 175
5. Do início ao fim 225

Epílogo: Em direção ao futuro 265

Agradecimentos 269
Recursos educacionais e leituras adicionais 271
Índice remissivo 279

Introdução

Numa noite clara, o céu é de uma beleza extraordinária, salpicado de estrelas e iluminado pela Lua resplandecente e cambiante. Quanto mais escuro nosso ponto de observação, mais estrelas aparecem, perfazendo dezenas e centenas ou até milhares. Podemos identificar os desenhos familiares das constelações e observá-las se movendo lentamente pelo céu, enquanto a Terra gira. As luzes mais brilhantes que conseguimos ver no céu noturno são planetas, que mudam de posição noite após noite contra o fundo estrelado. A maioria das luzes parece branca, mas é possível notar a olho nu a coloração avermelhada de Marte e o brilho vermelho de estrelas como Betelgeuse, na constelação de Órion. Nas noites mais claras, podemos contemplar a faixa luminosa da Via Láctea e, do hemisfério Sul, as duas manchas cintilantes das Nuvens de Magalhães.

Além de seu apelo estético, o céu noturno sempre foi fonte de fascínio e mistério para os seres humanos em todo o mundo, inspirando perguntas sobre o que são os planetas e as estrelas, onde se encontram e qual é nosso lugar no cenário mais amplo revelado pelo céu acima de nós. É para encontrar as respostas a essas perguntas que existe a astronomia, uma das ciências mais antigas, que está no centro de investigações filosóficas desde a Grécia Antiga. Com o significado de "lei das estrelas", ela estuda tudo que está para além da atmosfera terrestre e busca entender por que essas coisas são como são.

Os seres humanos vêm praticando alguma forma de astronomia há milênios, acompanhando padrões e mudanças no céu noturno, tentando extrair deles algum sentido. Durante quase toda a história humana, a astronomia se limitou a estes objetos visíveis a olho nu: a Lua, os planetas mais luminosos do nosso sistema solar, as estrelas mais próximas e objetos transientes, como os cometas. Somente nos últimos quatrocentos anos os seres humanos começaram a usar telescópios para conhecer o espaço mais a fundo, expandindo nossos horizontes para o estudo de luas de outros planetas, de estrelas menos brilhantes e invisíveis a olho nu e de nuvens de gás que são berçários de estrelas. No último século, nosso horizonte extrapolou a Via Láctea, o que permitiu a descoberta e o estudo de inúmeras galáxias que se encontram muito além da nossa. E apenas nas últimas décadas, com os avanços tecnológicos dos telescópios e de suas câmeras para captura de imagens, os astrônomos conseguiram ampliar ainda mais nosso horizonte astronômico. Agora podemos pesquisar milhões de galáxias, estudar fenômenos como explosões estelares, colapsos de buracos negros e colisões de galáxias e encontrar novos planetas ao redor de outras estrelas. Ao fazer isso, a astronomia moderna continua buscando respostas para as velhas questões de como viemos parar na Terra, qual é nosso lugar no planeta, qual será o destino da Terra no futuro e se existem outros planetas que poderiam abrigar outras formas de vida.

Os primeiros registros conhecidos de astronomia datam de mais de 20 mil anos e consistem em palitos de ossos esculpidos que acompanham as fases da Lua, usados como calendários antigos na África e na Europa. Arqueólogos encontraram pinturas rupestres de 5 mil anos em países como Irlanda, França e Índia, que registram eventos incomuns no céu, como eclipses da Lua e do Sol e o surgimento repentino de estrelas brilhantes. Existem também monumentos dessa época, entre os quais Stonehenge, na Inglaterra, que podem ter sido utilizados como observatórios astronômicos para monitorar o Sol e as estrelas. Os primeiros registros escritos de astronomia vêm dos sumérios e depois dos babilônios na Mesopotâmia, o Iraque dos dias atuais. Incluem os primeiríssimos catálogos de estrelas, gravados em tábuas de argila no século XII a.C. Astrônomos também existiram na China e na Grécia poucos séculos antes do início da Era Cristã.

Embora os primeiros astrônomos só tivessem os olhos como ferramentas, por volta de poucos séculos antes da Era Cristã os babilônios começaram a identificar os planetas em movimento, distinguindo-os do fundo fixo das estrelas e traçando cuidadosamente suas posições noite após noite. Eles passaram a manter diários astronômicos regulares, o que os levou a descobrir padrões recorrentes na movimentação dos planetas e na ocorrência de determinados eventos no céu noturno, entre os quais os eclipses da Lua. Ninguém sabia direito o que eram esses objetos e eventos, mas eles conseguiram elaborar modelos matemáticos capazes de prever onde os planetas e a Lua seriam vistos noite após noite.

Apesar desses avanços significativos, permanecia uma grande incerteza sobre como os corpos celestes haviam se formado e do que eram feitos. O que estava no centro de tudo: a Terra ou o Sol? A descoberta de que, na realidade, não era nenhum dos dois — de que o universo não possui um centro — só aconteceria muitos anos depois. No século IV a.C., o filósofo grego Aristóteles apresentou um modelo, baseado no pensamento de astrônomos e filósofos gregos anteriores, Platão entre eles, que situava a Terra no centro do universo. O Sol, a Lua, os planetas e as estrelas não passavam de esferas concêntricas e imóveis que giravam em torno da Terra. Aristóteles achava que os céus eram diferentes da Terra tanto em composição quanto em comportamento e imaginava que as esferas celestes eram feitas de um quinto e transparente elemento conhecido como "éter".

No século III a.C., o astrônomo grego Aristarco de Samos levantou a hipótese alternativa de que, na realidade, o Sol talvez estivesse no centro de tudo e que era sua luz que iluminava a Lua. Esse modelo heliocêntrico ou centrado no Sol explicaria melhor o movimento observável dos planetas e as variações em sua luminosidade. Embora agora saibamos que esse modelo é o correto, ao menos em relação a nosso sistema solar, as noções astronômicas de Aristarco foram descartadas durante sua vida e levaram quase mil anos para ser aceitas. Os defensores do geocentrismo, aqueles que defendiam a ideia da Terra como centro do universo, tinham a seu favor alguns argumentos que pareciam convincentes. Por exemplo, se a Terra está em movimento, por que as estrelas não mudam de posição entre si, à medida que trocamos de ponto de observação aqui? Na realidade, elas mudam, mas o deslocamento é incrivelmente sutil, porque estão muito distantes. Aristarco suspeitava que isso fosse verdade, mas não tinha como demonstrá-lo.

O errôneo modelo que colocava a Terra no centro do universo continuou prevalecendo quando foi adotado por Cláudio Ptolomeu, um reconhecido acadêmico de Alexandria, no Egito Romano, que viveu no século II. Ele escreveu um dos livros mais antigos de astronomia, o *Almagesto*, que apresentava em detalhes 48 constelações das estrelas conhecidas até então, além de tabelas capazes de prever as posições passadas e futuras dos planetas no céu noturno. Muito do que constava nesse tratado vinha de um catálogo anterior de quase mil estrelas compilado pelo astrônomo grego Hiparco. Ptolomeu afirmava no livro que a Terra devia estar no centro de tudo e exerceu uma influência tão grande que seu pensamento predominou durante séculos. O *Almagesto* foi visto como um texto central de astronomia por anos a fio e foi ampliado por sucessivas gerações de astrônomos.

Durante a Idade Média, a maior parte do progresso em astronomia aconteceu longe da Europa e do Mediterrâneo, principalmente na Pérsia, China e Índia. Em 964, o astrônomo persa Abd al-Rahman al-Sufi escreveu *O livro das estrelas fixas*, uma obra em árabe ricamente ilustrada que apresentava as estrelas, constelação por constelação. Combinava o catálogo das estrelas e das constelações incluídas no *Almagesto* com representações árabes tradicionais de objetos ou criaturas imaginárias delineadas pelos padrões das estrelas e trazia o primeiro relato da nossa galáxia vizinha Andrômeda, considerada na época uma mancha luminosa diferente de uma estrela típica. No mesmo século, Abu Sa'id al-Sijzi, compatriota de Al-Sufi, propôs que a Terra girava em torno de seu eixo, afastando-se assim da noção de Ptolomeu de que a Terra era imóvel. A Pérsia também foi sede do grande observatório de Maragha, um centro de pesquisa fundado pelo polímata Nasir al-Din Tusi em 1259, nas colinas do Azerbaijão, que reuniu astrônomos locais e outros oriundos da Síria, da Anatólia e da China, para empreender observações detalhadas do movimento dos planetas e das posições das estrelas.

Os séculos XVI e XVII testemunharam uma grande revolução na astronomia. Em 1543, o astrônomo polonês Nicolau Copérnico publicou *De Revolutionibus Orbium Coelestium* [Das revoluções das esferas celestes], sugerindo que a Terra, além de girar em volta do próprio eixo, devia também viajar ao redor do Sol, junto com outros planetas. Sua proposta foi veementemente condenada pela Igreja católica, que a considerou uma heresia; seriam necessárias uma campanha contínua levada a cabo por diversas pessoas importantes e novas observações feitas ao longo dos anos para que a proposta por fim viesse a ser aceita. O avanço decisivo veio com a invenção do telescópio, no início do século XVII.

A visão é possibilitada pela luz. Quanto mais luz captamos, mais longe no espaço somos capazes de ver. Um telescópio é, em parte, um recipiente muito maior para captar luz que o olho humano, o que nos permite investigar ainda mais a fundo o espaço e observar suas peculiaridades em mais detalhes. Foi o astrônomo italiano Galileu Galilei quem primeiro apontou um telescópio para o céu, em 1609, uma versão inicial que ele mesmo havia projetado e que ampliava a visão típica do céu cerca de vinte vezes. Isso foi o suficiente para que ele visse que Júpiter possui suas próprias luas, pontos de luz visíveis em ambos os lados do planeta que mudam de posição enquanto orbitam ao seu redor. Sem um telescópio ou um binóculo moderno, elas permanecem ocultas, seu brilho é tênue demais para serem descobertas.

Em 1610, Galileu publicou suas observações das luas de Júpiter, junto com detalhes da superfície irregular da Lua e com a descoberta de estrelas de luminosidade baixa demais para serem vistas a olho nu, no panfleto amplamente difundido *O mensageiro das estrelas*. Nessa obra, ele defendia as teses de Copérnico, estimulado pela descoberta das luas de Júpiter: eram uma prova clara da existência de objetos celestes que não orbitavam a Terra. Infelizmente, seus achados não convenceram a Igreja católica, que se opôs com veemência à descrição copernicana do cosmo e condenou Galileu, colocando-o em prisão domiciliar até a morte.

Apesar da oposição da Igreja, os astrônomos seguiram fazendo progressos. O alemão Johannes Kepler, que apoiava as ideias de Copérnico e de Galileu, demonstrou em 1609 que os planetas se movimentavam ao redor do Sol seguindo trajetórias em formato de elipse: um círculo achatado. Também descobriu que eles seguiam um padrão específico que relacionava a distância a que estavam do Sol com o tempo que levavam para orbitá-lo. Quanto mais afastado do Sol, maior a duração, porém a distância e o tempo não aumentam na mesma proporção: um planeta duas vezes mais distante do Sol leva quase três vezes mais tempo para orbitá-lo. Posteriormente, em 1687, o físico britânico Isaac Newton elaborou a lei da gravitação universal, para explicar por que esse padrão funcionava, em seu famoso *Principia*. A lei determinava que qualquer coisa com massa atrai outras coisas em sua direção e que quanto mais massivo for o objeto e mais próximo você estiver dele, mais forte será a atração. Se estiver duas vezes mais perto, você sentirá quatro vezes a atração e levará menos tempo para orbitar. A lei explicava os padrões observados por Kepler, com os planetas e o Sol orbitando ao redor de seu centro de massa compartilhado, e demonstrava que as leis da natureza funcionam nos céus da mesma maneira que na Terra. Observação e teoria chegavam agora a um acordo, e uma alternativa ao modelo celeste de Ptolomeu enfim passou a ser levada a sério em todo o mundo. A Terra realmente se movia ao redor do Sol.

No século XIX, uma segunda revolução na astronomia aconteceu, impulsionada pela invenção da fotografia por Louis Daguerre, em 1839. Antes disso, os desenhos astronômicos tinham de ser feitos à mão, o que acarretava inevitáveis imprecisões. Além de ser capaz de medir melhor a posição e o brilho de objetos celestes, uma câmera pode ser ajustada para uma longa exposição, o que lhe possibilita captar mais luz do que um olho consegue enxergar. Em 1840, o cientista anglo-americano John William Draper tirou a primeira foto da Lua cheia, e em 1850 a primeira imagem de uma estrela, Vega, foi obtida por William Bond e John Adams Whipple no observatório da Universidade Harvard. A década de 1850 também testemunhou a invenção do espectroscópio, um dispositivo usado para separar a luz vista através de um telescópio em diferentes comprimentos de onda (aprenderemos mais sobre isso no capítulo 2). Esses avanços permitiram que os astrônomos elaborassem extensos catálogos das estrelas na Via Láctea, incluindo suas posições, brilhos e cores.

No início do século XX, astrônomos estavam construindo telescópios maiores para enxergar ainda mais longe no espaço. Isso foi acompanhado por avanços importantíssimos em nossos conhecimentos de física, como o desenvolvimento da teoria da relatividade geral por Albert Einstein e da mecânica quântica por Max Planck, Niels Bohr, Erwin Schrödinger e Werner Heisenberg, entre outros. Essas novas teorias permitiram que os astrônomos ampliassem de maneira considerável a compreensão da natureza dos objetos no espaço e da própria natureza do espaço. Progressos notáveis incluem a descoberta de Edwin Hubble, em 1923, de que a Via Láctea é apenas uma entre inúmeras galáxias, e a de Cecilia Payne-Gaposchkin, em 1925, de que as estrelas são feitas principalmente de hidrogênio e de gás hélio (aprenderemos mais sobre ambos nos capítulos 1 e 2).

Dois avanços tecnológicos do século XX são dignos de nota, e ambos aconteceram nos Estados Unidos, nos Laboratórios de Telefonia Bell, em Nova Jersey, uma empresa de pesquisa e desenvolvimento mais conhecida como Bell Labs. O primeiro foi a descoberta, em 1932, feita por Karl Jansky de que podemos observar ondas de rádio vindas de objetos astronômicos no espaço, o que abriu uma janela inteiramente nova para o universo. Essa janela foi ampliada nos anos 1960 para incluir outros tipos de luz não visível. A segunda grande descoberta foi a invenção, em 1969, do dispositivo de carga acoplada, conhecido como CCD [*charge coupled device*], por Willard Boyle e George Smith. Usando um circuito elétrico para transformar luz em sinal elétrico, esse sensor produz uma imagem digital com que estamos familiarizados, por causa das câmeras digitais de nossos celulares. Ele é mais sensível que filmes fotográficos, permitindo aos astrônomos capturar imagens de objetos menos luminosos e mais afastados no espaço.

Apenas nas últimas décadas, houve uma enorme quantidade de avanços em tecnologias, teorias e computação astronômicas que nos trazem ao nosso estágio de conhecimento atual. Nós agora vimos tudo até o limite do universo observável, encontramos milhões de galáxias além da nossa e possuímos uma descrição coerente de como nosso próprio sistema solar, em nossa galáxia, a Via Láctea, chegou até aqui. A viagem rumo ao nosso conhecimento atual do universo e as muitas coisas maravilhosas e estranhas cujas engrenagens agora compreendemos são o tema deste livro.

À medida que o alcance da astronomia se ampliou, a natureza do astrônomo foi mudando com o passar dos anos. O título de "astrônomo" ainda é um tanto genérico, sendo usado para definir aqueles que estudam e interpretam o que vemos no céu, mas existem outros títulos também. Nessa área, há quem nos chame não de "astrônomos", e sim de "físicos". A distinção usual é que o astrônomo estuda o céu e faz observações das coisas no espaço, enquanto o físico é o cientista interessado na descoberta das leis da natureza que descrevem como as coisas se comportam e interagem, inclusive as que estão no espaço. Esses dois tipos de cientista costumam se sobrepor, e é difícil estabelecer fronteiras bem definidas entre eles. Muitos desse campo são tanto astrônomos como físicos, e o título "astrofísico" é frequentemente usado para descrever alguém que trabalha na fronteira entre as duas ciências. Há também diferentes tipos de astrônomos, dependendo de quais questões estiverem sendo levantadas. Alguns se concentram no funcionamento interno das estrelas, outros, no de galáxias inteiras e em como elas se expandiram e evoluíram. O ramo da cosmologia visa explicar as origens e a evolução de todo o espaço. Uma das especialidades da astronomia que mais tem se desenvolvido é a dos exoplanetas, o estudo de planetas ao redor de outras estrelas que não a nossa.

Hoje, existem astrônomos profissionais e amadores. No passado, não havia muita diferença entre esses dois grupos. Ptolomeu, Copérnico e Galileu estudavam vários assuntos. Eles e seus sucessores seguiram atividades tão diversas quanto botânica, zoologia, geografia, filosofia e literatura, bem como astronomia. Agora, a maioria das descobertas astronômicas só pode ser feita com auxílio de telescópios profissionais, que são muito caros e, por seu tamanho, de difícil operação para pessoas comuns. Interpretar em detalhes os fenômenos que observamos com esses telescópios pode exigir anos de treinamento. Isso significa que precisamos de astrônomos profissionais, aqueles entre nós que não fazem muito mais em seu trabalho do que estudar o universo. Recebemos o apoio de universidades, de governos e, cada vez mais, de filantropos. Nosso perfil demográfico também tem se transformado ao longo dos anos, com mais mulheres do que nunca atuando na área.

Além dos astrônomos profissionais, os amadores ainda podem desempenhar um papel importante. Os telescópios de pequeno porte continuam sendo valiosos para fazer determinadas observações, principalmente aquelas que necessitam de olhos rápidos no céu para acompanhar eventos incomuns que surgem repentinamente. Existe também uma alta demanda de amadores para ajudar na classificação de objetos astronômicos, usando imagens capturadas por grandes telescópios e disponibilizadas on-line. Com frequência há um excesso de dados para a pequena comunidade profissional processar, e pessoas ainda são melhores que computadores em muitas tarefas que requerem um exame cuidadoso de certas características, sobretudo as incomuns. Na última década, astrônomos amadores encontraram planetas novos orbitando ao redor de outras estrelas e novos e inesperados tipos de galáxias.

Ao ampliar nossos horizontes para além do nosso sistema solar e das estrelas mais próximas, a astronomia moderna tem agora um vasto alcance não somente no espaço, mas no tempo. Dependemos da luz para acessar o espaço: esperamos que ela chegue de lugares distantes e enxergamos coisas no espaço porque ou elas emitem luz, ou a refletem de outra fonte. Desse modo, vemos como elas eram quando sua luz partiu pela primeira vez. O que acrescenta outra dimensão a nossas observações do céu: o tempo. A luz viaja extraordinariamente rápido, 10 milhões de vezes mais rápido que um carro numa autoestrada. Isso significa que, se olhar para a lâmpada mais próxima de você, a alguns poucos metros de distância, verá a luz dela numa pequena fração de segundo no passado. A velocidade da luz é quase irrelevante aqui. Se, em vez disso, você olhar para a Lua, a cerca de 384 400 quilômetros de distância, você verá uma luz que tem um segundo de idade quando chega à Terra. A que vem do Sol até nós tem oito minutos de idade. Já a das estrelas é muito mais velha do que isso. Mesmo a luz da nossa estrela vizinha mais próxima demora quatro anos até nos alcançar. Quando olhamos para as estrelas, estamos olhando para o passado.

Isso é uma dádiva. Podemos ver partes do espaço, partes do nosso universo, exatamente como elas eram muitos anos atrás. Quanto mais distante estiver a luz captada, mais em direção ao passado é possível olhar. Se você observa a reluzente estrela Betelgeuse cintilando na constelação de Órion, faz o tempo retroceder mais de seiscentos anos. O brilho avermelhado dessa estrela iniciou sua viagem à Terra na Idade Média. As estrelas no Cinturão de Órion estão ainda mais distantes. Sua luz, familiar para inúmeras gerações de seres humanos, viajou pelo menos mil anos para chegar até aqui. Isso significa que a chance de compreender a história do universo só existe porque é possível ver como eram suas partes mais distantes no passado, há milhares, milhões ou bilhões de anos. Essa habilidade de olhar para trás no tempo existe desde a primeira vez que os seres humanos ergueram seus olhos para as estrelas, porém só se tornou um aspecto essencial da astronomia no último século, à medida que passamos a enxergar além da Via Láctea.

A enorme extensão do universo tanto no espaço quanto no tempo pode fazer a astronomia moderna parecer assustadora. O espaço é tão imenso que os números que descrevem as distâncias às vezes perdem o sentido. Números com zeros demais são difíceis de processar. Para contornar esse problema, não apenas encontramos formas de dar sentido às diferentes escalas de espaço, mas também simplificamos as coisas e deixamos alguns detalhes de lado. Então nos concentramos em conhecer muito bem um pouco do espaço, sobretudo do nosso sistema solar, e em aplicar as lições que aprendemos, quando parecem relevantes, em outras áreas. Contentamo-nos em não conhecer tão bem a maior parte do espaço. Mas alguns componentes do espaço distante são particularmente interessantes e merecem ser conhecidos em maiores detalhes — por exemplo, estrelas rodeadas de planetas que poderiam se assemelhar à Terra ou galáxias onde buracos negros enormes colidem ou estrelas antigas explodem.

Este livro fala sobre o nosso universo, que é como chamamos todo o espaço que conhecemos, seja aquele que podemos ver com nossos telescópios, seja o que pensamos estar fisicamente interligado às partes que podemos ver. Ele apresenta nossa opinião sobre o que é o universo e sobre o que significa pensar a respeito da totalidade do espaço e de tudo o que existe nele. Dá, ainda, uma noção de qual é o nosso lugar, ou seja, o lugar da Terra, nesse cenário mais amplo. E também propõe uma análise geral de como nosso planeta veio parar aqui e do que podemos esperar do seu futuro em nosso vasto universo.

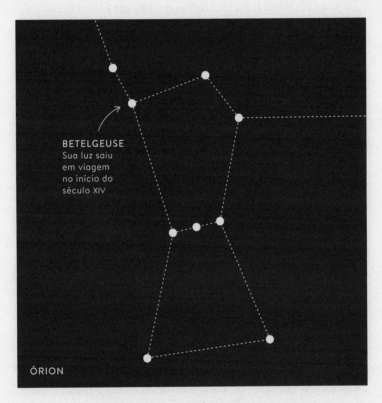

Estrelas na constelação de Órion; a luz que emitem viaja centenas de anos para chegar até nós.

No entanto, não vamos começar a história no início do universo, porque isso seria algo bastante estranho. Em vez disso, começaremos aqui e agora, do ponto de vista da Terra. No capítulo 1, organizamos o espaço. De tanto investigar o céu noturno, sabemos que as coisas ali não são distribuídas ao acaso. Elas têm padrões bem definidos e tudo está interligado, do menor objeto ao maior. Das luas orbitando planetas aos planetas e asteroides orbitando estrelas, dos conjuntos de estrelas agrupadas em galáxias aos grandes aglomerados de galáxias, que são talvez os maiores objetos do universo. Descobriremos como a Terra se encaixa nesse padrão cósmico e teremos uma noção da escala espacial.

O capítulo 2 conta a história das estrelas e de como elas vivem. Algumas são exatamente como o Sol, porém várias têm histórias de vida completamente diferentes. Vamos descobrir como elas produzem luz e conheceremos os berçários estelares onde as novas estrelas nascem. Desvendaremos a vida e o destino do Sol, assim como as vidas mais extremas de estrelas maiores que chegam ao seu fim em violentas explosões. Muitas acabam se tornando densos buracos negros que jamais permitem que a luz escape. Também ficaremos sabendo mais da diversidade extraordinária de novos mundos que estão sendo descobertos ao redor de estrelas ainda desconhecidas.

No capítulo 3, vamos conhecer a riqueza da matéria escura invisível em nosso universo, que não conseguimos ver diretamente com os olhos ou com telescópios, nem mesmo aqueles capazes de medir diferentes tipos de luz. Essa é uma descoberta feita há menos de um século, que transformou nosso entendimento do que é o universo e do que ele pode ser feito. Estamos trabalhando com afinco para entender o que é a matéria escura, por que ela causa tamanho impacto em todas as coisas que emitem brilho e por que, num nível mais fundamental, parece fazer parte dos elementos primordiais da natureza.

No capítulo 4, veremos o quanto o espaço mudou ao longo dos anos. Existem inúmeras galáxias além da Via Láctea, e quase todas parecem estar se distanciando de nós. Então somos levados à inevitável conclusão de que o espaço está em expansão e de que, em algum momento do passado, é provável que tenha havido uma espécie de começo, que chamamos de big bang. Agora podemos rastrear a evolução do universo quase até esse momento e calcular quando ele começou. Vamos examinar também a ideia de que o próprio espaço possui um formato específico e a possibilidade de saber se o universo é infinitamente grande.

No último capítulo, fazemos um passeio rápido pela história do universo. Partiremos dos seus primeiros momentos de vida até chegarmos aos dias de hoje. Pequenos elementos gravados no início do universo se transformaram, durante bilhões de anos, em galáxias repletas de estrelas, entre as quais a Via Láctea, a casa do nosso sistema solar. Muito do que sabemos vem de uma combinação de observações com simulações computacionais que buscam recriar a evolução do universo. O próprio Sol e a Terra surgiram quando o universo tinha cerca de dois terços da sua idade atual; a Via Láctea é ainda mais antiga. Por fim, veremos o que pode estar por vir, tanto em relação à nossa parcela do universo quanto à totalidade do espaço.

Vivemos numa era sem precedentes em termos de recursos tecnológicos, tanto de telescópios quanto de computadores. Por isso, é esperado, em nosso curto tempo de vida, que demos grandes passos rumo à solução de muitos dos mais inacreditáveis mistérios da astronomia. Podemos encontrar outros planetas que deem sinais de abrigar vida, descobrir de que é feita a parte invisível do espaço e desvendar como o próprio espaço entrou em expansão. Também podemos descobrir algo totalmente inesperado, que pode mudar mais uma vez o curso da astronomia.

I.
Nosso lugar no espaço

Aqui na Terra podemos fixar nossa localização num prédio, numa rua, no interior ou numa cidade grande, num país, num continente ou num hemisfério. Também fazemos parte, é claro, de algo maior e podemos ampliar os horizontes para entender qual é nosso lugar nesse cenário mais amplo, nosso universo. Neste capítulo, avançaremos ainda mais no espaço até chegarmos aos limites físicos daquilo que somos capazes de enxergar e descobriremos que a Terra é apenas um dos inúmeros locais no universo onde a vida como a nossa pode ter começado.

Nosso planeta leva um dia para completar uma volta em torno de si e um ano para orbitar o Sol. Seu polo Norte possui certo ângulo de inclinação, de modo que a superfície do hemisfério Norte recebe os raios solares de frente, ou praticamente de frente, durante o dia no verão. Nessa época do ano, os raios solares se concentram mais intensamente no hemisfério Norte da superfície terrestre que no Sul, e o norte sente a luz do sol com mais potência. Seis meses depois, é a vez de o hemisfério Sul se inclinar em direção ao Sol, com o hemisfério Norte se posicionando para longe do Sol e o polo Norte ficando imerso em escuridão.

Em diâmetro, a Terra tem 12 756 quilômetros, e seu tamanho foi calculado pela primeira vez há mais de 2 mil anos, no Egito Antigo, pelo acadêmico grego Eratóstenes. Ela possui a curvatura de uma laranja, de modo que o tamanho da sombra de uma pessoa depende de quanto ao norte ou ao sul essa pessoa está. Eratóstenes constatou que o Sol se posicionava bem acima da cidade de Siena (atual Assuã) ao meio-dia no solstício de verão, então viajou até Alexandria, quase mil quilômetros ao norte, para medir o tamanho de uma sombra lá ao meio-dia daquele mesmo dia do ano. Conhecendo a distância entre as duas cidades e a altura do objeto que projeta a sombra, o tamanho da sombra em Alexandria dependeria apenas do tamanho da Terra. Um planeta menor teria uma curvatura maior entre as duas cidades, o que ampliaria a sombra. Essa simples dedução levou Eratóstenes a calcular o tamanho da Terra em algo em torno de 10% de sua medida real, um feito notável para a época.

A vizinha mais próxima da Terra no espaço é a Lua. Todos os meses, ela orbita ao nosso redor, próxima o bastante para atrair suavemente nossos oceanos em sua direção, enchendo as marés em geral duas vezes por dia, enquanto a Terra completa uma rotação. Está apenas a um pouco mais de 380 mil quilômetros de distância, bem mais perto de nós do que qualquer outro planeta do nosso sistema solar. Se imaginarmos a Terra reduzida ao tamanho de uma bola de basquete, a Lua seria do tamanho de uma laranja, viajando ao redor da Terra numa trajetória mais ou menos circular, que caberia dentro de uma quadra de basquete. A Lua acaba tendo o tamanho ideal e estando a uma distância perfeita para, ao passar exatamente entre a Terra e o Sol, conseguir bloquear momentaneamente toda a luz do Sol num eclipse de tirar o fôlego. Isso é uma feliz coincidência, já que ela é quatrocentas vezes menor em diâmetro que o Sol, mas também está quatrocentas vezes mais próxima de nós, de modo que ambos os objetos parecem ter o mesmo tamanho no céu. Eclipses, contudo, são raros, porque o percurso da Lua ao redor da Terra não está alinhado com o da Terra em volta do Sol. Se estivessem, eclipses aconteceriam mensalmente.

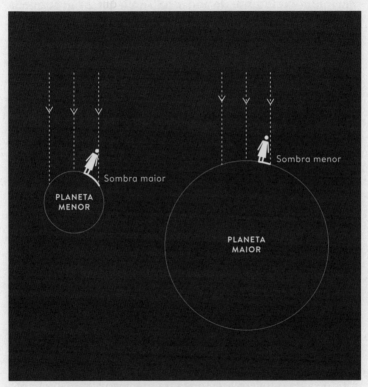

Uma pessoa projeta uma sombra maior num planeta menor e mais curvo. Eratóstenes usou esse modelo para calcular o tamanho da Terra, há mais de 2 mil anos.

A Lua está tão perto da Terra que nós já estivemos lá, embora não por meio século. Apenas duas dúzias de pessoas empreenderam a viagem na lendária espaçonave Apollo, e somente metade delas colocou os pés na superfície de nosso satélite. Andar na Lua deve ter sido uma experiência completamente diferente de andar na Terra. Ela é tão pequena que sua força de gravidade é seis vezes menor do que a terrestre, de modo que uma pessoa, livre de seu traje espacial, provavelmente conseguiria pular por cima de outra. Não é à toa que, mesmo vestidos com equipamentos robustos, os astronautas da Apollo aparecem em filmagens dos pousos saltitando e pulando na paisagem lunar.

A Lua possui um lado que permanece oculto o tempo todo para nós. Durante sua órbita de um mês ao redor da Terra, ela gira só uma vez, sempre com o mesmo lado voltado para o planeta. Isso é muito diferente do que ocorre com a Terra, que gira todo dia em sua órbita de um ano ao redor do Sol. Quase tão antiga quanto a Terra, a Lua nasceu há quase 5 bilhões de anos. A teoria mais famosa afirma que ela se formou a partir de destroços de rochas remanescentes de uma colisão violenta entre a recém-formada Terra e outro objeto do tamanho de um planeta. Os astrônomos não sabem ao certo se isso aconteceu, mas, caso a teoria esteja correta, nosso satélite teria surgido muito mais perto da Terra do que está agora, aparecendo muito maior no céu. Em seus primeiros milhões de anos de vida, a jovem Lua teria girado rapidamente enquanto viajava ao redor da Terra, mostrando primeiro um lado e depois o outro.

As marés provocadas pela Lua enquanto orbita a Terra acontecem porque a atração gravitacional lunar sobre os oceanos mais próximos a ela é mais forte que sua atração sobre o núcleo do nosso planeta. Isso eleva o nível da água no trecho mais próximo à Lua. O mesmo acontece com os oceanos mais

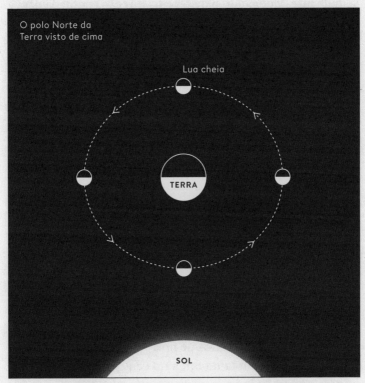

Enquanto a Lua orbita a Terra, uma de suas metades é iluminada pelo Sol. O quanto conseguimos ver da metade iluminada depende da posição do satélite.

distantes, no lado oposto da Terra, já que são atraídos com menos força pela gravidade lunar que o núcleo terrestre. Na maioria dos lugares, o resultado são duas marés altas sempre que a Terra completa uma rotação. E, embora a Lua não possua oceanos, a força gravitacional terrestre produz nela um efeito semelhante, alongando-a de leve na direção apontada para a Terra. Enquanto a Lua girava mais rápido em seus anos iniciais, a gravidade da Terra trabalhava suavemente para manter a parte alongada de nosso satélite voltada para ela, diminuindo sua velocidade de rotação ao longo de milhões de anos até sua face conhecida ficar em definitivo de frente para nós, com seu lado oposto não mais visível.

A atração gravitacional da Lua afetou a rotação da Terra da mesma forma, desacelerando-a pouco a pouco em cerca de quinze segundos a cada 1 milhão de anos. Os dias teriam sido apenas algumas horas mais longos no início da vida da Terra, e pode ser que muito adiante no futuro sua rotação desacelere de maneira significativa, a ponto de um de seus lados terminar permanentemente voltado para a Lua. E como a Terra gira em seu próprio eixo mais rápido do que a Lua orbita ao redor de nós, as protuberâncias da maré terrestre se movem ligeiramente antes da Lua. Isso faz com que esta gire mais rápido e a está levando a ampliar aos poucos sua órbita: todo ano a Lua se afasta alguns centímetros de nós.

A Lua brilha com tanta força no céu que é fácil esquecer que ela não emite luz por conta própria. Na verdade, é iluminada pela luz solar, mas o Sol só consegue iluminar um lado seu de cada vez. O lado iluminado que fica de frente para nós não é sempre o mesmo. Quando está no lado oposto da Terra a partir do Sol, ela aparece cheia, um círculo pleno e brilhante. No restante de sua viagem de um mês em volta da Terra, podemos ver apenas uma fração de seu lado iluminado pelo Sol e depois, por um curto período, mais nada.

Estamos tão acostumados a ter só uma lua que isso parece normal. Mas mesmo em nosso sistema solar isso não é nem um pouco normal. Júpiter e Saturno possuem, cada um, mais de sessenta luas. Nosso vizinho externo Marte possui duas, ao passo que nossos vizinhos internos Vênus e Mercúrio não têm nenhuma. A existência de nossa única lua define a vida como a conhecemos. Sem a Lua, não teríamos marés, nossos dias seriam bem mais curtos e nossas estações do ano muito provavelmente se desregulariam significativamente. Isso porque é a atração lunar a responsável por ajudar a manter a Terra girando em sua inclinação fixa quando em comparação com sua órbita ao redor do Sol. Num futuro distante, quando a Lua estiver muito distante de nós, nosso planeta provavelmente oscilará muito mais, inclinando-se de maneira imprevisível enquanto viaja em torno do Sol.

Indo além da dupla Terra-Lua no espaço, chegamos ao sistema solar como um todo, o conjunto de objetos vagamente definidos que têm como centro o Sol, nossa estrela. Conhecemos muito bem o Sol, é claro, e os planetas que giram ao seu redor também são familiares, ao menos pelos nomes, para a maioria das pessoas. Existem também asteroides, cometas, planetas-anões e inúmeros pedaços de detritos espaciais que são atraídos em direção ao Sol e orbitam em volta dele.

Ainda assim, o sistema solar é surpreendentemente vazio. Isso pode ser difícil de perceber, porque as imagens que vemos nos livros não captam muito bem a verdadeira escala das coisas. Uma forma prática de imaginar as escalas é encolher a Terra ao tamanho de um grãozinho de pimenta, com uns dois milímetros de diâmetro. Com a Terra tão pequena, o Sol vira uma bola de basquete, com diâmetro cem vezes maior. Se agora colocarmos a bola de basquete-Sol no chão e imaginarmos onde a Terra deve ficar, podemos esperar que seja bem perto. Mas você ainda precisaria dar 26 passos largos para chegar até o grão de pimenta-Terra, o equivalente a uma quadra de tênis. Entre a Terra e o Sol de verdade existem apenas dois minúsculos planetas, Vênus e Mercúrio. Nesse esquema, Mercúrio ficaria a dez passos do Sol, e Vênus, no tamanho de um grão de pimenta, a dezenove.

Para chegar aos vizinhos planetários externos, a caminhada precisa ficar mais intensa. Marte, assim como Mercúrio, um planeta do tamanho de meio grão de pimenta, ficaria a catorze passos depois da Terra. O maior planeta, Júpiter, uma uva graúda ao lado do grão de pimenta que é a Terra, ficaria a quase cem passos mais à frente. Júpiter está cinco vezes mais longe do Sol que a Terra, ou cinco quadras de tênis enfileiradas. Quase mais cem passos adiante está Saturno, uma bolota, dez vezes mais afastado do Sol que a Terra. Urano está vinte vezes mais distante e Netuno, trinta. O diminuto Netuno, que como Urano tem o tamanho de uma uva-passa, está quase a oitocentos metros de distância da bola de basquete-Sol, o que dá uns oitocentos passos ou uma caminhada de dez minutos. Todos esses planetas cabem com folga na palma de uma mão; o resto do sistema solar é praticamente todo vazio.

É fácil imaginar todos os planetas enfileirados: Mercúrio, Vênus, Terra, Marte, Júpiter, Saturno, Urano, Netuno; mas é claro que as coisas não são bem assim. Os planetas mudam de posição a todo instante em seu percurso em torno do Sol. Eles também viajam em diferentes velocidades, com anos — ou períodos orbitais — mais longos quanto mais afastados estiverem do Sol. Um ano em Mercúrio equivale a três meses na Terra. Em Marte, o ano dura quase o dobro do nosso; em Saturno, quase trinta vezes mais. Aniversários seriam algo raro nas regiões mais externas do sistema solar.

A posição dos planetas no céu noturno está em constante movimento enquanto cada um realiza sua própria viagem ao redor do Sol. A olho nu, podemos ver cinco deles: Mercúrio,

O tamanho da Terra comparado ao do Sol.

Vênus, Marte, Júpiter e Saturno. Urano e Netuno, mais afastados, não brilham tanto assim à distância. A cada noite, aqueles cinco planetas ocupam uma nova posição contra o fundo estrelado. De vez em quando, aparentam estar curiosamente próximos, mas isso é apenas como os vemos da Terra. Júpiter está muitas vezes mais longe de nós que Marte, mesmo quando aparece bem a seu lado no céu noturno. Dadas as diferentes velocidades dos planetas, acontece de às vezes, pouco antes da aurora ou logo após o pôr do sol, conseguirmos enxergar os planetas internos e os externos. Mas só muito raramente as coisas se alinham tão bem a ponto de podermos ver a olho nu todos os cinco planetas no céu ao mesmo tempo.

Além de acompanhar o movimento dos planetas no céu, normalmente somos capazes de saber a diferença entre um planeta e uma estrela por suas cintilações. No geral, planetas cintilam bem menos que estrelas. A cintilação acontece quando a luz de uma estrela ou de um planeta é agitada por variações na temperatura do ar na atmosfera da Terra. Os raios de luz sofrem um desvio ou são refratados pelas moléculas do ar em seu percurso até os nossos olhos, e isso faz com que as estrelas pareçam estar sempre se mexendo um pouco. Enxergamos esses movimentos como uma cintilação. A luz dos planetas também se mexe da mesma forma, mas eles se encontram tão mais próximos de nós do que as estrelas que aparecem maiores no céu noturno. A luz proveniente de diferentes partes da superfície de um planeta sofre um desvio em várias direções, e isso reduz a cintilação total.

Saber o tamanho do sistema solar é algo natural para nós, mas foram necessários anos de trabalho e um raro alinhamento dos planetas para medir a distância da Terra ao Sol e a do Sol aos demais planetas. Os primeiros cálculos convincentes foram feitos durante dois trânsitos de Vênus, em 1761 e em 1769, quando esse planeta passou entre a Terra e o Sol. Essa é a incrível história de uma aventura intrépida e uma colaboração científica internacional, e deve muito à impressionante previsão de Edmund Halley, astrônomo da Universidade de Oxford que é mais lembrado por ter identificado o famoso cometa que leva seu nome.

Os trânsitos de Vênus são raros. Eles acontecem com uma frequência média um pouco menor do que duas vezes por século, já que esse planeta e a Terra não orbitam o Sol em planos coincidentes. Quase todos os anos Vênus viaja entre a Terra e o Sol, mas sem atravessar nosso campo de visão. Foi o astrônomo Johannes Kepler quem primeiro previu os trânsitos, calculando que tanto Mercúrio quanto Vênus passariam na frente do Sol em 1631. Suas previsões se confirmaram, mas Kepler morreu em 1630 e nunca chegou a ver tais fenômenos. Nos anos seguintes, o astrônomo britânico Jeremiah Horrocks chegou à conclusão de que os trânsitos de Vênus deveriam acontecer em pares, separados um do outro por oito anos. Por um triz ele não deixou de fazer essa descoberta, finalizando seus cálculos apenas um mês antes de o segundo trânsito ocorrer, em 1639. Por sorte, munido de suas previsões, pôde observar, de sua casa em Lancashire, Vênus viajar sobre a face do Sol.

Em 1677, Edmund Halley viajou até a ilha de Santa Helena, no Atlântico, para mapear as estrelas que só eram visíveis do hemisfério Sul e de lá observou o trânsito de Mercúrio sobre o Sol. Inspirado, Halley se deu conta de que um trânsito de Vênus era a chave para descobrir o tamanho do sistema solar. Seu método utiliza a paralaxe, um conceito tão fácil de entender que você pode usá-lo para medir o tamanho do seu braço. Basta você esticar o braço e levantar o dedo indicador, fechar um dos olhos e notar onde, na parede ou na paisagem à sua frente, seu dedo parece estar. Depois, feche o olho que estava aberto e abra o que estava fechado. Vai parecer que seu dedo se moveu lateralmente. Esse movimento é chamado de paralaxe, e você pode usá-lo para calcular a distância entre o olho e o dedo, sem precisar medir de fato o comprimento do braço.

Você perceberá que, se aproximar do olho o dedo levantado, como se seu braço fosse mais curto, seu dedo parecerá se mover ainda mais para o lado. Via de regra, quanto mais curto for seu braço, mais seu dedo se deslocará. É possível medir a extensão do movimento lateral como sendo o ângulo percorrido por seu dedo. Se você desse um giro completo de uma só vez, o dedo percorreria um ângulo de 360 graus. Você verá que seu dedo parece se deslocar um pouco quando você abre o olho que estava fechado e fecha o que estava aberto. Como parâmetro, um único dedo ou polegar erguido com o braço esticado forma um ângulo de cerca de dois graus de um lado a outro.

Se você conhece a distância entre seus olhos, que deve ser de uns poucos centímetros, pode descobrir o comprimento exato do seu braço. Isso é trigonometria pura. Se você souber a medida de um lado de um triângulo retângulo e a medida de um ângulo, poderá descobrir o tamanho dos outros dois lados. Aqui você tem dois triângulos retângulos, um de costas para o outro. Cada um mede cerca de quatro centímetros nos lados mais curtos (isto é, entre cada olho e a ponte do seu nariz). Se você medir o ângulo que seu dedo percorre entre fechar um olho e depois o outro, o resultado será igual ao dobro do ângulo na ponta mais distante do triângulo retângulo. Logo, se o seu dedo percorrer um ângulo de oito graus, por exemplo, você pode concluir que seu braço mede quase sessenta centímetros.

Isso não é de grande utilidade prática, é claro, já que existem maneiras mais fáceis de medir seu braço. Mas esse mesmo método nos permite delimitar a distância entre a Terra e Vênus, e nisso ele é inestimável. Usando a paralaxe para fazê-lo, seus dois olhos se tornam duas posições nos hemisférios Norte e Sul da Terra, o mais distantes possível uma da outra.

Seu dedo vira o planeta Vênus, e você quer descobrir a distância até ele. E a paisagem à frente de seu dedo vira o Sol. Como acontece com muitos outros cálculos no espaço, os triângulos aqui são amplos, sendo seus lados mais curtos metade da distância entre os pontos de observação na Terra.

Fechar um olho equivale a olhar para Vênus em trânsito ao redor do Sol a partir do ponto no hemisfério Norte e registrar sua posição. Depois, fechar o outro olho é olhar para Vênus do hemisfério Sul e mais uma vez observar onde ele aparece em relação ao Sol. Assim como seu braço, quanto mais Vênus se deslocar em relação ao Sol, mais próximo da Terra ele estará. Para calcular a distância até Vênus, você só precisa então saber a distância entre seus dois observadores na Terra.

Esse plano possui um problema. A superfície do Sol é um tanto indefinida, de modo que no século XVIII teria sido muito difícil afirmar de maneira precisa a posição de Vênus vista de diferentes lugares na Terra. Halley encontrou uma solução elegante, ao perceber que não apenas a posição de Vênus mudaria dependendo do ponto de observação, mas também seu tempo de passagem diante do Sol. As duas trajetórias sobre o disco circular do Sol teriam comprimentos diferentes. Quanto maior a diferença de comprimento, ou quanto mais longa a diferença do tempo de passagem, maior seria o movimento da posição de Vênus em relação ao Sol e mais próximo Vênus estaria da Terra.

O tempo estimado para Vênus passar na frente do Sol depende de onde o planeta é observado na Terra. Quanto maior a variação, mais perto Vênus deve estar da Terra.

Esse cálculo nos daria a distância até Vênus, e a partir daí seria fácil estimar a distância até o Sol e os demais planetas. Johannes Kepler havia achado a relação entre o período orbital de um planeta e sua distância até o Sol, com os planetas mais distantes demorando mais para orbitar. Os astrônomos

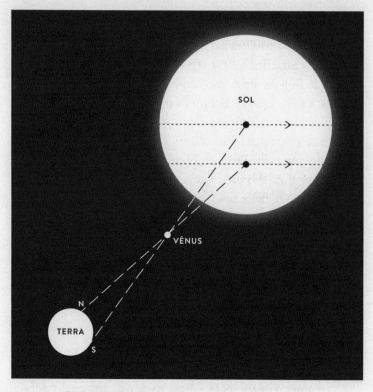

O tempo estimado para Vênus passar na frente do Sol depende de onde o planeta é observado na Terra. Quanto maior a variação, mais perto Vênus deve estar da Terra.

sabiam a duração de um ano em Vênus havia muito tempo, graças à observação de seus deslocamentos no céu noturno. Saber a duração de um ano tanto em Vênus quanto na Terra e a distância entre ambos era o suficiente para definir o tamanho de todo o sistema solar.

Halley havia descoberto como fazer isso, mas sabia que não viveria até 1761 para ver com os próprios olhos o próximo trânsito de Vênus. Destemido, deixou instruções inspiradoras para a geração seguinte de astrônomos, exortando-a a avançar e calcular os trânsitos:

> Recomendo-o, portanto, repetidas vezes, àqueles astrônomos curiosos, os quais (quando eu estiver morto) terão a oportunidade de observar essas coisas, que se lembrem desta minha admoestação e se apliquem diligentemente, com todas as suas forças, à realização dessa observação; e lhes desejo, com a maior sinceridade, todo o sucesso imaginável.

A mensagem de Halley, de 1716, funcionou. Quase vinte anos após sua morte, astrônomos do mundo inteiro se juntaram para calcular os trânsitos. Foram reunidos pelo astrônomo francês Joseph-Nicolas Delisle, que estimulou entusiasticamente a comunidade científica internacional a coordenar as observações. Vênus leva várias horas para passar na frente do Sol, e a diferença no tempo de passagem observado de lugares muito distantes seria de vários minutos. Para fazer o cálculo com precisão, os astrônomos não apenas precisariam viajar a locais remotos nos dois hemisférios terrestres, mas também necessitariam cronometrar com exatidão a duração do trânsito, medir suas longitudes e latitudes corretamente e pegar um tempo bom o suficiente para ver tudo. Não era um projeto para um só astrônomo. Delisle conseguiu inspirar centenas de astrônomos do Reino Unido, da França, da Suécia, da Alemanha, da Rússia e dos Estados Unidos a participar desse extraordinário empreendimento coordenado, que seria o primeiro exemplo da comunidade mundial de astronomia em ação.

Antes do trânsito, Delisle identificou um obstáculo ao método de Halley, que era a necessidade de observar todo o evento. Isso só era possível na parte da Terra que ficava de frente para o Sol durante sete horas completas e se houvesse bom tempo do início ao fim. Delisle elaborou então um método alternativo. Em vez de acompanhar todo o trânsito de locais situados no norte e no sul do globo, bastava ver seu início ou seu final, desde que fossem cronometrados com precisão e observados de vários locais distantes ao redor do planeta. Grupos no leste veriam Vênus iniciar sua passagem na frente do Sol antes dos que estivessem no oeste. Uma maior diferença de tempo entre os vários observadores implicaria uma distância menor até Vênus, equivalente a Vênus se afastar na paisagem de fundo. Usando o método de Halley, os astrônomos tinham de calcular a duração do trânsito com exatidão. Usando o método de Delisle, bastava que registrassem a hora do início ou do fim com exatidão. Nenhuma das medições era algo simples para a época, e eles precisavam transportar relógios de pêndulo e telescópios a locais afastados.

Na preparação para o trânsito de 1761, grupos de astrônomos empreenderam viagens extraordinárias para realizar os cálculos, indo até a África do Sul, Madagáscar, Santa Helena, Sibéria, Terra Nova e Índia. Muito já se escreveu a respeito dessas fascinantes e desafiadoras expedições. Alguns viajaram por meses apenas para ver Vênus ofuscado por nuvens, e muitos ficaram presos na Guerra dos Sete Anos, que havia começado em 1756. Os cálculos mais precisos no hemisfério Sul foram feitos no cabo da Boa Esperança pelos astrônomos britânicos Charles Mason e Jeremiah Dixon, que haviam sido enviados para Sumatra pela Royal Society, mas tiveram que desviar a rota quando sua embarcação foi atacada. O sucesso que obtiveram os levou a seus trabalhos mais famosos nos Estados Unidos, inspecionando a demarcação da divisa que ficaria conhecida como Linha Mason-Dixon.

Muitos dos cálculos efetuados em 1761 acabaram se mostrando menos precisos que o esperado ou arruinados pelo mau tempo. Uma vez em casa, os astrônomos compararam os resultados para estimar a distância até o Sol entre cerca de 125 milhões e 160 milhões de quilômetros. Foi uma sorte terem tido o trânsito de 1769 para refinar seus métodos e tirar proveito de uma nova oportunidade sob bom tempo, embora o próprio Delisle não tenha vivido o suficiente para testemunhar a segunda tentativa. Dessa vez, o explorador britânico James Cook foi enviado ao Taiti, e houve expedições a baía de Hudson, no Canadá, à Noruega, a Baja California e ao Haiti. Muitos desses grupos foram bem-sucedidos em seus cálculos, e a partir da combinação de todos os seus tempos os astrônomos calcularam a distância Terra-Sol como de quase 152 milhões de quilômetros, dessa vez com uma margem de erro de menos de 3 milhões de quilômetros. Eles acertaram: hoje a medida correta é de 149,6 milhões de quilômetros.

Muito dessa história reflete como a astronomia ainda é feita, mais de duzentos anos depois: descobrindo como fazer um cálculo difícil, inventando diferentes formas de realizá-lo, fazendo planos com anos de antecedência e indo com frequência a locais inóspitos e inacessíveis para conseguir o melhor cálculo possível. Solicitar recursos financeiros a governos para equipamentos, salários e custos de viagens, trabalhar em conjunto com equipes nacionais e internacionais e combinar os resultados dos diferentes grupos, tudo isso foi vital para o sucesso do projeto. E essas ainda são coisas que fazemos no mundo da astronomia. Assim como hoje, os grupos de cada país estavam felizes por trabalhar juntos em prol de um objetivo comum, mas também estavam particularmente ansiosos para fazer a melhor medição por conta própria. Como cientistas, somos, quase sempre, tanto competitivos quanto cooperativos em nossas buscas de novas descobertas.

A distância Terra-Sol, 149,6 milhões de quilômetros, começa a ficar difícil de encarar, quando olhamos para todos os zeros. Para simplificar as coisas, em cálculos de enormes distâncias no espaço os astrônomos utilizam unidades de medida muito maiores. Uma delas é a Unidade Astronômica (UA), definida como a distância da Terra até o Sol. A do Sol a Netuno no limite mais externo do sistema solar, por exemplo, é de 30 UAs, um número muito mais fácil de lembrar do que 4,5 bilhões de quilômetros. Também medimos distâncias no espaço pela quantidade de tempo que a luz leva para atravessá-las. Como a luz viaja cerca de 1 bilhão de quilômetros por hora, chamamos essa distância de horas-luz. A distância do Sol até Netuno, então, é de cerca de quatro horas-luz. Isso talvez não seja tão fácil de lembrar quanto 30 UAs, mas esse jeito de medir é útil na medida em que facilmente chega a anos-luz, o quanto a luz viaja num ano inteiro. Se um ano é feito de quase 9 mil horas, então um ano-luz é quase 9 mil vezes mais distante que a hora-luz, o que dá aproximadamente 9,46 trilhões de quilômetros. Não precisamos de anos-luz para medir nosso sistema solar, mas, à medida que avançamos no espaço, mesmo rumo às estrelas mais próximas, é útil ter em mãos uma unidade de medida extensa o suficiente para manter os números com que trabalhamos sob controle. Horas-luz e anos-luz também nos ajudam a perceber a passagem do tempo, pois indicam quando a luz teria saído do objeto que estamos observando. Júpiter e Saturno estão a poucas horas-luz de distância de nós, por isso nossa visão deles vem de poucas horas no passado.

Com a escala do sistema solar em mente, nos concentraremos em planetas bem pequenos. Como eles são na realidade? O primeiro a surgir é *Mercúrio*, o mais próximo do Sol, cujo período de translação dura apenas três meses terrestres. É um lugar bastante inóspito, sem qualquer atmosfera de proteção e com áreas internas que ultrapassam quatrocentos graus Celsius. A atração gravitacional do Sol desacelerou sua rotação, assim como a Terra fez com a Lua. Mercúrio agora gira tão lentamente que um habitante local viveria um ano mercuriano inteiro de manhã e outro ano inteiro à noite, com o planeta se voltando para o Sol apenas de dois em dois anos. Durante a noite em Mercúrio, passam-se três meses terrestres antes de o Sol nascer. Não é de estranhar então que durante esse longo período de escuridão faça um frio absurdo, com a temperatura chegando a mais de cem graus abaixo de zero. As chances de realmente existir um habitante local para vivenciar esse clima tão extremo são minúsculas: é bastante improvável que haja qualquer forma de vida por lá.

Mercúrio se parece um pouco com a Lua. É coberto de crateras oriundas de colisões antigas com rochas enormes que provavelmente surgiram no início do nosso sistema solar. Trinta anos após sua primeira missão para sobrevoar Mercúrio nos anos 1970, a Nasa enviou para lá a espaçonave robótica Messenger em 2006. Depois de entrar na órbita do planeta em 2011, a espaçonave tirou fotos incríveis das suas características e a seguir encerrou a missão com chave de ouro ao se chocar contra sua superfície em 2015. Uma nova missão, chamada Bepi-Colombo, foi lançada em 2018 por agências espaciais europeias e japonesas, com o objetivo de estudar o planeta com mais detalhes, após uma viagem até ele de sete anos.

Depois de Mercúrio, vem nosso vizinho *Vênus*. Semelhante à Terra em peso e tamanho, Vênus também possui sua própria atmosfera, embora ela seja tóxica em comparação com a nossa. É um lugar muito difícil para a sobrevivência de qualquer ser vivo. Espessa de tanto dióxido de carbono e de nuvens de ácido sulfúrico, sua atmosfera encoberta o transforma no planeta mais quente do sistema solar, mais ainda que Mercúrio, com temperaturas que chegam a ser superiores quatrocentos graus Celsius. Não conseguimos enxergar através da atmosfera de Vênus com luz visível normal, por isso precisamos examiná-la com câmeras que utilizam ondas de rádio e micro-ondas, cujos comprimentos de onda são maiores que a luz visível. Ao atravessá-la, podemos ver um planeta com uma superfície rochosa como um deserto, com cadeias de montanhas, vales e vastas planícies. Vênus também possui centenas de vulcões, mais do que qualquer outro planeta. Eles não parecem estar em erupção, porém a espaçonave Venus Express, da Agência Espacial Europeia, detectou atividade contínua sob a forma de fluxos de lava.

O planeta também é incomum por girar de uma forma que poderíamos chamar de "errada". Ele viaja ao redor do Sol no sentido anti-horário, como os demais planetas, mas gira em torno do próprio eixo no sentido horário, quando o observamos com seu polo Norte apontado para cima. É a direção oposta à de todos os outros planetas do sistema solar, significando que um habitante local veria o Sol nascer no oeste e se pôr no leste. É quase certo que Vênus girava na direção "correta" no começo, mas não sabemos exatamente o que causou tal mudança. Talvez uma enorme colisão com um grande objeto rochoso possa ter mudado sua direção há muitos anos ou mesmo tê-lo deixado de cabeça para baixo. À semelhança de Mercúrio, sua rotação também é muito mais lenta que a da Terra. Um dia em Vênus equivale a pouco mais de cem dias terrestres e a cerca de metade do tempo de um ano venusiano. Um habitante local, caso por milagre sobrevivesse por tanto tempo, passaria regularmente cinquenta dias terrestres em completa escuridão.

Assim como a Venus Express, mais de vinte espaçonaves visitaram Vênus. Nos anos 1970 e 1980, sucessivas espaçonaves russas o visitaram naqueles que foram os primeiros pousos da história em outro planeta. Faz mais de trinta anos que não há pousos em Vênus, mas muitas espaçonaves que o orbitaram ou que passaram por ele já o viram de perto. Mais recentemente, a sonda Akatsuki, da agência espacial japonesa, entrou em sua órbita em 2015. Ela quase perdeu a chance de fazê-lo quando foi lançada, em 2010. Esperava-se que entrasse na órbita do planeta quase um ano depois, mas uma falha em seu sistema de propulsão a impediu de se posicionar no lugar certo. Após esperar cinco longos anos orbitando o Sol, um rápido impulso de foguete a colocou de volta no caminho correto, pronta para nos contar mais sobre o sistema climático extremo de Vênus. A atmosfera venusiana rotaciona em apenas quatro dias terrestres, muito mais rápido que a rotação do próprio planeta, mas ninguém sabe por que isso acontece. Imagens capturadas pela Akatsuki acabam de revelar algumas características inesperadas que podem ajudar a explicar esse fenômeno, como uma corrente de vento soprando a cerca de 320 quilômetros por hora ao redor do equador do planeta.

Deixando Vênus para trás, agora seguimos em direção ao lado da Terra mais distante do Sol, a nosso vizinho mais famoso, *Marte*, cenário de inúmeras histórias de civilizações alienígenas. Com metade do diâmetro da Terra e apenas um décimo de sua massa, o planeta possui em sua superfície uma força gravitacional três vezes mais fraca que a nossa. Se estivesse lá, você poderia dar pulos gigantescos, três vezes mais altos que aqui na Terra. Marte gira no sentido anti-horário como nós, e seu dia tem praticamente a mesma duração que o terrestre. Possui duas luas, mas elas são pequenas em comparação com a nossa, tendo apenas, respectivamente, cerca de 12 e 22 quilômetros de diâmetro. Vista de Marte, a mais próxima,

Fobos, pareceria ter um terço do tamanho da Lua, e a pequena Deimos está tão distante que não seria muito diferente de uma estrela no céu noturno.

Marte está pronto para ser explorado. Rochoso por toda parte, é repleto de montanhas, vales e desertos. Sua famosa cor avermelhada vem do óxido de ferro de sua superfície, semelhante à ferrugem que encontramos nos metais. Sua atmosfera é consideravelmente fina, o que nos permite enxergar com facilidade através de sua superfície. No século XIX, os astrônomos achavam que poderiam detectar sinais de água na atmosfera e inferir sua existência no planeta por causa de traços de sua superfície que se assemelhavam a canais ou a leitos de rios. Isso alimentou a esperança de que Marte pudesse abrigar vida inteligente — os marcianos, que rapidamente invadiram os livros de ficção científica. Os traços provaram ser ilusões de óptica, mas robôs exploradores que pousaram no planeta nas últimas décadas acharam vestígios reais de água em estado líquido, além de sinais de que ele teria sido coberto por vastos oceanos no passado. Há uma perspectiva tentadora de que possa existir vida em Marte. A maravilha dessa possibilidade, juntamente com o fato de o planeta ser próximo e sólido o bastante para pousos, tem gerado muitas missões de robôs do Programa de Exploração de Marte da Nasa. Seria um desafio tremendo enviar pessoas para lá, mas é possível que nas próximas décadas isso se torne parte fundamental do programa espacial internacional.

Depois de Marte, encontra-se um enxame de rochas menores, o cinturão de asteroides. Pequenos, mas abundantes, são caroços irregulares que podem ser do tamanho de um seixo ou de uma cidade, com algumas centenas de gigantes muito maiores entre eles, a girar em torno do Sol. Se esmagássemos todas as rochas juntas, elas dariam origem a um objeto menor que a Lua. A maior rocha à espreita no cinturão é um dos planetas-anões do nosso sistema solar, Ceres, uma esfera de cerca de mil quilômetros de diâmetro. Ceres é conhecida há duzentos anos e foi descoberta por Giuseppe Piazzi em Palermo, em 1801. De início, os astrônomos achavam que Ceres fosse um planeta, mas ela era muito pequena, tão pequena que parecia uma estrela, e não um círculo perfeito, quando vista pelos telescópios relativamente limitados da época. Logo depois, foram descobertos mais desses pequenos objetos no céu: Palas em 1802, Juno em 1804, Vesta em 1807 e inúmeros outros a partir de meados de 1840.

De início, todos foram considerados planetas, mas em 1802 o astrônomo William Herschel havia sugerido que esses novos objetos fossem chamados de asteroides, que significa "semelhantes a estrelas". Sua sugestão de rebaixar os novos planetas não foi aceita de imediato, de modo que esses grandes objetos rochosos continuaram a ser considerados planetas durante algumas décadas. Com o tempo, astrônomos e intelectuais, entre os quais o explorador e geógrafo Alexander von Humboldt, passaram a defender que os objetos menores deveriam sair da lista dos planetas, e em 1860 eles foram classificados como asteroides, como havia sugerido Herschel. A história se repetiu há apenas uma década, quando nossa atual lista de planetas começou a aumentar de novo, com novos objetos, maiores que asteroides, sendo descobertos nos locais mais recônditos do sistema solar. Em vez de classificar todos eles como planetas, os astrônomos optaram por criar a categoria de planeta-anão, da qual também Plutão faz parte.

Após o cinturão de asteroides, vem o gigante do nosso sistema solar, *Júpiter*. Ao contrário dos rochosos planetas internos, Júpiter é uma enorme bola de gás, e não um lugar onde se possa ficar em pé. Composto principalmente de hidrogênio e de gás hélio, é coberto de camadas de gás multicoloridas, tingidas de laranja por gases como o amoníaco e o enxofre, com sua exclusiva Grande Mancha Vermelha, que na verdade é uma tempestade que dura há séculos, como um olho colossal que olha para fora. Onze vezes maior em diâmetro que a Terra, o planeta é trezentas vezes mais pesado do que nós e gira ainda mais rápido, uma vez a cada dez horas. O bom e velho Júpiter está encolhendo à medida que envelhece, diminuindo cerca de 2,5 centímetros por ano. É provável que tenha surgido com cerca do dobro do diâmetro que tem agora.

Júpiter provavelmente desempenhou um papel fundamental na história do nosso sistema solar. A ordem dos planetas pode ter sido muito diferente um dia. Segundo uma hipótese popular conhecida como Grand Tack, Júpiter teria surgido um pouco mais perto do Sol do que está agora. É possível que tenha gradualmente viajado em direção a nossa estrela, para uma posição entre aquela onde a Terra e Marte se encontram hoje. Em seu percurso, talvez tenha destruído planetas rochosos até maiores que a Terra. A gravidade do vizinho Saturno pode então tê-lo puxado de volta, retirando-o da parte interna do sistema solar e levando-o a atravessar o cinturão de asteroides em direção a seu local de repouso atual, fazendo com que deixasse para trás enormes fragmentos de rochas que por fim se tornaram Mercúrio, Vênus, Terra e Marte. Ainda não temos certeza disso, mas nossa nova habilidade, adquirida ainda na última década, de estudar outros sistemas solares ao redor de outras estrelas está agora nos ensinando mais sobre o que pode ter acontecido no nosso (voltaremos a isso no próximo capítulo).

Nenhuma espaçonave é capaz de pousar em Júpiter, porque o planeta não possui uma superfície rígida, mas muitas já o visitaram ou passaram por ele em viagens rumo a lugares ainda mais distantes. Entre elas incluem-se a Pioneer e a Voyager nos anos 1970 e a Galileo, que orbitou Júpiter durante alguns anos na década de 1990 e chegou a lançar de paraquedas uma pequena sonda em sua atmosfera, para medir ventos de

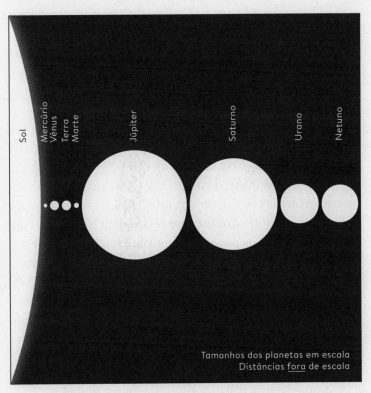

Os tamanhos relativos dos planetas em nosso sistema solar.

centenas de quilômetros por hora. Em 2000, a nave Cassini nos enviou lindas imagens em sua rota para Saturno e, mais recentemente, a sonda Juno, da Nasa, chegou a Júpiter em 2016, cinco anos após decolar da Terra. Além de enviar imagens estonteantes de inúmeros sobrevoos no planeta, inclusive de intensos ciclones a rodear os polos Norte e Sul de Júpiter, ela vem nos ensinando cada vez mais sobre de que o planeta é feito e sobre como ele pode ter se formado.

Júpiter tem várias luas. As quatro maiores, vistas pela primeira vez por Galileu, podem ser facilmente observadas com um binóculo numa noite de céu claro, parecidas com alfinetes de luz enfileirados em ambos os lados do grande disco do planeta. São o alvo perfeito para o astrônomo que está começando a descobrir nossos vizinhos no céu noturno. A maior delas, Ganimedes, chega a ser maior que Mercúrio. Europa, a segunda entre as quatro maiores, mais próxima do planeta, é particularmente fascinante porque se encontra envolta num oceano coberto de gelo que talvez seja líquido e é um dos lugares mais promissores para o desenvolvimento de outras formas de vida no nosso sistema solar. Essa possibilidade sedutora — de que as luas de Júpiter podem abrigar pequeninas formas de vida — está inspirando futuras missões espaciais a explorá-las de maneira mais detalhada. A Agência Espacial Europeia prevê lançar a espaçonave Jupiter Icy Moons Explorer em 2023, para estudar Ganimedes, Calisto e Europa. A Europa Clipper, da Nasa, prevista para ser lançada na mesma época, inspecionará a cobertura de gelo de Europa e ajudará a escolher um local de pouso para uma missão posterior.

Seguindo em frente, depois de Júpiter chegamos a *Saturno*, o outro gigante extraordinário do nosso sistema solar. Os anéis que o circundam confundiram seus primeiros observadores — Galileu os descreveu como semelhantes a orelhas ou braços e especulava que eram luas — e fazem dele o mais singular de nossos planetas. A missão Cassini nos mostrou imagens deslumbrantes do planeta, mas ainda é emocionante, mesmo para astrônomos experientes, ver Saturno e seus anéis diretamente através de um telescópio ocular.

Como Júpiter, Saturno é um gigante feito principalmente de hidrogênio e hélio. É provável que haja um núcleo de rocha em seu centro, envolto por camadas de hidrogênio líquido e por fim uma camada externa de gás, com a amônia deixando o planeta com sua típica cor amarelada. É o único planeta do nosso sistema solar que no geral é menos denso que a água, motivo pelo qual flutuaria num corpo de água grande o suficiente. De longe, seus anéis parecem sólidos, mas de perto se revelam discos finos cuja espessura varia de apenas dez metros a um quilômetro em alguns locais. Feitos de gelo, rochas e poeira rochosa, estendem-se por até 80 mil quilômetros a partir do equador do planeta. A origem dos anéis é incerta, mas eles podem ser sobras de uma lua destruída ou pedaços de cometas e asteroides.

Saturno completa uma rotação a cada dez horas e, estando dez vezes mais distante do Sol do que nós, é um lugar frio, com ventos que chegam a 1,6 mil quilômetros por hora. Como Júpiter, possui mais de sessenta luas, e todas são igualmente fascinantes. As duas que têm atraído mais atenção são Titã e Encélado, por suas relativas semelhanças com a Terra. Titã é a maior lua de Saturno. Um pouco maior que Mercúrio, possui sua própria atmosfera de nitrogênio, bem como lagos e mares de hidrocarbonetos, ilhas, montanhas, ventos e chuvas de metano líquido. É muito mais fria que nosso planeta, e a temperatura média de sua superfície chega perto de duzentos graus Celsius negativos. Encélado é igualmente fria, mas, ao que parece, mais hospitaleira: imagens de sobrevoos mostraram que é provavelmente o local mais habitável do sistema solar depois da Terra, com apenas uma fina crosta de gelo recobrindo o mar em alguns locais e plumas de água atiradas pelas profundezas do oceano.

Para além de Saturno, encontram-se o elusivo *Urano* e depois *Netuno*, respectivamente vinte e trinta vezes mais distantes do Sol do que a Terra. São os planetas menos explorados do nosso sistema solar. Ambos possuem atmosfera repleta de hidrogênio e hélio, mas também de água, amônia e metano. Urano é encoberto de nuvens sopradas por ventos fortíssimos, e debaixo delas talvez possua uma camada fluida a envolver um núcleo rochoso. Uma excentricidade desse planeta é que ele fica quase completamente de lado, com seus polos Norte e Sul situados no mesmo plano de sua órbita. Essa orientação pode ter se estabelecido quando o sistema solar ainda estava se formando, tendo sido provavelmente causada por colisões com outros planetas, e o resultado é que cada polo tem cerca de quarenta anos terrestres de luz solar ininterrupta, seguidos por quarenta de ininterrupta escuridão.

Urano não era tão conhecido pelos antigos observadores do céu noturno. É tão opaco e se move tão devagar que era confundido com uma estrela. Foi o astrônomo britânico William Herschel que, em 1781, o descobriu e inicialmente o classificou como cometa. A princípio, Herschel não tinha certeza do que era Urano, mas sabia que ele mudava de posição no céu noturno e que, por isso, não podia ser uma estrela. Cálculos posteriores feitos por Johann Bode e Anders Lexell logo revelaram que o objeto se movia como um planeta em órbita ao redor do Sol. O novo planeta, o primeiro a ser descoberto com um telescópio, nasceu com uma crise de identidade, pois Herschel de início o nomeou "planeta georgiano", em homenagem ao rei britânico da época, mas não surpreende que essa escolha não tenha sido muito bem recebida fora da Grã-Bretanha. O nome Urano foi afinal estabelecido na década de 1850.

Os astrônomos logo perceberam que, embora Urano claramente orbitasse o Sol, sua órbita era estranha, como se a força de gravidade de um objeto despercebido o repuxasse.

Na década de 1820, o astrônomo francês Alexis Bouvard sugeriu que a atração devia vir de um corpo celeste ainda não identificado. Os astrônomos Urbain le Verrier, na França, e John Couch Adams, no Reino Unido, calcularam onde tal astro estaria em 1846, após perceberem que havia diferenças entre a órbita observada de Urano e os prognósticos das leis da gravidade de Newton. Le Verrier enviou por carta seu prognóstico da posição esperada do novo corpo celeste ao astrônomo Johann Galle, em Berlim. Ao receber a carta, Galle encontrou Netuno praticamente na mesma posição esperada naquela noite, um belo exemplo de previsão e observação científicas trabalhando em conjunto. Em muitos aspectos, Netuno se parece com Urano, só que possui padrões climáticos mais visíveis e está posicionado da forma "certa". Rodeado de nuvens de amônia e de uma atmosfera de hidrogênio e gás hélio, com um pouco de metano, o que gera sua cor azulada, Netuno é composto sobretudo de líquido, com um núcleo rochoso quase do tamanho da Terra.

Para além de Netuno se encontram o *Cinturão de Kuiper*, o segundo principal cinturão de asteroides do nosso sistema solar, e o planeta-anão *Plutão*, junto com pelo menos mais alguns astros dessa categoria. Plutão é composto sobretudo de gelo e rocha e recentemente foi visto de perto em imagens capturadas em 2015 pela sonda New Horizons, da Nasa. A história de sua descoberta é bastante instrutiva em relação à importância da serendipidade na ciência. No começo do século XIX, os astrônomos estudaram as órbitas de Urano e Netuno e especularam que deveria existir ainda outro planeta que estava afetando suas trajetórias. Então, no começo do século XX, teve início a busca de um nono planeta, apelidado de Planeta X, no Observatório Lowell, no Arizona. O astrônomo Vesto Slipher sugeriu a seu jovem parceiro de trabalho Clyde Tombaugh que procurasse objetos celestes que mudavam de lugar, usando placas fotográficas tiradas do céu em diferentes horários. Tombaugh passou um ano inteiro nessa busca e em 1930 encontrou um novo objeto que parecia estar se movendo. Ele foi declarado como um novo planeta e ganhou o nome de Plutão, em homenagem ao deus romano do inferno, de acordo com uma sugestão feita pela estudante britânica Venetia Burney a seu avô, que havia sido diretor da Biblioteca Bodleiana, na Universidade de Oxford. O nome proposto por Venetia foi repassado aos Estados Unidos por um astrônomo de Oxford; a menina de apenas onze anos se tornou a única mulher no mundo a nomear um planeta. Mas, embora Plutão existisse de fato, foi por coincidência que acabou sendo descoberto: não era grande o suficiente para afetar a órbita de Netuno, e cálculos mais sofisticados provaram que, no final das contas, não havia necessidade de um perdido Planeta X.

Plutão tem sido fonte de grandes discussões nos últimos anos. Os astrônomos decidiram rebaixá-lo de planeta a planeta-anão em 2006, em votação conjunta numa reunião da União Astronômica Internacional, em Praga. Foi uma decisão difícil, pois Plutão já estava bem estabelecido como um dos nove planetas do sistema solar, sendo reconhecido como tal por crianças em escolas de todo o mundo. Acontece que ele difere do resto dos nossos planetas em aspectos importantes, sobretudo por ser tão pequeno. Os astrônomos chegaram à definição oficial de que um planeta deve ser um objeto redondo, que orbita o Sol e grande o suficiente para que nenhum outro objeto de tamanho similar, além de suas luas, esteja em sua órbita. Os outros oito planetas preenchem esses requisitos, menos Plutão.

Plutão também possui pelo menos quatro planetas-anões semelhantes como irmãos: Ceres, conhecido desde o início do século XIX por pertencer ao cinturão de asteroides, e Haumea, Makemake e Éris, descobertos no sistema solar exterior em 2004 e 2005 por um time de astrônomos liderado por Mike

Brown no Instituto de Tecnologia da Califórnia. É provável que existam muitos outros além desses, com centenas de candidatos já detectados. A decisão de mudar o status de Plutão e de criar a nova categoria de planeta-anão equivale à decisão tomada por Herschel e outros na década de 1800, quando asteroides e planetas foram considerados objetos diferentes. À medida que nosso conhecimento científico se amplia, precisamos ser capazes de fazer mudanças na maneira como classificamos os objetos astronômicos.

Apesar do rebaixamento de Plutão das patentes planetárias, é possível que ainda existam nove planetas. A história da descoberta de Netuno pode estar se repetindo nos dias de hoje. Em 2016, Mike Brown e seu colega Konstantin Batygin previram a existência de um novo planeta após realizarem observações minuciosas das órbitas dos pequenos planetas-anões e dos asteroides além de Netuno. Corretamente apelidado de "Planeta 9", é provavelmente dez vezes mais pesado que a Terra, possui quase o mesmo tamanho de Urano e Netuno e está muito mais afastado que os outros planetas. Se os cálculos estiverem corretos e ele de fato existir, necessitaria de mais de 10 mil anos para orbitar o Sol e na maior parte do tempo estaria vinte vezes mais longe deste do que Netuno. Nem todos os astrônomos estão convencidos do argumento a favor da existência do Planeta 9, mas a busca continua.

Alcançado o limite do nosso sistema solar, agora viajamos a regiões ainda mais distantes, às estrelas que vemos no céu noturno e que tanto inspiram nossa admiração pelo espaço. Elas são lindas e misteriosas, familiares e desconhecidas ao mesmo tempo. Além da Lua e dos planetas, também são os objetos no espaço que podemos ver com mais facilidade a olho nu, de nosso próprio quintal. O número de estrelas que conseguimos enxergar, contudo, depende bastante da quantidade de poluição luminosa produzida pela atividade humana. Na cidade, avistamos apenas uma ligeira dispersão das estrelas mais brilhantes. Olhar para o céu noturno na escuridão das regiões rurais revela a verdadeira riqueza que existe acima de nós.

Foram os astrônomos de origem grega Hiparco e Ptolomeu que, há cerca de 2 mil anos, introduziram a classificação que usamos até hoje para medir o brilho das estrelas. Elas parecem ter tamanhos ligeiramente distintos no céu noturno, com as mais brilhantes parecendo maiores. Esses astrônomos chamaram então aquelas de maior dimensão e de maior brilho de estrelas de "primeira magnitude". As estrelas menores e menos brilhantes iam até o menor brilho visível a olho nu em uma noite escura: a sexta magnitude. Por volta do século XVIII, os astrônomos perceberam que as estrelas estão distantes o suficiente para ter o aspecto de pontos; as mais brilhantes apenas parecem maiores quando vistas a olho nu ou com telescópios. O termo "magnitude", apesar disso, emplacou, e em 1856 o astrônomo britânico Norman Pogson oficializou a escala. Ele determinou que as estrelas de sexta magnitude eram cem vezes menos brilhantes que as de primeira, propondo uma escala em que uma estrela, ou outro objeto astronômico, está um nível acima em magnitude se for duas vezes e meia menos brilhante; um objeto cinco níveis acima em grandeza é então cem vezes menos brilhante (ou 2,5 multiplicado por si mesmo cinco vezes). A escala de Pogson continua a ser utilizada na astronomia moderna.

Muitas das estrelas que podemos ver à noite fazem parte da "Vizinhança Solar", nome dado ao conjunto de estrelas que vivem mais próximas do Sol e que viajam juntas no interior da Via Láctea. Para chegar até elas, precisamos imaginar que saímos do nosso sistema solar e damos um grande passo adiante. Nosso vizinho estelar mais próximo é Proxima Centauri, que pertence a um sistema triplo de estrelas chamado Alpha Centauri e está a pouco mais de quatro anos-luz de distância de nós. Isso significa que a luz dessa estrela que vemos hoje partiu há quatro anos e só agora chegou à Terra. Curiosamente, isso também significa que, se alguma coisa aconteceu com Proxima Centauri nos últimos quatro anos, ainda não temos como saber. E, além disso, significa que, se decidíssemos enviar uma espaçonave como a Cassini até lá, ela levaria mais de 50 mil anos até alcançá-la, supondo que houvesse combustível suficiente para uma viagem tão longa.

As outras estrelas que podemos ver a olho nu estão entre uns poucos e alguns milhares de anos-luz de distância de nós e perfazem milhares de estrelas. A Vizinhança Solar engloba apenas aquelas que se encontram a dezenas de anos-luz de distância, cerca de cem estrelas. Lembremos que Netuno está a quatro horas-luz do Sol; logo, essas distâncias estelares são muito maiores. Em comparação, se encolhêssemos toda a Vizinhança Solar para que coubesse em nossa quadra de basquete, assim como fizemos anteriormente com o sistema solar, veríamos que este ficaria tão pequeno quanto um grão de sal.

Como saber quão distantes estão as estrelas, se não podemos chegar até elas? Antes do século XVII, os astrônomos achavam improvável que pudesse haver uma distância tão grande entre Saturno, considerado o planeta mais longínquo na época, e a "oitava esfera" das estrelas imaginada por Copérnico. O progresso veio graças ao físico holandês Christiaan Huygens, um notável polímata que, entre suas várias contribuições, projetou um telescópio para estudar os anéis de Saturno, descobriu sua lua Titã, elaborou uma teoria da luz e também inventou o relógio de pêndulo. Em 1698, Huygens utilizou o brilho das estrelas para tentar descobrir a que distância elas se encontravam. Partindo do princípio de que todas as estrelas são igualmente luminosas para quem estiver bem ao lado delas, ele pôde comparar o brilho visível de Sirius, a estrela mais brilhante no céu, ao do Sol. Quanto mais distante, mais fraco seria o brilho. Ele inventou um esquema engenhoso para descobrir quantas vezes a luz do Sol precisava ser mais fraca para se igualar à de Sirius, tapando o Sol com um pedaço de latão que tinha um pequeno orifício coberto com vidro. Estimou que o brilho de Sirius seria quase 1 bilhão de vezes mais fraco que o do Sol, o que a faria estar 30 mil vezes mais longe de nós que o Sol, ou a meio ano-luz de distância. A distância real é de quase nove anos-luz. O trabalho de Huygens foi impressionante, mas ele errou por não saber que Sirius é intrinsecamente muitas vezes mais brilhante que nossa estrela.

Um método mais preciso utiliza a paralaxe, que usamos para medir a distância da Terra a Vênus. Para usar a paralaxe com estrelas, seus dois olhos agora se tornam a Terra em duas épocas do ano, com seis meses de diferença, quando ela se encontra em lados opostos do Sol. Seu dedo é a estrela mais próxima cuja distância você quer descobrir. E o fundo atrás de seu dedo é aquele de estrelas ainda mais distantes, tanto que não parecem se mover quando a Terra gira em torno do Sol.

Para a distância até Vênus, fizemos o equivalente a fechar um olho quando olhamos para o planeta passando na frente do Sol de um lado da Terra. Agora, em relação às estrelas, fechar um olho equivale a olhar para a estrela mais próxima a partir do local de observação escolhido na Terra e calcular onde ela se encontra no fundo de estrelas distantes. Então seis meses depois você fecha o outro olho ao olhar de novo para a estrela ainda da Terra, mas agora do lado oposto de sua órbita, e ao verificar de novo onde ela aparece no plano de fundo. Exatamente como seu dedo na parede à frente, quanto mais a estrela se deslocar no plano de fundo, mais próxima estará. Para descobrir a distância até ela, você só precisa então

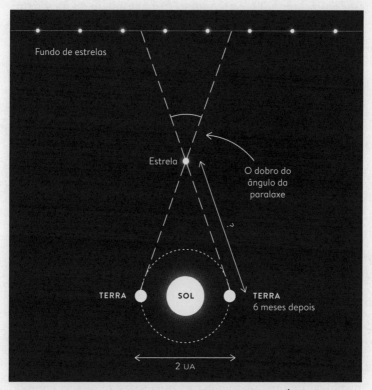

Usando a paralaxe para medir a distância de uma estrela. À medida que a Terra viaja ao redor do Sol, a estrela parece se deslocar lateralmente. Quanto maior o movimento, mais perto da Terra ela deve estar.

saber a distância entre seus dois olhos terrestres, que já sabemos ser de duas UAs, ou cerca de 300 milhões de quilômetros.

A ideia é simples, mas difícil de colocar em prática. Uma estrela a somente quatro anos-luz de distância de nós se desloca muito pouco no fundo estrelado. O ângulo é um pouco inferior a um segundo de arco, que é uma unidade de medida incrivelmente pequena (um minuto de arco equivale a sessenta segundos de arco, e sessenta minutos de arco, a um grau. Para ter noção de quão pequeno é um segundo de arco, lembre-se de que, com o braço esticado, seu indicador erguido percorre um ângulo de cerca de dois graus quando você abre o olho que estava fechado e fecha o que estava aberto, e isso equivale a um pouco mais de 7 mil segundos de arco). Apenas com um telescópio de alta qualidade se pode ver uma variação tão pequena. Os astrônomos tentaram utilizar a paralaxe no século XVIII, mas não era fácil. No início do século XIX, com o progresso tecnológico, o astrônomo e polímata alemão Friedrich Bessel conseguiu calcular a distância até 61 Cygni, um sistema binário feito de duas estrelas orbitando uma ao redor da outra. Ele descobriu que a distância era de dez anos-luz, e posteriormente, no mesmo ano, Friedrich Struve calculou em 25 anos-luz a distância até a estrela Vega, e Thomas Henderson, em quatro anos-luz a distância até Alpha Centauri.

Esse método de determinar distâncias deu origem à unidade de distância predileta dos astrônomos, o parsec. Um parsec é a distância até um objeto que tem uma paralaxe de um segundo de arco, o que implica que o objeto se move de lado num ângulo em dobro, de dois segundos de arco, quando a Terra se desloca rumo ao lado oposto do Sol. Equivale a cerca de três anos-luz. Usando telescópios na Terra, só podemos medir a distância pelo método da paralaxe de objetos que se encontram a até cem parsecs, ou trezentos anos-luz, o que nos permite ir até as estrelas da Vizinhança Solar, mas não muito além. Se deixarmos nossa atmosfera, contudo, podemos nos sair bem melhor. O Telescópio Espacial Hubble alcança distâncias de até 10 mil anos-luz usando a paralaxe, e desde 2013 o satélite Gaia, da Agência Espacial Europeia, tem utilizado a paralaxe para medir a distância até estrelas que chegam a estar a dezenas de milhares de anos-luz de nós. Em 2018, a equipe do Gaia publicou um catálogo deslumbrante com as distâncias de mais de 1 bilhão de estrelas.

A Vizinhança Solar é apenas um pequeno recanto de algo muito maior que podemos chamar de casa. Muitas das estrelas que nos são mais familiares, como Alpha Centauri, Sirius e Procyon, habitam essa vizinhança. Mas muitas outras que sempre vemos no céu noturno, como a estrela Polar, as estrelas no Cinturão de Órion e a Ursa Menor, estão muito mais afastadas, a centenas de anos-luz de distância de nós. Elas pertencem à nossa grande casa, à Galáxia (com "G" maiúsculo, para não a confundirmos com outras galáxias, também conhecida como Via Láctea), um conjunto gigantesco de cerca de 100 bilhões de estrelas que se mantêm unidas graças à sua força gravitacional coletiva. Vasta e magnífica, a Via Láctea é um imenso disco espiral que gira suavemente.

Se pudéssemos contemplar de cima o disco estelar da Galáxia, veríamos quatro braços cobertos de estrelas em movimento espiral no sentido horário rumo a um núcleo de luz mais brilhante no meio, um pouco como água descendo por um ralo. Muito mais lenta que os planetas que orbitam no sistema solar, a Galáxia gira em torno de si mesma a cada 200 milhões de anos. A Vizinhança Solar fica num dos braços da espiral, chamado de Braço de Órion, quase a meio caminho entre o centro da Via Láctea e a borda do disco de estrelas. À medida que a Galáxia gira, acompanhamos seu movimento um pouco como um cavalo num carrossel, com todo o nosso sistema solar viajando numa impressionante velocidade de mais de 800 mil quilômetros por hora.

A Galáxia é um local realmente amplo. Seriam necessários cerca de 100 mil anos para que a luz a percorresse de um lado do disco de estrelas ao outro e cerca de mil anos para que a atravessasse de cima a baixo. Leve em consideração que a luz precisa de apenas "algumas" dezenas de anos para atravessar a Vizinhança Solar e de apenas algumas horas para cruzar o sistema solar. Se agora tentássemos encaixar toda a Galáxia naquela mesma quadra de basquete que anteriormente abrigou a Vizinhança Solar, veríamos esta última ser reduzida ao tamanho de um grão de pimenta. Ela estaria se deslocando no sentido horário ao redor da quadra, a cerca de meio caminho do centro.

É claro que o que é horário ou anti-horário depende daquilo que você define como parte de cima e parte de baixo. Como astrônomos, chegamos a um acordo em relação ao que chamamos de parte de cima da Galáxia, e ela fica no lado que está mais proximamente alinhado à parte de cima do nosso sistema solar, na direção norte do polo Norte da Terra. Mas essas duas partes de cima não são a mesma, pois a superfície plana que abriga os planetas do sistema solar não está alinhada com o disco plano da Galáxia. Se você apontar o dedo indicador com o polegar confortavelmente levantado, o disco galáctico estará alinhado com seu indicador, e o do sistema solar quase se alinhará com seu polegar.

Nunca conseguiremos ver a Galáxia de cima. Ela é simplesmente grande demais para que nós, ou qualquer instrumento que viermos a inventar, possamos sair de seu interior. Podemos, no entanto, olhá-la de dentro e descobrir como seria olhar para nós de cima, à distância. Numa noite clara, seu disco estrelado é visto como uma nebulosa faixa de luz no céu, e foi essa faixa que serviu de inspiração para o sugestivo nome Via Láctea. Sua luz é mais fraca que a das estrelas mais brilhantes do céu, por isso raramente a vemos de áreas urbanas.

Por que ela tem esse aspecto? Podemos pensar no disco de estrelas um pouco como uma tampa de panela, com o Sol embutido nela quase a meio caminho entre o pegador central e a borda. O que vemos quando olhamos o céu? Podemos nos imaginar no interior da tampa e imaginar as estrelas preenchendo-a toda. Vemos as estrelas mais próximas espalhadas em todas as direções, por todo o céu, porque as mais próximas de nós nos cercam de todos os lados. E quando olhamos nas direções que atravessam diretamente a tampa da panela, através do disco de estrelas da Galáxia, vemos as luzes de inúmeras estrelas, que surgem como uma faixa reluzente de uma luz mais brilhante. Quando olhamos em qualquer outra direção da tampa da panela, olhamos através de um número bem menor de estrelas e vemos apenas escuridão além do brilho de algumas específicas. A mais longínqua que podemos identificar como um objeto individual a olho nu se encontra a alguns milhares de anos-luz de distância. Como são quase 30 mil anos-luz de nós até o centro da Via Láctea, as luzes do conjunto de estrelas mais distantes só podem ser identificadas como estrelas de verdade com a ajuda de telescópios. Em 1609, Galileu foi o primeiro a identificar esses corpos na faixa de luz.

A Via Láctea, é claro, contém muito mais do que estrelas. Hoje achamos que pelo menos metade delas possui seus próprios planetas. A Galáxia também está repleta de outros elementos, entre os quais pequeninos grãos de poeira cósmica, nuvens de hidrogênio e de gás hélio, buracos negros e outras coisas estranhas e maravilhosas. Veremos mais sobre isso nos próximos capítulos. A poeira cósmica impacta de maneira significativa o que podemos ver, porque fica no caminho da luz das estrelas, absorvendo-a e escurecendo o que era para ser uma faixa muito mais brilhante vinda da Via Láctea. Se ela não existisse, o céu noturno, sobretudo a luz da Via Láctea, seria muito mais luminoso.

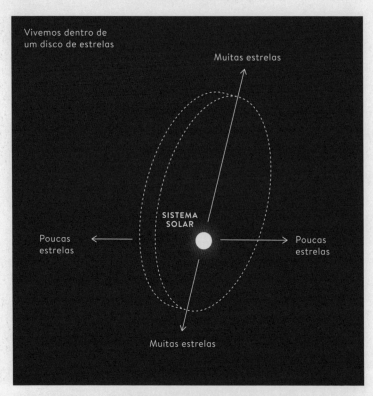

Por que vemos a Via Láctea como uma faixa de luz no céu noturno?

Não sabemos ao certo a idade da Galáxia. É provável que tenha se formado quando o universo ainda era muito jovem, há mais de 13 bilhões de anos. Sabemos disso porque existem nela estrelas tão antigas quanto o universo. E a Galáxia não era como é hoje, seu disco de estrelas provavelmente demorou a emergir, e ela ainda deve ter colidido e se misturado com outras galáxias no passado. É possível que tenha adquirido o formato a que estamos familiarizados há 10 bilhões de anos. Voltaremos a isso no capítulo 5.

Foram necessárias novas ideias para descobrir o tamanho exato da Galáxia. Já vimos que a paralaxe, que se baseia no cálculo do deslocamento das estrelas num plano de fundo quando a Terra gira em torno do Sol, nos permite chegar somente a trezentos anos-luz de distância a partir da Terra, embora a muito mais longe por meio de um telescópio. Agora estamos falando de enxergar até o próprio fundo estrelado, até 100 mil anos-luz de distância. Como saber quão longínquas são essas estrelas? Elas parecem não fazer o mínimo deslocamento no céu noturno enquanto a Terra gira ao redor do Sol. Algum outro método precisava ser inventado.

Henrietta Swan Leavitt, uma astrônoma de Harvard no início do século XX, foi uma figura decisiva para a elaboração do novo método. Ela estava estudando um tipo de estrela conhecido como cefeida, que está sempre pulsando e cuja luminosidade varia de intensidade à medida que seu tamanho se altera de acordo com sua pulsação. Em 1908, Leavitt descobriu nelas um padrão recorrente, percebendo que, quanto mais brilhante era a estrela intrinsecamente, mais tempo ela demorava para pulsar. Uma estrela muito brilhante levaria algumas semanas ou meses para pulsar. Uma menos brilhante levaria apenas dias.

Foi uma descoberta revolucionária, e ainda mais notável pela própria história de Leavitt. Nascida em 1868, ela estudou no Oberlin College, em Ohio, e a seguir na instituição universitária para mulheres que ficou conhecida como Radcliffe College, vinculada a Harvard (que na época só aceitava homens). Ela estudou música e depois começou a se interessar por astronomia, mas após se graduar adoeceu, ficando praticamente surda. Sua paixão pela astronomia se manteve, o que a levou a trabalhar como voluntária no observatório da Universidade Harvard em 1895, sob a supervisão do astrônomo Edward Pickering. Alguns anos mais tarde, foi contratada para integrar a equipe do astrônomo como uma das muitas "computadoras" — mulheres que recebiam cerca de trinta centavos de dólar por hora para examinar placas fotográficas da luminosidade de estrelas. Um dos objetivos do programa de Pickering era catalogar o brilho de todas as estrelas conhecidas. Por ser mulher, Leavitt não tinha permissão para usar o telescópio por conta própria nem liberdade intelectual para explorar suas próprias ideias teóricas. Sua tarefa se resumia a procurar estrelas de luminosidade variável, por meio da comparação meticulosa de fotografias tiradas em noites distintas. Ela era tão boa no trabalho que, entre seus vários feitos, descobriu mais de 2 mil estrelas de luminosidade variável ao longo da vida.

A pesquisadora detectou o padrão de pulsação das cefeidas, hoje cada vez mais conhecido na comunidade astronômica como lei de Leavitt, utilizando estrelas das Nuvens de Magalhães. Estas consistem em dois objetos que, vistos a olho nu, aparecem no céu noturno como duas manchas brancas que podem ser facilmente confundidas com nuvens. Hoje sabemos que são galáxias distintas da nossa, mas à época se acreditava que eram um conjunto de estrelas pertencentes à Via Láctea. Só podem ser avistadas do hemisfério Sul, e Leavitt usou imagens delas que haviam sido captadas do Peru para descobrir 25 cefeidas que apresentavam uma relação estreita entre luminosidade e regularidade de pulsação. O padrão parecia mais evidente nessas estrelas porque elas estavam praticamente à mesma distância da Terra.

A descoberta de Leavitt foi incrivelmente útil. Mesmo que não possamos chegar fisicamente a uma estrela, podemos observá-la com nossos telescópios e marcar o tempo que ela leva para pulsar. Conhecendo a relação entre o período de pulsação e a luminosidade, podemos então estimar quão brilhante seria uma cefeida se estivéssemos bem a seu lado. Isso transforma a estrela no que chamamos em astronomia de "vela-padrão", algo que possui um brilho intrínseco conhecido. Usando telescópios para calcular quão brilhante é a estrela vista por nós aqui da Terra, podemos descobrir sua distância. Quanto mais distante, menos brilhante ela será.

O trabalho com as estrelas cefeidas nos leva aos locais mais remotos da Via Láctea e além, sendo ainda uma das formas mais importantes de medir distâncias no universo. Foi o astrônomo norte-americano Harlow Shapley, diretor do observatório de Harvard de 1921 a 1952, que recorreu ao comportamento das estrelas pulsantes nos anos anteriores a 1919 para determinar o tamanho da Via Láctea e descobrir a localização do nosso sistema solar em seu interior. Usando o telescópio de 1,5 metro de diâmetro do Observatório Monte Wilson, na Califórnia, o maior telescópio do mundo na época, ele calculou a distância até estrelas agrupadas em "aglomerados globulares", densos conjuntos de centenas ou milhares de estrelas unidas por sua gravidade, espalhados pela Via Láctea. Para isso, fez uso de uma classe de estrelas que pulsa ainda mais rápido que as cefeidas, as RR Lyrae, que possuem um padrão semelhante de relação entre o período de pulsação e a luminosidade. Elas revelaram que as estrelas na Via Láctea eram um disco aplainado de mais de 100 mil anos-luz de diâmetro, com o sistema solar a cerca de meio caminho do centro.

Até quase um século atrás, acreditava-se que todo o universo se resumia à Galáxia. Agora sabemos que ela não está, em hipótese alguma, sozinha; é apenas uma de muitas, talvez infinitas, galáxias. Juntas, formam comunidades, o equivalente cósmico de cidades pequenas e de metrópoles. Algumas vivem nas cidades pequenas do universo, conjuntos de até cem galáxias conhecidos como grupos de galáxia. Outras vivem em agrupamentos maiores, de centenas a milhares de galáxias, conhecidos como aglomerados de galáxias. A própria Via Láctea é uma cidade pequena, vivendo dentro de um grupo com mais de cinquenta galáxias vizinhas, que chamamos de Grupo Local. É a gravidade que mantém unidos os membros do nosso grupo, a força de atração da massa de todas as estrelas e de outras coisas no interior dessas galáxias.

Sabemos agora que dois dos nossos vizinhos mais próximos são as Nuvens de Magalhães. Essas galáxias estão tão abaixo da Via Láctea que apenas quem está no hemisfério Sul tem a sorte de vê-las. Para aqueles de nós que vivem no norte é muito emocionante viajar para o sul do planeta e subitamente identificá-las no céu. Elas foram nomeadas no século XVI, quando europeus a avistaram pela primeira vez durante a épica viagem de Fernão de Magalhães em busca de uma nova rota para as Ilhas Molucas, as "Ilhas das Especiarias", partindo da Espanha. Claro, já eram velhas conhecidas dos povos do hemisfério Sul, aparecendo na tradição oral de grupos indígenas da Austrália, da Nova Zelândia e da Polinésia.

O Grupo Local possui cerca de 10 milhões de anos-luz de diâmetro, o que é praticamente cem vezes o diâmetro da Via Láctea. Além da nossa, existe somente mais uma galáxia de grande porte no Grupo Local, que é outra galáxia espiral: Andrômeda. Ela está a 2 milhões de anos-luz de distância de nós, mais de dez vezes mais longe que a Pequena Nuvem de Magalhães. Com cerca de 200 mil anos-luz de diâmetro, tem quase o dobro do nosso tamanho e abrange algo próximo a 1 trilhão de estrelas. Se agora imaginássemos o Grupo Local dentro daquela nossa quadra de basquete, a Via Láctea teria praticamente o tamanho de um CD, e Andrômeda, o de uma tampa de panela grande, e elas estariam a cerca de três metros de distância uma da outra. Nessa escala, a Grande Nuvem de Magalhães teria o tamanho de uma uva, e a Pequena, o de um amendoim.

Andrômeda é um dos objetos mais distantes que enxergamos a olho nu no espaço. Sem um telescópio, apenas a parte mais luminosa de seu centro é visível, razão pela qual ela parece tanto uma estrela. Com um bom telescópio, você pode ver todo o seu disco, que aparece maior que a Lua e possui quase a mesma amplitude que seus três dedos centrais erguidos com seu braço esticado. É possível achá-la no céu noturno entre as constelações de Pegasus e de Cassiopeia. As estrelas dessas constelações estão todas dentro da Via Láctea, mas podem guiar nossos olhos até Andrômeda, que está mais distante.

Andrômeda tem sido um traço conhecido do céu noturno desde pelo menos o século X, quando apareceu na obra persa *O livro das estrelas fixas*. Nela, é primeiro chamada de "nuvem pequena". Posteriormente, foi identificada com telescópio no início do século XVII pelo astrônomo alemão Simon Marius, um contemporâneo de Galileu responsável por nomear as quatro maiores luas de Júpiter. Depois apareceu num importante catálogo do astrônomo francês Charles Messier, que começou sua carreira trabalhando para Joseph Delisle, o astrônomo naval francês que havia exercido um papel importante nos cálculos dos trânsitos de Vênus. O livro de Messier, publicado em 1760, cataloga cerca de cem objetos que ele chamava de nebulosas, objetos difusos no céu que claramente não eram estrelas isoladas. O que de fato eram permaneceu um mistério. Mesmo naquela época, ninguém tinha como saber que Andrômeda ou qualquer outro desses objetos estava, na verdade, fora da Galáxia.

Andrômeda e a Via Láctea estão a mais de 2 milhões de anos-luz de distância uma da outra no momento, porém os astrônomos estão bastante convictos de que em alguns bilhões de anos elas irão colidir. Estamos voando uma em direção à outra numa velocidade superior a oitenta quilômetros por segundo, e não é possível voltar atrás. Colisões galácticas são grandes eventos, mas não necessariamente geram caos para os planetas e as estrelas que formam as galáxias. No âmbito do espaço sideral, as estrelas são tão pequenas e os espaços entre elas tão grandes que é muito improvável que venham de fato a colidir quando as galáxias se encontrarem (retornaremos a isso no capítulo 5).

As outras galáxias existentes no Grupo Local são menores que a Via Láctea. A maior delas é a galáxia do Triângulo, um pouco mais distante de nós do que Andrômeda. Ela na verdade não é triangular e possui formato de disco, mas recebe esse nome pelo fato de aparecer no céu noturno dentro do triângulo luminoso de estrelas da Via Láctea que formam a constelação do Triângulo. Também consta no catálogo de Messier, como M33, com Andrômeda como M31. Os nomes presentes nesse catálogo são agora os mais utilizados pelos astrônomos. Entre as demais galáxias conhecidas no Grupo Local, talvez cinquenta sejam galáxias "anãs" a orbitar como satélites em torno da Via Láctea. Cerca de mais vinte são galáxias anãs que orbitam Andrômeda. Até hoje estamos descobrindo novas galáxias anãs em seu trajeto ao redor de nós.

Foi apenas nos anos 1920 que os astrônomos descobriram que esses objetos e outras nebulosas eram, na verdade, externos à Via Láctea. Essa possibilidade havia gerado desentendimento entre astrônomos e outros intelectuais durante muito tempo, tornando-se famosa ao ser expressa no "Grande Debate" entre os astrônomos norte-americanos Heber Curtis e Harlow Shapley. Em duas conferências apresentadas na tarde de uma segunda-feira de abril de 1920, os dois astrônomos discutiram sobre as nebulosas e sobre o que significavam para nosso conhecimento da escala e da natureza do universo. Shapley argumentava que a Via Láctea era tudo que existia, ou seja, que o universo era feito de apenas uma galáxia; Curtis, no entanto, sustentava que algumas das nebulosas eram, na verdade, galáxias separadas, distintas da nossa, ou "universos-ilhas", um termo que tomou de empréstimo do filósofo Immanuel Kant, que havia especulado um século antes que as nebulosas se situavam fora da Galáxia. A descoberta feita por Henrietta Leavitt, em 1908, do padrão de pulsação da estrela cefeida foi decisiva para que o astrônomo Edwin Hubble colocasse um ponto-final no debate em 1924. Ao encontrar cefeidas em algumas dessas manchas de baixa luminosidade no céu noturno, Hubble calculou que deviam estar fora da Via Láctea. Elas possuíam luminosidade fraca demais para estar na Galáxia. Voltaremos a esse tópico no capítulo 4.

Se expandirmos nossa visão para além do nosso grupo galáctico ou do aglomerado de galáxias, descobriremos entidades ainda maiores. São os superaglomerados, os maiores objetos que podemos ver no todo do nosso universo. Constituídos de centenas de aglomerados e grupos, eles são menos bem definidos que galáxias individuais ou até mesmo que aglomerados, pois seus limites não são muito claros. Na realidade, os astrônomos até hoje não chegaram a um acordo sobre onde começam e onde terminam nossos superaglomerados.

O conjunto de aglomerados, grupos e galáxias num superaglomerado se mantém unido pela gravidade; é isso que dá a cada superaglomerado sua definição imprecisa. Uma maneira de estabelecer seus limites é afirmar que um aglomerado ou uma galáxia solitária pertence a ele se estiver indo mais em direção a seus outros membros que a outro superaglomerado. Mas não há consenso a respeito das regras específicas de filiação. Outros astrônomos afirmam que devemos pensar em superaglomerados como o grupo de objetos que acabarão colidindo entre si em um dado momento do futuro.

Até 2014, quase todos os astrônomos concordavam que o todo do nosso superaglomerado equivalia a um conjunto de cerca de cem aglomerados e grupos de galáxias conhecido como superaglomerado de Virgem, contendo um total de aproximadamente 1 milhão de galáxias e nomeado em homenagem ao maior aglomerado de galáxias em seu interior. Os astrônomos calcularam que, no geral, o superaglomerado de Virgem é cerca de dez vezes maior em diâmetro que o Grupo Local, mais de 100 milhões de anos-luz de um lado a outro. Foi somente nos anos 1970 e 1980 que novas buscas de galáxias distantes puderam ser usadas para determinar o formato de Virgem. As observações comprovaram que sua parte maior lembra um óvalo achatado, como uma bola de rúgbi ou de futebol americano, com um enorme aglomerado de galáxias no centro e longos e fibrosos filamentos de grupos menores de galáxias no entorno.

Recentemente, todavia, um olhar mais de perto do movimento das galáxias em superaglomerados ao redor de Virgem sugeriu que as faixas de fronteira de nosso superaglomerado devem ser redesenhadas bem mais adiante. Isso faria dele apenas uma esquina de um superaglomerado muito maior, chamado de Laniakea, ou "céu imensurável" em havaiano, que reúne Virgem e outros três objetos previamente identificados como superaglomerados. Laniakea é cerca de cinco vezes maior em diâmetro do que Virgem e possui formato irregular. O Grupo Local não passaria de um melão dentro de uma quadra de basquete do tamanho de Laniakea. O status deste como superaglomerado, no entanto, permanece incerto, com um estudo de 2015 mostrando que suas galáxias e aglomerados provavelmente se afastarão uns dos outros no futuro.

Laniakea é tão grande que se olhássemos para suas extremidades estaríamos olhando para alguns milhões de anos no passado. A luz desses locais distantes que chega hoje a nossos telescópios iniciou sua viagem antes mesmo de os dinossauros estarem vivos. Enquanto ela viajava no espaço, os dinossauros surgiram, viveram e, perto de quando ela alcançou os limites do superaglomerado de Virgem, entraram em extinção. Depois ainda foram necessários mais 60 milhões de anos até chegar à Via Láctea e finalmente à Terra.

Para descobrir a escala de nosso superaglomerado, seja ele Virgem ou Laniakea, precisamos nos basear num novo método de cálculo, já que as estrelas cefeidas mais afastadas que podemos ver com telescópios potentes estão a cerca de 100 milhões de anos-luz de distância, apenas uma parte do caminho através de nosso superaglomerado. Para estimar a distância até galáxias mais longínquas, usamos, em vez disso, outra vela-padrão: estrelas em explosão extremamente luminosas que apenas por um instante ofuscam toda uma galáxia de muitos bilhões de estrelas. Elas são estrelas conhecidas como anãs brancas, que encontraremos no próximo capítulo. Anãs brancas se tornam instáveis quando sua massa cresce mais que 1,4 vez a massa do Sol, tendo essa massa específica sido descoberta pelo astrofísico de origem indiana Subrahmanyan Chandrasekhar em 1930. Acredita-se que uma explosão acontece ou quando duas anãs brancas que orbitam em torno uma da outra se fundem, ou quando uma anã branca atrai massa extra de uma estrela próxima, tornando-se subitamente instável. A natureza exata de como isso ocorre permanece desconhecida, mas as explosões, chamadas de supernovas tipo Ia, obedecem a um padrão semelhante. Elas se tornam cada vez mais brilhantes e depois se desvanecem ao longo de dias ou semanas. Os astrônomos detectaram que sua luminosidade máxima se relaciona de maneira previsível com o período de tempo em que continuam brilhando.

Seguindo o mesmo princípio das estrelas cefeidas, podemos utilizar o período em que uma supernova permanece brilhante para inferir sua luminosidade intrínseca e depois, calculando quão luminosa ela parece para nós vista da Terra, podemos estimar a distância até o local da explosão. Essas supernovas nos permitem fazer essa medição para galáxias que estejam a até 17 bilhões de anos-luz, muito além de nosso superaglomerado e em direção aos confins do universo.

Agora damos nosso último passo para o exterior e chegamos ao extraordinário ponto de vista que abrange todo o nosso universo observável. Nessa escala mais ampla, o universo surge como uma intrincada rede de superaglomerados galácticos que, juntos, contêm cerca de 100 bilhões de galáxias. Elas estão agrupadas no espaço em seus pequenos conjuntos de aglomerados e grupos de galáxias. Cada uma tem cerca de 100 bilhões de estrelas, e um grande número destas possui seu próprio sistema de planetas orbitando ao seu redor. Diante de tais números, não é de surpreender que a maioria dos astrônomos suspeite que exista alguma forma de vida em algum lugar do cosmo.

Quando dizemos universo "observável", estamos nos referindo ao que conseguimos ver a partir da Terra. Esse limite não depende da qualidade de nossos telescópios, mas da idade do universo. O universo como o conhecemos não existe desde sempre. Se somos capazes de ver uma galáxia distante, isso significa que sua luz teve tempo de viajar no espaço até chegar aqui. Uma galáxia muito distante, tão distante que sua luz ainda não teve tempo de chegar até nós, está além de nosso horizonte cósmico, além de nosso alcance.

Então quão distante está esse horizonte? Voltaremos mais tarde à ideia do nascimento do universo e de sua idade. Por ora, podemos dizer que os astrônomos estimam que o horizonte cósmico esteja a cerca de 50 bilhões de anos-luz de nós em todas as direções. Isso é mais do que 14 bilhões de anos-luz, a distância que a luz viajaria durante o que hoje sabemos ser o tempo de vida do universo, porque o espaço continuou crescendo nesse período. Nosso universo observável, portanto, é esférico e se baseia em nós, observadores situados na Terra. Isso não significa, claro, que estamos no centro do universo. Estamos apenas, por definição, no meio da parte que podemos ver. Se agora imaginássemos que colocamos todo o universo observável dentro da nossa quadra de basquete, o superaglomerado Laniakea teria o tamanho de um cookie e se localizaria bem no centro.

Para descobrir quão distantes estão essas galáxias e superaglomerados afastados, os que se encontram em superaglomerados para além do nosso, ainda podemos usar as cintilantes supernovas. Elas nos levam até perto do limite do que podemos observar. Mas quando olhamos para os limites do nosso universo observável, temos de lidar com uma característica específica da astronomia que é tanto boa quanto ruim. Trata-se da natureza de máquina do tempo da observação do espaço distante. Embora nosso universo de hoje seja bastante semelhante por toda parte, cheio de galáxias, aglomerados e superaglomerados, nós o vemos de maneira um pouco incomum, por causa daquele fato de que a luz demora a nos alcançar. Vemos as coisas no espaço como eram quando a luz partiu do que quer que estejamos olhando. Isso significa que vemos as camadas do espaço mais próximas de nós como eram há centenas e milhares de anos. Camadas mais distantes mostram suas faces de milhões e depois de bilhões de anos, de quando o universo era muito mais jovem. Bem na fronteira do universo observável, estamos vendo o universo ainda muito jovem, muito diferente de suas partes mais velhas. A essa altura, essas partes distantes provavelmente evoluíram até se assemelharem à nossa parcela local do espaço.

Isso é tanto maravilhoso quanto confuso. Significa que nunca podemos ver a totalidade do espaço do jeito que é hoje, neste instante. Mas também significa que podemos ver o passado e que podemos ver como eram outras partes do universo. Isso é incrivelmente útil para nós, pois nos ajuda a juntar as peças de como surgimos. Imagine se um alienígena encontrasse uma multidão de seres humanos de exatamente oitenta anos de idade. Apenas olhando para esse grupo, ele encontraria dificuldade para descobrir como surgiram, como nasceram e como cresceram.

Agora imagine que, em vez disso, nosso visitante encontrou um grupo de seres humanos de diferentes idades, com alguns bebês, algumas crianças, alguns jovens adultos, algumas pessoas de meia-idade e outras de idade avançada. Seria muito mais fácil formar uma opinião sobre o percurso da vida humana e a natureza de suas várias etapas. Fazemos algo semelhante quando olhamos bem a fundo no espaço e vemos outras galáxias, outras estrelas, como eram no passado. Isso nos ajuda a pensar sobre como nossa própria porção do espaço, incluindo nosso sistema solar, se transformou ao longo de milhões e bilhões de anos.

Chegamos ao fim da nossa jornada, após termos nos afastado cada vez mais da Terra e alcançado os maiores objetos do espaço. Se fosse anotar nosso endereço cósmico completo, você escreveria algo assim: Terra, sistema solar, Vizinhança Solar, Via Láctea, Grupo Local, superaglomerado de Virgem ou de Laniakea, universo observável. Assim como quando olhamos para um atlas mundi, evitamos imaginar todas essas diferentes regiões e escalas de uma só vez. Nosso cérebro não consegue lidar muito bem com a variedade de tamanhos e com tantos níveis de detalhes. Num atlas, é possível ver o mapa do mundo, em seguida o mapa de um país, depois o de uma região e por fim talvez o de uma cidade. O mesmo acontece na

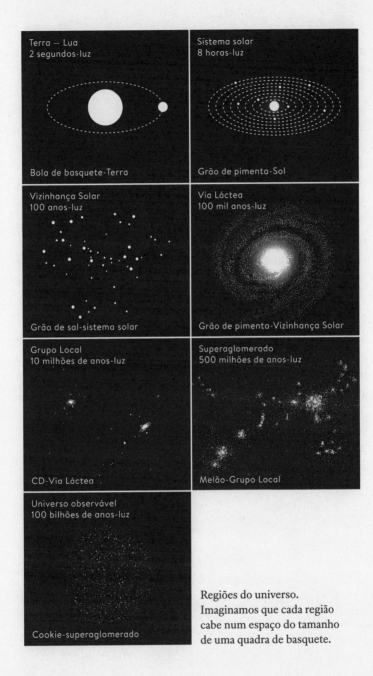

Regiões do universo. Imaginamos que cada região cabe num espaço do tamanho de uma quadra de basquete.

astronomia. Podemos apreender cada região do universo se nos limitarmos a pensá-las em etapas, cada uma em comparação com a anterior ou a posterior.

À semelhança de como procedemos com um atlas mundi, podemos imaginar que começamos no nível mais elevado, o mapa de todo o universo, e que depois descemos para regiões completamente distintas. Para um superaglomerado diferente, um grupo de galáxia diferente, uma galáxia diferente, uma estrela diferente, até pousarmos num planeta diferente. A Terra é apenas um dos inúmeros locais de pouso.

Como é nosso universo além do horizonte? Achamos que ele continua mais ou menos o mesmo, bem além do que é possível ver. Ele talvez não tenha um limite, ideia a que voltaremos no capítulo 4. Achamos que é infinito, por mais difícil que isso seja de visualizar. Não obstante sua imensidão, é muito provável que contenha mais do mesmo: mais superaglomerados, mais galáxias, mais estrelas e planetas. Isso pode parecer a princípio tedioso, mas basta refletir por um momento para imaginar a incrível riqueza e diversidade que deve haver por aí. Quantas galáxias, quantas estrelas, quantos planetas — e quantos entre eles não abrigariam vida?

2.
Somos feitos de estrelas

Neste capítulo, descobriremos mais sobre as estrelas que iluminam nosso céu, desde o Sol até aquelas que estão muito além da Galáxia. Origem de calor, luz e vida, as estrelas são fundamentais para nossa existência. Elas produzem os ingredientes básicos do ar que respiramos, dos alimentos que ingerimos e das células que compõem nosso corpo. Descobriremos por que brilham, como vivem e morrem e que outros mundos podem estar mantendo ao seu redor. Para conhecê-las em toda a sua glória, primeiro precisamos entender o funcionamento das principais ferramentas da astronomia: a luz e os telescópios.

A luz viaja no espaço na impressionante velocidade de mais ou menos 1 bilhão de quilômetros por hora, e podemos imaginá-la se movendo em ondas em nossa direção, cada onda se propagando como uma oscilação num lago, depois do lançamento de uma pedra. Ondulações num lago costumam apresentar um intervalo regular entre seus picos, um comprimento de onda que pode ter dezenas de centímetros de extensão. Uma luz com determinado comprimento de onda também apresenta intervalos regulares entre seus picos. A luz que o olho humano evoluiu para ver é de um tipo muito específico, sendo composta de todas as cores do arco-íris, do vermelho ao violeta. Nossos olhos interpretam diferentes comprimentos de onda como cores diferentes, e os comprimentos de onda visíveis para nós são muito menores que as ondas na superfície

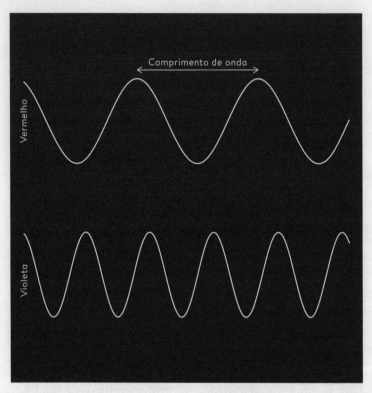

A cor da luz depende do seu comprimento de onda.

do lago. A cor vermelha é o maior comprimento de onda que conseguimos enxergar, sendo o espaço minúsculo entre seus picos de um pouco menos de um milésimo de milímetro. Depois vêm as cores laranja, amarela, verde e azul, cada uma ligeiramente menor do que a anterior. O violeta possui o menor comprimento de onda de todos, cerca de metade daquele do vermelho.

Quando vemos a luz branca ou amarelada de uma lâmpada ou do Sol, ela é composta de muitas ondas de diferentes comprimentos, abrangendo todas as cores do arco-íris. Isaac Newton, em 1672, foi o primeiro a demonstrar que isso era verdadeiro, por meio de experimentos que desviavam a luz através de prismas de vidro. A luz viaja mais devagar no vidro ou na água do que no ar, e quanto menor seu comprimento de onda, mais é desacelerada. Assim, a luz azul viaja mais devagar que a vermelha através do vidro, e o efeito resultante é que, ao entrar nele, ela acaba sofrendo um desvio maior do que a vermelha. A que entra no prisma é branca, mas ela emerge decomposta nas cores do arco-íris. Podemos observar o mesmo efeito num arco-íris no céu: a luz é desviada através de muitas gotículas de água, decompondo-se em todos os seus comprimentos de onda visíveis.

As cores visíveis do arco-íris são as mais familiares para nós, e nosso olho provavelmente evoluiu para enxergar esses comprimentos de onda específicos porque eles são do tipo que o Sol emite em maior abundância. Mas o que podemos enxergar é apenas uma fração da verdadeira natureza da luz. Ela também pode ter comprimentos de onda com picos muito mais afastados ou muito mais próximos. Trata-se de formas de luz como a infravermelha, a ultravioleta e as ondas de rádio, que nosso olho não consegue enxergar.

Para trabalhar com astronomia, olhamos para a luz que vem de objetos no céu. Mas nosso olho, por mais prodigioso que seja, tem duas limitações óbvias. Não podemos aumentar o zoom para ver a fonte de luz e não podemos ver a luz invisível. Os astrônomos sempre tentaram compensar essas limitações, e a chave para lidar com elas se encontra na vasta gama de telescópios que desenvolvemos nos últimos quatrocentos anos.

Os primeiros telescópios eram do tipo que conhecemos melhor: instrumentos refratores que utilizavam uma lente de vidro para focalizar raios de luz visível. A luz sofre um desvio angular quando entra na lente côncava, porque o vidro diminui sua velocidade. Uma lente pode receber muitos raios de luz e, dado seu formato curvo, desviá-los para uma área menor. Podemos então utilizar uma segunda lente ocular, menor, para desviar a luz em linha reta até nossos olhos. Esse ato de focalizar muitos raios de luz amplia e ilumina a imagem. Quanto maiores as primeiras lentes "objetivas", maior a quantidade de luz focalizada. Os primeiros telescópios surgiram na Holanda, no começo do século XVII, produzidos pelos fabricantes de lentes Hans Lippershey, Jacob Metius e Zacharias Janssen, que descobriram que duas lentes podiam ser usadas juntas para ampliar imagens. Esses "observadores", como eram inicialmente chamados, foram adotados com entusiasmo pelo Exército holandês para vigiar embarcações inimigas no mar. A ideia chegou até Galileu em Veneza, onde, em 1609, ele construiu um telescópio por conta própria, utilizando uma lente de quatro centímetros de diâmetro para ampliar objetos cerca de vinte vezes. Como já mencionado, ao apontar seu telescópio para o céu, Galileu encontrou crateras na Lua e descobriu as maiores luas de Júpiter. Ele passou a avistar estrelas invisíveis a olho nu e a se referir à maior e mais brilhante delas como sendo de "sétima magnitude": mais opaca que todas as estrelas observadas e classificadas até então.

Em 1611, Johannes Kepler refinou o modelo do telescópio de Galileu. Ele transformou a lente ocular convexa utilizada

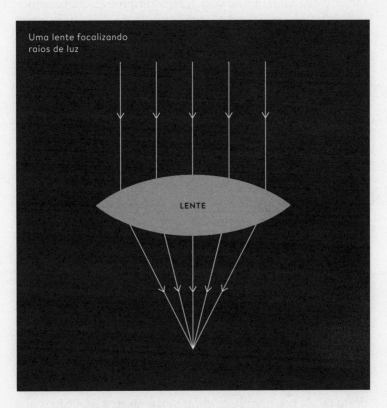

Uma lente mudando a direção dos raios de luz.

pelo astrônomo italiano numa lente côncava. Em seguida, posicionou a lente ocular longe o suficiente da objetiva para que todos os raios de luz sofressem um desvio desta, focalizassem um ponto e então prosseguissem até atingir a ocular. A imagem ficava invertida, mas também se podia ver uma área maior do céu de uma só vez. Telescópios refratores baseados no modelo de Kepler ainda são comuns na astronomia amadora e também são vitais em inúmeros ambientes profissionais. O maior telescópio refrator em atividade pertence ao Observatório Yerkes, em Wisconsin, e possui uma lente de um metro de diâmetro. Não usamos mais os olhos para ver através deles. Agora as imagens para uso profissional são gravadas com câmeras digitais.

Os telescópios refratores não podem ter mais de um metro de largura, pois a gravidade deformaria o vidro. Para contornar essa limitação, os maiores telescópios profissionais são refletores. Em vez de lente, eles utilizam um espelho côncavo para captar a luz, que é refletida por uma ocular ou uma câmera num ponto de foco menor. Podem ser muito maiores que os refratores, com os espelhos maiores fornecendo a melhor resolução de pequenos detalhes. Uma de suas primeiras versões foi desenvolvida por Isaac Newton em 1668 e utilizava um espelho de uns poucos centímetros de diâmetro.

Os telescópios refletores revolucionaram nossa capacidade de enxergar longe no espaço, e os modelos atuais maiores possuem espelhos de oito a dez metros de diâmetro. Telescópios dessa escala nos permitem contemplar objetos tão opacos que podem chegar à 27ª magnitude: ou seja, 21 graus de magnitude mais opaco do que aquilo que podemos enxergar a olho nu numa noite escura, o que significa algumas centenas de milhões de vezes mais opaco. Para ver objetos distantes de forma ainda mais detalhada, uma equipe de astrônomos está construindo no Chile o Telescópio Gigante de Magalhães, que usará sete espelhos segmentados de oito metros para formar um único espelho refletor de mais de vinte metros de diâmetro, quando entrar em operação, no final da década de 2020. Ao mesmo tempo, o Observatório Europeu do Sul, organização intergovernamental sediada na Alemanha, está desenvolvendo o que vem sendo adequadamente chamado de Telescópio Extremamente Grande [*Extremely Large Telescope*], que terá um espelho de quarenta metros de diâmetro.

A maioria dos telescópios opera da Terra, de modo que a qualidade das imagens que são obtidas com eles é limitada pelo fato de as vermos através da nossa atmosfera. O mesmo efeito que leva uma estrela a cintilar faz com que imagens ampliadas de estrelas ou galáxias fiquem distorcidas. Esse problema pode ser parcialmente resolvido graças à instalação desses instrumentos em lugares elevados, onde há menos atmosfera para atrapalhar a observação, e à escolha de locais secos com céu claro e sem vento. Os melhores lugares são o vulcão Mauna Kea, no Havaí, o topo das montanhas no Chile e os vulcões das Ilhas Canárias.

Um telescópio instalado no espaço pode ver com ainda mais clareza. Essa era uma ambição dos astrônomos praticamente desde os anos 1920, mas só em 1990 o famoso Telescópio Espacial Hubble, um telescópio refletor com um espelho de quase 2,5 metros de diâmetro, foi enviado à órbita da Terra. O caminho para isso foi longo e contou com a liderança do astrônomo americano Lyman Spitzer, que propôs a ideia de um grande telescópio espacial em 1946. Por volta dos anos 1960, a comunidade astronômica foi convencida de sua importância, e em 1970 o projeto recebeu o apoio da Nasa. Só que por pouco não saiu do papel: o Congresso dos Estados Unidos cancelou seu financiamento em 1974, devido a cortes orçamentários. Foi graças a um incessante lobby de astrônomos, liderados por Lyman Spitzer e pelo astrofísico John Bahcall, membros da

Universidade Princeton, que um financiamento foi aprovado alguns anos depois. Após o lançamento em 1990, os desafios do Hubble ainda não haviam acabado. Quando começou a enviar imagens à Terra, tornou-se evidente, dada a baixa qualidade delas, que o espelho não havia sido instalado de maneira correta. Astronautas da Nasa o consertaram durante uma missão heroica em 1993, deixando-o pronto para mais de duas décadas de serviços extraordinários prestados à comunidade astronômica. O Hubble talvez seja o responsável por algumas das imagens mais icônicas da história da astronomia.

Até os anos 1930, os telescópios ampliavam e captavam somente luz visível. Hoje podemos ver o universo em todo o seu esplendor, através de telescópios que captam todas as outras formas de luz. Muitas delas são visíveis apenas do espaço, incapazes de atravessar nossa atmosfera. A partir de agora, trataremos dos diferentes tipos de luz, começando com ondas mais longas do que podemos enxergar e passando depois para as mais curtas.

A luz cujos picos são apenas um pouco mais extensos do que o olho humano consegue enxergar é chamada de *luz infravermelha*. Cerca de metade da energia que o Sol envia à Terra chega nessa forma. Ela também é produzida por qualquer coisa quente, inclusive por nosso próprio corpo, o que é útil para profissionais como bombeiros, que usam câmeras infravermelhas em busca de corpos emitindo calor dentro de edifícios cobertos de fumaça. Alguns animais — entre os quais cobras, piranhas e mosquitos — podem sentir a luz infravermelha com os olhos ou outras partes do corpo, algo que também fazemos, em certa medida, quando sentimos calor com a pele.

William Herschel descobriu a luz infravermelha em 1800, enquanto usava um prisma de vidro para decompor a luz no arco-íris de cores visíveis. Interessado em medir a temperatura de cada cor, ele colocou um termômetro em cada parte do espectro. Ao descobrir que a luz vermelha era mais quente do que a violeta, moveu o respectivo termômetro para um pouco além da parte vermelha, prosseguindo com o experimento. Inesperadamente, descobriu que ali a temperatura estava mais alta do que em todas as outras partes que havia examinado. Então chegou à conclusão de que devia ter descoberto um novo tipo de luz, que era quente e invisível a olho nu.

Os telescópios desenvolvidos para captar luz infravermelha são particularmente bons em avistar coisas no espaço que apresentam calor e não estão resplandecentes de luz visível. Eles funcionam da mesma maneira que telescópios ópticos, porém, em vez de direcionar a luz para o olho ou uma câmera óptica com detectores CCD, direcionam-na para câmeras com detectores desenvolvidos para captar os comprimentos de onda maiores da luz infravermelha. Na verdade, a maioria das câmeras em nossos telefones celulares está igualmente preparada para captar alguma luz infravermelha. Você pode ver isso na prática ao apontar um controle remoto para um celular e tirando uma foto enquanto aperta um botão. Controles remotos emitem um raio de luz infravermelha para transmitir instruções, de modo que quando um botão é pressionado, a luz infravermelha costuma fazer um ponto aparecer na câmera.

Em astronomia, a luz infravermelha é de particular importância, pois consegue atravessar a matéria que bloqueia a luz visível, como nuvens de gás e poeira cósmicos, nos permitindo perscrutar áreas do espaço que normalmente ficariam ocultas. Contudo, nossa atmosfera, espessa de vapor d'água, dióxido de carbono e metano, bloqueia quase toda a luz infravermelha que vem do espaço, razão pela qual os melhores telescópios infravermelhos operam no espaço, fora dela.

Seguindo no espectro de luz não visível, as *micro-ondas* possuem um comprimento de onda maior que o da luz infravermelha, variando de cerca de um milímetro a quase dez centímetros. São talvez as ondas de luz mais fáceis de compreender, graças em parte à sua associação com o forno micro-ondas. Esse aparelho funciona mediante o preenchimento de um espaço fechado com micro-ondas, que ficam quicando de um lado para o outro nas paredes. A luz faz com que as moléculas de água presentes na comida girem e entrem em colisão com outras moléculas próximas, elevando sua temperatura. Um experimento divertido para ver o padrão das ondas na luz pode ser feito com um forno de micro-ondas antigo. Se você remover o suporte giratório, colocar um prato de papel com pedacinhos de chocolate dentro do forno e ligá-lo por poucos segundos, verá que alguns pedaços permanecem praticamente inalterados, enquanto outros derretem em pontos do prato distantes um do outro cerca de seis centímetros. As marcas desses pontos quentes indicam os picos das ondas das micro-ondas viajando por todos os lados no forno, onde a luz é mais intensa. O motivo de a comida girar dentro do aparelho é evitar que uma mesma porção dela fique o tempo todo nos pontos mais quentes. Esse experimento não funciona num forno feito para ser utilizado sem prato giratório, porque, como a fonte de luz micro-ondas nesse aparelho está girando, os pedaços de chocolate derretem de maneira uniforme.

Usamos micro-ondas de diversas maneiras, fora aquecer alimentos. Quando você conecta um dispositivo por wi-fi, por exemplo, micro-ondas viajam entre o roteador mais próximo e seu celular ou notebook, indo e voltando com informações e conectando você com o mundo. O excesso de ruídos de micro-ondas emitidos pelo homem pode dificultar a vida dos astrônomos em busca de objetos no céu noturno que também emitem micro-ondas fracas. Precisamos desenvolver telescópios de micro-ondas com cuidado, para evitarmos ser abafados por nossos próprios sinais. Um importante sinal de micro-ondas vem da parte mais distante do espaço que conseguimos ver — voltaremos a isso no capítulo 4.

Os maiores comprimentos de onda de luz apresentam ondulações cuja extensão varia de cerca de dez centímetros a muitos quilômetros. São as chamadas *ondas de rádio*, que, assim como as micro-ondas, estão em toda parte, passando o tempo inteiro por nós e através de nós. Elas podem atravessar paredes, e é por isso que seu rádio e sua televisão conseguem captar sinais de ondas de rádio dentro da sua casa e transformá-los em sons e imagens. Além de transmitir sinais de estações de rádio e TV, são constantemente utilizadas na comunicação moderna. Nossos telefones celulares, em especial, emitem e recebem comprimentos de onda que possuem cerca de trinta centímetros. Quando falamos ao telefone, nossas palavras são codificadas em ondas de rádio, que são enviadas do nosso aparelho para torres telefônicas espalhadas pelo país e depois para o telefone da pessoa com quem estamos falando. O sinal leva apenas milésimos de segundo para ir de uma pessoa à outra, de modo que falamos praticamente em tempo real.

Os astrônomos conduziram uma vasta quantidade de pesquisas fascinantes através do exame de ondas de rádio vindas do espaço, tendo descoberto e estudado estrelas de rápida rotação e observado discos giratórios sugados por gigantescos buracos negros nos centros das galáxias, que muitas vezes emitiam jatos enormes dessas ondas. Aprenderemos mais sobre isso neste e no próximo capítulo. Nossa atmosfera permite a passagem de ondas de rádio, pois seus comprimentos de onda são muito maiores que o tamanho das moléculas na atmosfera, de modo que elas não dispersam nem absorvem a luz. Isso significa que podemos construir radiotelescópios aqui na Terra e utilizá-los também durante o dia. Esses telescópios costumam ter pratos bem maiores do que os dos ópticos ou dos infravermelhos, uma vez que um maior comprimento de onda de luz implica a necessidade de um espelho maior para ver o mesmo nível de detalhe. Os pratos refratam a onda de rádio para um receptor de rádio, o equivalente de uma câmera para a luz visível. Alguns dos radiotelescópios mais conhecidos são os telescópios de Green Bank, no estado americano da Virgínia Ocidental, e de Effelsberg, na Alemanha, ambos com cem metros de diâmetro, além do Telescópio de Arecibo, em Porto Rico, com trezentos metros de diâmetro, que foi erguido numa depressão natural da região e que ruiu em 2020. O Telescópio Lovell, do Observatório Jodrell Bank, no Reino Unido, possui quase o mesmo tamanho, cerca de oitenta metros de diâmetro.

Como acontece com as micro-ondas, um grande desafio para os astrônomos é encontrar locais na Terra onde a interferência do uso humano de ondas de rádio para comunicação seja mínima. No momento, dois dos melhores lugares se situam no seco deserto de Karoo, na África do Sul, e nas planícies desérticas da Austrália Ocidental, ambos inóspitos para seres humanos e, em consequência, perfeitamente calmos para as ondas de rádio. Uma grande rede de radiotelescópios conhecida como Square Kilometre Array (SKA) está sendo construída nos dois lugares, com vários pratos pequenos bem espaçados entre si. Ao conectá-los numa série de telescópios, o que implica usar computadores para rastrear os sinais que chegam a qualquer momento em todos os telescópios menores, ela será capaz de coletar tanta luz quanto um telescópio de um quilômetro de diâmetro e de ver com ainda mais detalhes que um único prato. Planos ainda mais ambiciosos preveem um radiotelescópio futurista instalado no lado oculto da Lua, um local sem dúvida bem protegido da barulheira dos humanos.

Passando agora para as ondas de luz menores do que as do nosso espectro de luz visível, temos primeiro a *luz ultravioleta*, que paira logo após o limite da nossa visão, mas pode ser vista por abelhas e inúmeros outros insetos e pássaros. Seus comprimentos de onda são tão pequenos que são de difícil visualização, podendo chegar a milionésimos de milímetro. Conhecemos bem a radiação ultravioleta como a parte nociva da luz solar, a qual, em excesso, pode causar sérios danos à nossa pele. Por sorte, a maior parte dela acaba sendo bloqueada pelo ozônio na atmosfera.

Johann Ritter, um químico e físico alemão, descobriu a luz ultravioleta em 1801. Inspirado pela recente descoberta da infravermelha feita por Herschel, Ritter decidiu investigar a outra extremidade do espectro eletromagnético. Realizou experimentos com a substância cloreto de prata, que só fica preta ao ser exposta à luz, e descobriu que tal reação acontecia mais depressa quando era posta logo após a parte violeta do espectro. Isso só fazia sentido se houvesse alguma luz invisível por ali também e uma que tivesse mais energia que a luz visível violeta. Luzes com comprimentos de onda menores apresentam mais picos por segundo e mais energia. A ultravioleta tem energia suficiente para causar danos ao DNA no interior das células da pele, acarretando mutações que as fazem crescer de maneira desregulada.

À semelhança do Sol, outras estrelas brilham mais com luz ultravioleta, e algumas chegam a emiti-la ainda mais do que a luz visível. Telescópios equipados com câmeras ultravioleta tiraram fotografias extraordinárias de estrelas e galáxias no espaço profundo. O Telescópio Espacial Hubble, por exemplo, usava não apenas luz visível, mas também ultravioleta e infravermelha para capturar muitas de suas imagens.

Os *raios X*, com comprimentos de onda menores que os da luz ultravioleta e ainda mais energia, são os próximos no espectro. Estamos acostumados com eles por causa das radiografias hospitalares e dos procedimentos de segurança de aeroportos. Esse tipo de luz tende a ser absorvido por átomos que apresentam grande quantidade de elétrons, já que o processo envolve a absorção de raios X e a ejeção de elétrons. A maioria dos átomos presentes em nosso corpo, como o carbono, possui núcleos com muito poucos elétrons, de modo que a luz viaja através das partes moles. Ela só interrompe sua trajetória quando encontra o osso, uma vez que os grandes átomos de cálcio absorvem os raios X. Tais imagens são produzidas pelo lançamento de raios X através de nosso corpo para chegarem ao filme fotográfico, que fica preto nos locais atingidos pela luz e branco onde os ossos bloqueiam sua passagem. Foi o físico alemão Wilhelm Röntgen quem, em 1895, inventou as imagens em raios X, depois de radiografar a mão de sua mulher, Anna, naquela que veio a ser a primeiríssima imagem desse tipo já obtida. Wilhelm os chamou de raios X, com "X" designando algo novo e desconhecido. O nome se popularizou, mas em alemão os raios X são chamados de raios Röntgen. A comunidade médica começou a utilizá-los no mesmo instante, e a descoberta fez com que Röntgen ganhasse o primeiro prêmio Nobel de Física da história, em 1901.

Da mesma forma que a radiação ultravioleta, os raios X têm tanta energia que o excesso de exposições a eles pode danificar o material genético das nossas células e até causar câncer, razão pela qual os utilizamos com parcimônia nos hospitais. Para os astrônomos, sua energia elevada demonstra que são produzidos a partir de um gás quente que foi aquecido a milhões de graus. Isso se encontra em todo o universo, conforme descobriremos nos próximos capítulos, e poder observá-lo com visão de raio X possibilita aos astrônomos analisar objetos e eventos extremos, como estrelas em explosão, galáxias em colisão, buracos negros e gigantescos aglomerados de galáxias. A atmosfera terrestre, no entanto, absorve os raios X, de modo que a única maneira de ver essa radiação vinda de objetos astrofísicos é por meio de telescópios enviados ao espaço

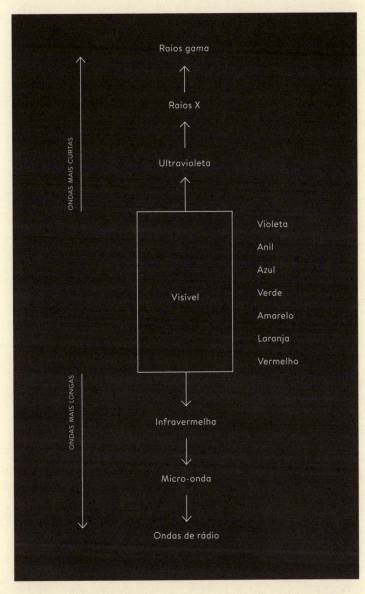

A gama completa de luzes, que inclui o espectro visível, bem como luzes com comprimentos de onda mais longos e mais curtos.

a bordo de satélites ou balões infláveis. Muitas das nossas observações mais recentes vieram do satélite do Observatório de Raios X Chandra, da Nasa, que esquadrinha os céus desde o final dos anos 1990.

Depois dos raios X, encontram-se os *raios gama*, a mais energética de todas as formas de luz, cujo comprimento de onda é quase do tamanho de um átomo. Eles são ainda mais letais que os raios X em doses elevadas, embora sua capacidade de quebrar as células do nosso corpo os tornem úteis para determinados tratamentos médicos. Telescópios de raios gama, que normalmente precisam ser enviados ao espaço, permitem-nos contemplar as coisas mais energéticas acontecendo na Galáxia e mais ainda em galáxias distantes. Muitos desses sinais de raios gama são produzidos por condições de intensa força gravitacional e por fortes campos magnéticos que ainda tentamos entender, como densas estrelas de nêutrons, estrelas em explosão e matéria a girar ao redor dos buracos negros. O Telescópio Espacial de Raios Gama Fermi foi lançado pela Nasa em 2008 e está inspecionando o céu de raios gama para analisar esses fenômenos. Descargas de raios gama para além da Via Láctea são vistas com regularidade por esse telescópio e pelo Observatório Neil Gehrels Swift, lançado também pela Nasa em 2004. Elas provavelmente vêm de estrelas em colisão ou entrando em colapso, mas sua origem cósmica ainda não foi desvendada por completo.

Das ondas de rádio aos raios gama, a diversidade da luz, assim como os vários telescópios e outros instrumentos que criamos para enxergar através de todos os seus espectros, nos permite explorar o espaço como jamais conseguiríamos apenas com nossos próprios olhos. E assim que desenvolvemos os primeiros telescópios, os astrônomos puderam apontá-los para aqueles objetos que até então haviam sido uma fonte de eterna inspiração: as estrelas. Esses instrumentos primordiais os ajudaram a identificar estrelas, elaborar mapas e catálogos a partir delas e medir seu brilho e suas cores.

Agora podemos fazer mais do que isso: podemos entender melhor o funcionamento interno desses corpos celestes. Desde o século passado, sabemos que estrelas são imensas bolas de gás compostas basicamente de hidrogênio e hélio. Como Júpiter, não possuem uma superfície sólida onde se possa pisar, mesmo que se consiga suportar o calor. Durante a maior parte de sua vida, elas mantêm seu tamanho estável devido a um delicado equilíbrio entre a força da gravidade, que atrai o gás para seu interior, e a pressão do gás quente, que o impele para fora. A pressão surge da alta temperatura do gás, o que faz com que partículas em alta velocidade passem a se repelir e a resistir à compressão. Podemos vê-la em ação em pequena escala quando uma panela cheia de água começa a ferver e a pressionar a tampa para fora. Numa estrela, a fonte da pressão é muito mais intensa e advém da atividade extraordinária que acontece em seu centro.

Bem no centro de toda estrela existe uma espécie de estação nuclear, que comprime pares de átomos de hidrogênio para transformá-los em grandes átomos de hélio, liberando imensas quantidades de energia. Esse processo é a fusão nuclear, companheira da fissão nuclear, que normalmente usamos para gerar energia em usinas nucleares. Na fissão, a energia é liberada quando grandes átomos de urânio são quebrados em átomos menores. Como a fusão utiliza hidrogênio, que é abundante, e não gera produtos de lixo radioativo, os cientistas sempre sonharam em utilizá-la para criar fontes de energia alternativas e sustentáveis. Mas é difícil dar início a uma fusão e mantê-la em andamento, e até hoje ninguém conseguiu controlá-la. Até agora, os humanos só souberam fazer uso da fusão em bombas nucleares.

Fazer a fusão acontecer, comprimir átomos juntos requer uma compressão fora do normal. O que, numa estrela enorme, é garantido pela gravidade. Lembremos que o Sol possui cem vezes o diâmetro da Terra, o que o faz ter um volume 1 milhão de vezes maior. Ele não é tão denso quanto a Terra, mas ainda tem um peso 300 mil vezes superior ao do nosso planeta. Assim, é massivo o suficiente para deixar a gravidade tão intensa e o centro da estrela tão quente e denso que os átomos de hidrogênio são ativados. É necessária uma estrela com ao menos um décimo da massa do Sol para isso acontecer, com temperaturas chegando a alguns milhões de graus.

Quando as coisas se aquecem o suficiente no meio de uma bola de hidrogênio e de gás hélio, inicia-se de fato a fusão do hidrogênio e nascem as estrelas como as conhecemos. A energia criada pela fusão é irradiada em forma de calor e luz e pressiona o gás para fora. No Sol, assim como em outras estrelas, a fusão só acontece no centro, numa área que teria o tamanho de uma bola de golfe, caso o astro fosse do tamanho de uma bola de basquete. Se pudesse viajar livremente, a luz escaparia da estrela em questão de segundos. Ocorre que ela precisa atravessar um material denso para sair, de modo que fica mudando de direção à medida que esbarra em átomos em seu percurso, levando dezenas de milhares de anos para escapar. Mas, uma vez livre, precisa apenas de uma viagem de oito minutos em linha reta para chegar à Terra.

Foi somente nos anos 1920 que descobrimos de que são feitas as estrelas e apenas nos anos 1930 que entendemos que era a fusão que dava origem a sua luz. Muito do nosso conhecimento se deve ao trabalho pioneiro de Cecilia Payne-Gaposchkin sobre o espectro das estrelas. Ela decidiu estudar astronomia na Universidade de Cambridge quando assistiu a uma palestra do famoso astrônomo britânico Arthur Eddington sobre sua expedição de 1919 para observar as estrelas próximas a um eclipse solar,

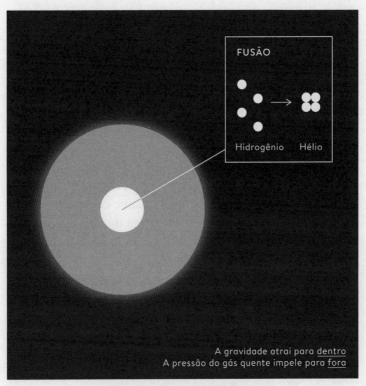

Uma estrela produz calor e luz a partir da
fusão que acontece em seu núcleo.

viagem que ficou célebre por confirmar a então recente teoria da gravidade de Einstein. Infelizmente, as oportunidades para trabalhar com astronomia na Inglaterra eram bastante limitadas; Cambridge nem sequer formava mulheres na época. Então, em 1923, com o apoio de Harlow Shapley, Cecilia viajou para a outra Cambridge, em Massachusetts, para fazer doutorado no observatório da Universidade Harvard. Ela permaneceu em Harvard até o fim de sua ilustre carreira, onde com o tempo se tornou a primeira professora do Departamento de Astronomia e a primeira mulher a dirigir um departamento naquela instituição.

Harvard era um local extraordinário para a astronomia nos anos 1920, até em virtude das suas "computadoras", o grupo de mulheres que trabalhavam para o astrônomo Edward Pickering desde o final do século XIX e que incluía Henrietta Leavitt, famosa pela descoberta das estrelas cefeidas. Só os homens podiam operar os telescópios do observatório, de modo que as mulheres estudavam, analisavam e catalogavam informações e imagens. Elas recebiam muito menos do que os homens por seu trabalho e ainda assim conseguiram realizar muitas das descobertas mais incríveis.

Um dos objetivos de Pickering era analisar os espectros do maior número de estrelas possível e usá-los para classificar as estrelas em diferentes tipos. Analisar o espectro da luz significa decompô-la no arco-íris de cores e verificar sua intensidade em cada uma, para descobrir, por exemplo, o quanto ela é vermelha, laranja, amarela, verde, azul. Os astrônomos perceberam, desde o século XIX, que ao examinar o espectro da luz estelar vemos um arco-íris, mas um arco-íris com raias escuras onde faltam certas cores. Essas raias correspondem a determinados comprimentos de onda de luz que foram absorvidos por átomos na atmosfera da estrela depois de se irradiarem do centro. Diferentes gases na atmosfera absorvem luzes de diferentes comprimentos de onda.

A equipe de Pickering publicou em 1890 seu primeiro catálogo, o *Draper Catalogue of Stellar Spectra* [Catálogo Draper do espectro das estrelas], contendo mais de 10 mil estrelas e seus respectivos espectros. O livro recebeu esse título em homenagem a Henry Draper, médico e astrônomo amador que havia determinado alguns dos primeiros espectros estelares no final do século XIX. A viúva e colaboradora de Draper, Mary Anna Draper, se interessou pelo trabalho de Pickering e financiou o projeto, a fim de elaborar o primeiro catálogo completo de espectros. Na obra, usavam-se letras que iam de "A" a "Q" para categorizar os diferentes espectros estelares, um esquema pioneiro implementado por Williamina Fleming, outra das "computadoras" de Harvard — e com uma carreira bastante incomum. Em 1878, a jovem Fleming, aos 21 anos, tinha emigrado da Escócia para Boston com marido e filho, mas seu marido a abandonara na chegada. Pickering a contratou primeiro como empregada doméstica em sua casa, porém, ao reconhecer seus talentos, resolveu convidá-la para trabalhar no observatório depois de ficar notoriamente insatisfeito com o desempenho de seus assistentes homens. Assim que chegou, Fleming começou a desenvolver seu próprio sistema, segundo o qual estrelas de tipo espectral "A" eram aquelas que pareciam conter a maior quantidade de hidrogênio na atmosfera, gerando as raias mais escuras no arco-íris; estrelas de tipo "B" tinham um pouco menos de hidrogênio; e assim por diante. Algumas das letras restantes foram designadas para representar outros elementos que se acreditava existirem na atmosfera das estrelas.

Outra integrante da equipe das "computadoras" de Harvard, Annie Jump Cannon, realizou importantes ajustes no sistema de Fleming. Assim como Henrietta Leavitt, Cannon havia ficado praticamente surda na juventude, mas, apesar disso, mergulhou em seu trabalho, ingressando no observatório de Harvard em 1896 e chegando a classificar cerca de 350 mil estrelas ao longo de sua vida profissional. Sua grande inovação em 1901 foi adotar um sistema de classificação estelar mais simples do que o de Fleming, reordenando as estrelas em cores que iam do azul ao vermelho e dividindo-as em apenas sete categorias, identificadas com as letras O, B, A, F, G, K e M, propostas pela astrônoma escocesa. Essa ordem foi bastante lembrada desde a época de Cannon através de uma frase de memorização bastante conhecida na área: *"Oh Be A Fine Girl, Kiss Me"* [Ah, Seja uma Boa Garota, Beije-Me]; hoje datada, a frase agora usa *"Girl"* [Garota] e *"Guy"* [Garoto] de maneira intercambiável. Em 1922, a União Astronômica Internacional adotou oficialmente o sistema classificatório de Cannon, que é utilizado até os dias de hoje.

Com as estrelas divididas em diferentes tipos, os astrônomos começaram a olhar para o padrão que relacionava o tipo ou cor espectral de uma estrela a seu brilho intrínseco. Um dos primeiros exemplos disso data de 1910 e advém do astrônomo alemão Hans Rosenberg. Ele estudou 41 estrelas do aglomerado estelar das Plêiades, todas à mesma distância da Terra, e descobriu que, em quase todos os casos, quanto mais azuis, mais luminosas elas eram. O astrônomo dinamarquês Ejnar Hertzsprung publicou um artigo em 1911 no qual relatava o exame do padrão das estrelas tanto no aglomerado das Plêiades quanto no das Híades, e em 1912 um dos principais expoentes da área na época, o astrônomo Henry Norris Russell, da Universidade Princeton, apresentou uma versão para a Royal Astronomical Society que incluía mais estrelas. Ambos encontraram a mesma tendência: para a maioria das estrelas, ser mais azul implicava ser mais brilhante. Elas foram chamadas por Hertzsprung de "anãs". Mas várias dessas não seguiam esse padrão: algumas das mais vermelhas eram particularmente luminosas, cerca de cem vezes mais brilhantes que o Sol, e foram batizadas de estrelas "gigantes". Essa forma de analisar a cor e o brilho estelares ficou conhecida como diagrama de Hertzsprung-Russell e ainda é de uso corrente na astronomia.

A essa altura, as estrelas já estavam bem classificadas, mas ninguém havia descoberto de que se constituíam ou por que seguiam tais tendências particulares que associavam suas cores a seus brilhos. Os astrônomos da época identificaram padrões nos espectros estelares que apresentavam vestígios de cálcio e ferro e conjeturaram que esses corpos celestes eram possivelmente feitos da mesma mistura de elementos que compõem tudo aqui na Terra.

Estavam enganados, e a primeira a perceber isso foi Payne-Gaposchkin. Munida de conhecimentos da nova teoria da mecânica quântica e baseando-se no trabalho seminal desenvolvido pelo astrônomo Meghnad Saha, de Bangladesh, ela examinou as categorias de Cannon detalhadamente e concluiu que a variação nos padrões de absorção não ocorria, como outros achavam, porque diferentes estrelas se compunham de diferentes elementos. Pelo contrário, ela afirmou que os principais ingredientes de todas as estrelas eram hidrogênio e hélio, e que as variações simplesmente decorriam do fato de elas terem diferentes temperaturas. O sistema de letras de "O" a "M" criado por Cannon correspondia não apenas a variações na cor das estrelas, mas também a suas temperaturas, em ordem decrescente da mais quente à mais fria. As estrelas não se pareciam em nada com a Terra, revelou-se, e continham apenas pequenos traços de outros elementos mais pesados que o hélio. De início, as conclusões de Payne-Gaposchkin foram recebidas com muito ceticismo. Henry Norris Russell a desencorajou de apresentar os novos resultados em sua tese de doutorado, em 1925, porque desafiavam o senso comum. Mas ela estava certa, e Russell veio a concordar com ela alguns anos mais tarde. O trabalho de Payne-Gaposchkin, depois de milhares de anos de especulação e pesquisa astronômica, havia finalmente revelado de que são feitas as estrelas.

Antes do enorme avanço feito pela astrônoma britânica, Arthur Eddington já havia conjeturado, em *The Internal Constitution of the Stars* [A constituição interna das estrelas], de 1920, que a fonte de energia estelar devia resultar da fusão de hidrogênio. Com base na teoria da relatividade, de Einstein, segundo a qual a massa pode ser transformada em energia, Eddington concluiu que, se apenas 5% da massa de uma estrela fosse de hidrogênio e se este estivesse entrando em fusão para produzir elementos mais pesados, isso geraria calor suficiente para explicar a luz estelar observada. Essa hipótese acabou se provando correta. Os astrônomos logo descobririam que, embora a maior parte de uma estrela fosse composta de hidrogênio, apenas sua parte mais central era quente e densa o suficiente para realizar a fusão de átomos. Essa teoria foi explicada em detalhes pelo físico anglo-germânico Hans Bethe nos anos 1930, culminando em seu artigo intitulado "Energy Production in Stars" [A produção de energia das estrelas], de 1939. Isso daria a Bethe o prêmio Nobel de Física em 1967 e explicava a tendência das estrelas "anãs": estrelas mais massivas possuem uma força de gravidade maior em seu centro e por isso realizam fusões mais intensas, o que as deixa tanto mais brilhantes quanto mais quentes.

As estrelas são bolas de gás hidrogênio, mas levam vidas muito distintas entre si, dependendo de quão massivas são quando nascem. Podemos analisar suas diferentes histórias agrupando-as de acordo com a cor que possuem no início de sua existência, o que nos revela quão pesadas são. Em vez de pensar nos sete tipos, vamos agrupá-las, de modo geral, em quatro cores — vermelho, amarelo, branco e azul —, que variam da menos à mais massiva. A maioria das estrelas — cerca de 90% — é vermelha. Elas são as mais frias e mais leves, com a temperatura de sua superfície variando de "apenas" 3 mil a 5 mil graus. Um pouco mais massivas são as amarelas, entre as quais se encontra o Sol, que juntas somam aproximadamente 10% de todas as estrelas conhecidas. Possuem temperatura entre 5 mil e 8 mil graus em sua superfície. Mais quentes e pesadas que as amarelas são as brancas, muito menos abundantes — cerca de apenas uma em cada cem estrelas. As mais raras e quentes de todas são as azuis, talvez uma em cada mil estrelas, com temperatura em sua superfície ultrapassando 25 mil graus.

Começaremos com a história do Sol, a história das *estrelas amarelas*. Durante quase toda a sua existência, o Sol permanecerá em sua conhecida forma atual. Agora mesmo, ele se encontra mais ou menos na metade da vida, que, de acordo com as estimativas, durará 10 bilhões de anos. Durante todo esse tempo, será sustentado pelo delicado equilíbrio entre a pressão gravitacional, que quer empurrar todo o material estelar para o centro, e a pressão interna do gás, que tende a fazer a estrela se expandir e é causada pelo calor criado a partir da fusão dos átomos de hidrogênio em seu núcleo. A temperatura da superfície solar é de abrasadores 6 mil graus e chega a escaldantes 15 milhões de graus bem no centro, onde acontece a fusão. Na sua fase de vida atual, o Sol emite luz de todas as cores do arco-íris, o que faz com que pareça branco, mas a cor que ele mais produz é o amarelo, devido à temperatura em sua superfície.

O equilíbrio delicado que sustenta o Sol será abalado quando os átomos de hidrogênio em seu núcleo se esgotarem. Podemos calcular quando isso acontecerá utilizando a massa solar para saber a quantidade de "combustível" de hidrogênio existente em seu interior, e podemos descobrir a velocidade da queima de hidrogênio medindo o brilho solar. Juntando esses números, chegamos a uma estimativa de 5 bilhões de anos a partir de agora. Então, assim que os átomos de hidrogênio no núcleo tiverem se transformado em hélio, a temperatura ainda não estará quente o bastante para fundir esses átomos e transformá-los em outros ainda maiores, como carbono e oxigênio. Em vez disso, a gravidade vencerá por um tempo e empurrará para dentro o gás presente no centro do Sol, comprimindo-o e deixando-o cada vez mais quente até que os átomos de hidrogênio ao redor do núcleo fiquem quentes o suficiente para queimar.

Nesse ponto, as camadas solares externas irão se expandir drasticamente. Isso acontecerá porque a camada mais externa possui um volume maior de hidrogênio e, assim, produz uma pressão maior para fora, aumentando o volume da estrela, cujo diâmetro ficará centenas de vezes maior. Ela ficará cada vez mais brilhante à medida que a temperatura do centro se elevar, porém, como também espalhará seu calor por uma superfície bem mais vasta, começará a emitir um brilho vermelho-alaranjado. Será o início de uma nova fase da sua vida, a de uma vida como gigante vermelha.

Isso deve acontecer daqui a cerca de 5 bilhões de anos e transformará o sistema solar num lugar bastante diferente. O Sol crescerá tanto que provavelmente engolirá as órbitas de Mercúrio e Vênus, assim como talvez a da Terra. Caso isso não aconteça, estaremos perigosamente próximos da borda do novo e gigantesco astro-rei, e as novas condições serão extremamente quentes para a vida — ou, ao menos, para a vida como a conhecemos. O aumento da pressão durante a fase de gigante vermelha também levará as camadas externas do Sol a ser gradualmente ejetadas em crescentes conchas de gás. Essas conchas vêm sendo observadas em torno de outras estrelas da Via Láctea há muito tempo e foram chamadas de "nebulosas planetárias" por William Herschel na década de 1780. Os gases produzem anéis de cores belíssimas, que na época se achava que pareciam planetas.

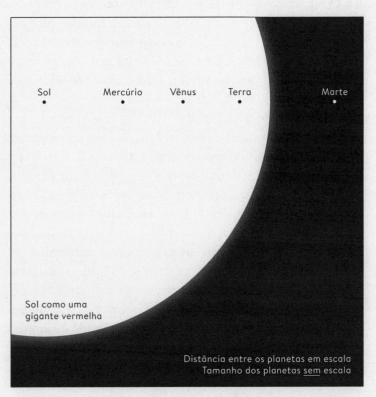

O tamanho esperado do Sol quando se tornar uma gigante vermelha.

Estimamos que o Sol viva dessa forma por mais 1 bilhão de anos. Quando o hidrogênio se esgotar, seu centro entrará em colapso, pois a gravidade vencerá. Finalmente, ao chegar a cerca de 100 milhões de graus no centro, nossa estrela começará a produzir átomos de carbono e de oxigênio a partir de hélio. O núcleo do átomo de hélio tem dois prótons e dois nêutrons, que se fundem para produzir carbono, com seis prótons e seis nêutrons, e oxigênio, com oito prótons e oito nêutrons. Quando acabar o hélio, o Sol jamais ficará grande ou quente o suficiente para fundir carbono e oxigênio e produzir algo maior. Esse será o fim da linha.

Restará uma pequena região central conhecida como anã branca e composta basicamente de carbono e de oxigênio. Ela não estará mais criando pressão interna por meio da fusão, de modo que podemos esperar que a gravidade ganhe a batalha e a leve a entrar em colapso total. Mas, na prática, não é isso o que acontece, devido a um exemplo elegante de mecânica quântica em ação. A mecânica quântica afirma que partículas minúsculas de elétrons evitam estar exatamente no mesmo lugar, de forma que, quando se comprimem alguns elétrons, eles resistem e exercem pressão contrária. Há inúmeros elétrons no centro da estrela, já que existem alguns em cada um dos átomos de carbono e de oxigênio recém-formados. Esses elétrons criam uma nova pressão interna que equilibra a pressão externa, mais forte, da gravidade. O Sol acaba de entrar na fase final da sua vida. Ele se tornará extremamente denso, pesando não muito menos do que agora, porém comprimido de maneira extraordinária numa área do tamanho da Terra, 1 milhão de vezes menor em volume do que é agora.

No capítulo 1, vimos que uma estrela anã branca jamais poderá pesar mais que 1,4 vez a massa solar. Essa é a maior massa de pressão externa que a pressão quântica interna consegue equilibrar e é conhecida como limite de Chandrasekhar, assim nomeado em homenagem ao brilhante astrônomo norte-americano de origem indiana Subrahmanyan Chandrasekhar, que trabalhou em Cambridge nos anos 1930. Na verdade, foi na viagem que fez da Índia para Cambridge em 1930, para começar sua pós-graduação, que Chandrasekhar determinou esse limite pela primeira vez, inspirando-se num trabalho anterior sobre o mesmo assunto feito pelo astrônomo de Cambridge Ralph Fowler. Posteriormente ele fez carreira na Universidade de Chicago, depois de alguns encontros desagradáveis na Inglaterra, sobretudo com Arthur Eddington. Eddington achava que o limite de Chandrasekhar estava errado e o repudiou em público, taxando-o de "palhaçada estelar" num encontro da Royal Astronomical Society em janeiro de 1935. Mais tarde se provou que Chandrasekhar estava certo, e ele recebeu o prêmio Nobel de Física em 1983 por suas realizações.

Como anã branca, o Sol começará quente, sem produzir mais energia por conta própria, de modo que gradualmente resfriará até parar de emitir luz por completo. Os astrônomos preveem que encerrará sua vida daqui a bilhões de anos como anã negra, uma versão fria e escura da anã branca. O universo ainda é muito jovem para produzir anãs negras, por isso não podemos ir além de imaginar sua existência futura com base em nosso conhecimento atual de como as estrelas esfriam.

Pensando além do Sol, o entendimento é que todas as solitárias estrelas amarelas terão existência semelhante. Todas viverão perto de 10 bilhões de anos na primeira fase, transformando-se em gigantes vermelhas e depois encerrando sua vida ativa como evanescentes anãs brancas, após lançar suas camadas externas de gás no espaço. Achamos que isso é verdadeiro, estejam essas estrelas na Galáxia ou em galáxias distantes, a bilhões de anos-luz de nós. A vida é um pouco menos previsível para estrelas amarelas que vivem em pares, orbitando uma ao redor da outra: um par binário desses astros pode terminar como duas anãs brancas que num dado momento entram em colisão.

A maioria das estrelas no universo tem cerca de metade da massa do Sol ou menos, perto de um décimo. Estamos falando das inúmeras *estrelas vermelhas*, que são mais frias e vivem praticamente como as amarelas, só que num ritmo mais lento. Elas passam a principal fase de sua existência no mesmo equilíbrio entre pressão externa da gravidade e pressão interna do gás causada pela fusão de hidrogênio, porém a gravidade não é tão intensa em seu centro, já que sua massa é menor, de modo que a fusão acontece numa velocidade menor. Essas estrelas viverão muitas dezenas de bilhões de anos antes de o hidrogênio em seu centro se esgotar, por isso ainda não sofreram uma mudança de vida. Num futuro distante, novamente como as amarelas, também se tornarão gigantes e comprimirão seu núcleo. Contudo, é provável que nunca venham a ficar quentes o suficiente para criar átomos de carbono ou de oxigênio. Encerrarão sua existência como anãs brancas e depois como anãs negras, compostas de hélio.

As estrelas grandes são as que têm vida mais radical, vivendo intensamente e morrendo jovens. Com cerca de oito a centenas de vezes a massa solar, são as *estrelas brancas* e *azuis*, mais raras. Na Galáxia, que conta com 100 bilhões de estrelas, somente 1 bilhão, mais ou menos, se constitui desses pesos pesados estelares. Eles sentem uma atração gravitacional mais forte e possuem temperatura mais elevada, queimando gás hidrogênio em seu núcleo muito mais depressa. As menores desse tipo, as estrelas brancas, são cerca de oito a vinte vezes mais pesadas que o Sol. Sua cor é mais branca que a da luz solar, já que emitem menos luz avermelhada que o Sol e mais azulada e ultravioleta. Estrelas brancas costumam levar menos de 1 bilhão de anos para queimar todo o seu hidrogênio, o que ainda é bastante tempo, embora seja um tempo dez vezes mais rápido que o do Sol. Se este tivesse nascido maior, como uma estrela branca semelhante a Sirius, sua vida já teria acabado.

As estrelas azuis são ainda mais pesadas e podem chegar a ter cem vezes a massa do Sol. São ainda mais quentes que as brancas e emitem brilho principalmente de luz azul a ultra-violeta. Vivem extremamente rápido, queimando seu estoque de hidrogênio em cerca de apenas 10 milhões de anos. Isso é muito menos do que o tempo decorrido desde que os dinossauros corriam soltos pela Terra!

Quando queimam todo o hidrogênio em seu centro, as estrelas brancas e azuis seguem o mesmo destino das amarelas, mas em alta velocidade. Seu centro se comprime e sua camada externa se expande até se transformar numa imensa gigante vermelha. Exatamente como ocorre com as estrelas amarelas, o estoque de hidrogênio em volta de sua parte central começa a queimar, e em estrelas massivas como essas logo está quente o suficiente para o hélio passar a se fundir e a dar origem a elementos mais pesados, como carbono e oxigênio.

O estágio final da vida dessas grandes estrelas brancas e azuis é espetacularmente diferente daquele que o Sol tem pela frente. A gravidade no âmago delas é tão forte que comprime seu centro o suficiente para formar não apenas carbono e oxigênio, mas também elementos ainda mais pesados, podendo chegar ao ferro. Elas acabam em camadas, como uma cebola, com o hidrogênio mais perto da superfície, depois o hélio, o carbono e elementos mais pesados chegando ao ferro, no centro. Mas quando produzem ferro, uma calamidade acontece, já que a fusão de átomos desse elemento não libera nova energia. A natureza fez do ferro um ponto de inflexão, na medida em que ele e todos os átomos mais pesados só liberam energia quando quebrados, e não quando combinados.

A essa altura, quando o ferro é produzido, a estrela está incrivelmente quente, mas de súbito não há mais combustível para ser queimado em seu núcleo e a pressão interna do gás chega a um impasse. A grande força da pressão gravitacional externa assume o controle. No Sol, nesse estágio, a força da gravidade será equilibrada por aquela pressão mecânico-quântica dos elétrons minúsculos, o que produzirá uma anã branca. Mas esse processo só funciona para centros estelares que são mais leves que o limite de Chandrasekhar, que é de 1,4 vez a massa solar. Isso corresponde a estrelas que surgiram com cerca de oito vezes ou menos a massa do Sol, antes de perderem sua camada externa. A massa da parte central remanescente dessas estrelas brancas é maior do que o limite de Chandrasekhar e é grande demais para que a pressão dos elétrons possa competir com a força da gravidade. O resultado é uma implosão extrema. A parte central entra em colapso, acompanhada rapidamente pelas camadas vizinhas. Isso acontece tão rápido que num piscar de olhos a temperatura do centro da estrela chega a 100 bilhões de graus.

A implosão cessa por completo quando o centro fica tão denso quanto o núcleo de um átomo. A essa altura, ele consiste basicamente em partículas de nêutrons, e uma nova pressão interna assume o controle, surgindo da força "forte". Trata-se de uma força fundamental que normalmente atua para prender nêutrons e prótons dentro de átomos, mas que repele quando ambos se aproximam demais, tentando afastá-los. A parada repentina reverte a implosão e no mesmo instante a transforma numa explosão massiva que arremessa no espaço toda a camada externa da estrela.

Esse acontecimento extraordinário é uma supernova. Depois de viver até 1 bilhão de anos, a estrela explode em questão de minutos. A explosão produz uma enorme quantidade de energia, o suficiente para, por um momento, eclipsar uma galáxia inteira de muitos bilhões de estrelas. A luz da supernova pode ser observada durante semanas ou meses depois disso. Ela é emitida em diversas formas, desde ondas de rádio e luz visível até raios X e raios gama, de modo que os astrônomos, ansiosos, sempre observam supernovas usando diferentes tipos de telescópios, sensíveis a todos os comprimentos de onda da luz. Infelizmente, não conseguimos ver o que acontece dentro da estrela durante a explosão. Por isso, muito do que achamos que acontece não passa de especulação derivada de ideias hipotéticas que então testamos por meio da comparação das previsões com a luz que vemos sair da estrela.

Essas supernovas oriundas de explosões de estrelas massivas diferem das "tipo Ia" que vimos anteriormente e que, acreditamos, surgem de anãs brancas que adquiriram massa demais para permanecer estáveis. É provável que aconteça uma supernova de algum tipo a cada cem anos numa galáxia como a Via Láctea, mas elas são surpreendentemente difíceis de observar diretamente. A luz de muitas delas acaba sendo bloqueada por poeira ou gás na Galáxia. E vamos perder outras tantas em galáxias para além da nossa, uma vez que não podemos apontar nossos telescópios para cada galáxia todas as noites.

Se uma supernova ocorrer numa galáxia próxima o suficiente de nós, talvez tenhamos a sorte de conseguir uma imagem da galáxia antes e depois do evento, com a supernova subitamente aparecendo como um ponto luminoso. Em janeiro de 2008, Alicia Soderberg e Edo Berger, pesquisadores do Carnegie-Princeton, tiveram uma sorte ainda maior: os dois estavam observando uma galáxia quando uma supernova explodiu. Isso foi inédito. Eles vinham usando o Telescópio de Raios X Swift para observar a luz de outra supernova que havia explodido recentemente na mesma galáxia e foram alertados por uma explosão de raios X de cinco minutos de duração que surgiu de súbito em outra localização, num dos braços espirais. Então passaram a observar com mais atenção, através de telescópios sensíveis a outros comprimentos de onda, e cerca de uma hora mais tarde viram o jato de luz visível da supernova. Os raios X de maior energia foram emitidos pela estrela em explosão antes da luz visível e por isso chegaram primeiro. Além da emoção de acompanhar um evento desse porte acontecendo "ao vivo", a capacidade de ver uma supernova desde o momento de sua explosão tem ajudado os astrônomos a testar melhor suas hipóteses sobre o que ocorre dentro da estrela.

As supernovas mais próximas, que ocorrem na Via Láctea, são realmente impressionantes. Se uma supernova explodisse na Vizinhança Solar, por exemplo, faria todo o céu noturno parecer, por alguns instantes, um dia claro. Uma das estrelas em que estamos prestando muita atenção por ser uma possível candidata a explodir é a Betelgeuse, a estrela vermelho-alaranjada no alto do ombro esquerdo de Órion que se encontra logo depois da Vizinhança Solar. Betelgeuse é uma antiga estrela azul que tem menos de 10 milhões de anos, mas que já se tornou uma supergigante vermelha. Esperamos que entre em explosão como uma supernova "a qualquer minuto", o que em termos astronômicos significa algum momento nos próximos 100 mil anos, mais ou menos. Na verdade, existe uma pequena chance de ela já ter explodido, por estar a cerca de seiscentos anos-luz de distância de nós. Isso quer dizer que, se alguma coisa aconteceu com ela nos últimos seiscentos anos, ainda não temos como saber. Quando explodir de fato, subitamente ficará tão brilhante quanto a Lua.

Possuímos inúmeros registros humanos de supernovas acontecendo na Via Láctea, desde antes de compreendermos sua natureza. Para os primeiros astrônomos, elas não passavam de luzes inexplicáveis no céu. A primeira supernova de que se tem notícia foi vista no ano 185 por astrônomos chineses, que a denominaram "estrela visitante" no *Livro da Han tardia*. Ela levou cerca de oito meses para desaparecer, e ainda hoje existem resíduos da explosão observados no céu como luz infravermelha pelo Telescópio Espacial Spitzer, da Nasa, e como raios X pelo Observatório XMM-Newton, da Agência Espacial Europeia, e pelo Observatório de Raios X Chandra, também da Nasa. Ao menos dez outras supernovas foram registradas na Via Láctea. A mais luminosa foi vista em abril de 1006, fato relatado por astrônomos na Ásia, no Oriente Médio e na Europa. Uma gravura rupestre no Arizona, encontrada pelo astrônomo John Barentine, também pode ser registro da explosão estelar, vista por indígenas. Essa supernova estava relativamente perto, a "somente" 7 mil anos-luz da Terra. Teve o equivalente a um quarto do brilho da Lua no céu e podia ser vista de dia. A supernova seguinte na Via Láctea foi observada logo depois, em julho de 1054. Foi mais opaca, mas ainda assim tão brilhante quanto Vênus, e permaneceu visível por dois anos. Deixou como vestígio a Nebulosa do Caranguejo, um dos objetos astronômicos estudados com mais afinco, e que é tão luminoso que pode ser visto com binóculo.

Em novembro de 1572, outra supernova foi avistada na Via Láctea, dessa vez pelo astrônomo dinamarquês Tycho Brahe. O evento teve um impacto relevante na astronomia, pois Brahe percebeu que a supernova devia estar muito distante, bem mais distante que a Lua, já que não se movia no fundo estrelado enquanto a Terra viajava ao redor do Sol. Nessa época, os europeus ainda acreditavam que os céus para além dos planetas eram fixos e imutáveis, segundo o conceito de cosmos de Aristóteles, de modo que a aparente e súbita mudança de um objeto celestial foi muito surpreendente e começou a desafiar as ideias que eram até então dominantes. Isso aconteceu na era seguinte àquela em que Copérnico propôs seu modelo heliocêntrico, mas antes de suas ideias se tornarem amplamente aceitas. Brahe apresentou suas observações e as de outras pessoas em *De nova et nullius aevi memoria prius visa stella* [A respeito da estrela nova e jamais vista na vida ou na memória de qualquer um], obra publicada em 1573, e o evento ficou conhecido como Supernova de Tycho. Observações atuais dos vestígios do objeto revelam que a estrela explodiu a cerca de 8 mil anos-luz de distância.

A mais recente supernova identificada na Via Láctea veio logo em seguida, em 1604. Depois de crescer tão depressa e de emitir tanta luz a ponto de poder ser vista durante o dia por três semanas, ela foi analisada minuciosamente ao longo de um ano por Johannes Kepler, que escreveu um livro em que relatava suas observações. Acabou ficando conhecida como Supernova de Kepler. Galileu também a observou e apresentou seus achados para um auditório lotado, numa série de palestras públicas na Universidade de Pádua. Assim como Brahe, ele usou a ausência de paralaxe para demonstrar que a supernova devia estar muito além da Lua, mais uma prova de que as estrelas distantes não eram imutáveis e mais um motivo para Galileu e Kepler apoiarem o novo modelo do cosmos proposto por Copérnico.

A supernova mais próxima de nós em tempos recentes foi avistada em fevereiro de 1987, quando uma estrela explodiu na Grande Nuvem de Magalhães, nossa galáxia anã vizinha. Era possível vê-la a olho nu, mas se abria uma chance incrível de examinar uma supernova nas redondezas com telescópios modernos. Ela foi observada nos mínimos detalhes, desde apenas algumas horas após a explosão e com uma série de telescópios capazes de medir todos os tipos de luz. O evento oportuno ampliou o conhecimento dos astrônomos a respeito dessas explosões drásticas: permitiu que detectassem os elementos mais pesados gerados por elas e observassem a matéria ejetada sendo lançada no espaço e formando anéis reluzentes em volta do local onde se encontrava a estrela.

Podemos ver supernovas em galáxias situadas além da nossa ou das Nuvens de Magalhães apenas com telescópios.

O primeiro número significativo delas foi descoberto por Fritz Zwicky, um brilhante mas notoriamente grosseirão astrônomo suíço que começou a trabalhar no Instituto de Tecnologia da Califórnia nos anos 1920. Zwicky seria responsável por inúmeros achados importantes e, em 1934, junto com Walter Baade, foi o primeiro a levantar a hipótese de que supernovas — termo cunhado por ele — surgiam quando estrelas normais se tornavam muito mais densas. Para encontrá-las, foi pioneiro no desenvolvimento de um telescópio Schmidt de cerca de 45 centímetros no Observatório Palomar, na Califórnia, projetado para cobrir vastas partes do céu ao mesmo tempo, aumentando as chances de esses objetos raros serem vistos. Zwicky acabou descobrindo mais de cem supernovas durante sua vida profissional.

Hoje existe uma expressiva rede internacional montada para a observação desses eventos, com alertas programados para apontar nossos maiores telescópios em direção a uma nova supernova assim que ela é identificada, de modo que possamos capturar sua luz antes que desapareça. Astrônomos recebem alertas de madrugada e precisam tomar decisões instantâneas sobre redirecionar ou não telescópios para esses emocionantes acontecimentos. Isso pode ser difícil, já que cada hora e noite de acesso a um grande telescópio é incrivelmente valiosa e não deve ser desperdiçada. Com o evento principal acabando dentro de algumas semanas, pegá-lo na hora certa é fundamental.

Os objetos remanescentes depois da explosão de uma estrela estão entre os mais exóticos de todo o universo. As estrelas brancas que surgiram com massa de apenas oito a vinte vezes maior que a do Sol deixarão para trás uma estrela de nêutrons. Trata-se da mais estranha e densa de todas as estrelas. Uma anã branca já é bastante excepcional, um objeto tão pesado quanto o Sol comprimido no tamanho da Terra. Uma estrela de nêutrons é ainda mais. Ela é algumas vezes mais pesada que o Sol, com o restante da massa estelar original tendo sido ejetado, mas está espremida numa esfera de vários quilômetros de diâmetro. Tais objetos são tão extremamente densos que uma colher de chá da matéria de um deles cairia direto no centro da Terra. A gravidade numa estrela desse tipo é tão forte que, para escapar de sua atração, você precisaria se afastar dela em cerca de metade da velocidade da luz, um feito impossível.

É provável que existam 100 milhões de estrelas de nêutrons apenas na Via Láctea. Assim que ocorre a explosão de uma supernova, a estrela de nêutrons remanescente chega a uma temperatura de quase 1 bilhão de graus e deve girar muito depressa, completando uma rotação em menos de um minuto. Essa velocidade decorre da extrema diminuição em seu tamanho e se assemelha à forma como uma patinadora artística gira com maior velocidade quando mantém os braços colados ao corpo. Estrelas rapidamente perdem o brilho e se resfriam até mero 1 milhão de graus. As de nêutrons em geral também desaceleram sua rotação, mas às vezes sua gravidade atrai gases de estrelas próximas, o que pode fazê-las girar até algumas centenas de vezes por segundo. Enquanto giram, algumas emitem jatos de ondas de rádio e de raios X, que podemos ver com telescópios específicos. Ainda não entendemos bem o que acontece dentro delas: são objetos de condições físicas muito mais extremas do que podemos reproduzir aqui na Terra.

Foram Walter Baade e Fritz Zwicky que sugeriram, num segundo artigo de 1934, que poderia existir uma estrela composta de nêutrons, logo depois de a própria partícula de nêutron ter sido descoberta. Achava-se, a princípio, que essas estrelas eram opacas demais para serem vistas, até que Franco Pacini, da Universidade de Florença, propôs em 1967 que o movimento de rotação delas era capaz de produzir um raio pulsante de onda de rádio. As estrelas de nêutrons têm campos magnéticos fortes (uma versão mais forte do campo da Terra que causa a aurora boreal), e, à medida que eles giram, acarretam a aceleração de prótons e nêutrons na superfície estelar, formando dois jatos de ondas de rádio. Os raios de luz emergem dos polos magnéticos norte e sul da estrela, embora o norte magnético raramente se alinhe com o polo Norte geográfico em volta do qual ele gira. Como um farol, o raio de luz que surge dos polos alinhados corretamente passará rápido por nós toda vez que a estrela completar uma rotação, de modo que o veremos como um sinal pulsante.

Por acaso, naquele mesmo ano em que a previsão foi feita, a astrônoma Jocelyn Bell Burnell, da Irlanda do Norte, detectou misteriosas ondas de rádio vindo de uma estrela distante, através de um radiotelescópio que havia construído durante a pós-graduação, junto com Antony Hewish, seu orientador na Universidade de Cambridge. Os pulsos aconteciam a intervalos de um segundo e eram tão regulares que por um tempo surgiram sérias especulações de que o sinal podia estar sendo enviado por uma forma de vida longínqua. O primeiro apelido dado à estrela foi LGM-I, de "Little Green Men" [Homenzinhos Verdes]. Logo se descobriu, porém, que esse objeto e outros do mesmo tipo eram na verdade estrelas de nêutrons em rotação a emitir jatos de ondas de rádio, e eles acabaram ganhando seu próprio nome: pulsares. A descoberta valeu a Hewish o prêmio Nobel em 1974, mas Bell Burnell foi escancaradamente omitida da premiação.

Para as mais pesadas de todas as estrelas, as azuis, que têm mais de vinte a trinta vezes a massa solar, uma estrela de nêutrons provavelmente não representa o estágio final da vida estelar. Uma estrela de nêutrons só consegue se sustentar se tudo que sobrar, depois de a supernova explodir as partes externas da estrela, contiver umas duas vezes ou menos a massa do Sol. O centro de uma estrela azul pesada é mais massivo que isso, mesmo após o evento de sua supernova, e a compressão gravitacional ao final é tão intensa que nenhuma força de pressão externa consegue equilibrá-la. No lugar de uma estrela, o que surge é um buraco negro. Os buracos negros são verdadeiras bestas misteriosas. Eles se formam quando se tenta comprimir algo com ao menos duas vezes a massa solar dentro de uma área de apenas alguns quilômetros de diâmetro. A atração da gravidade se torna tão forte que a massa se comprime ainda mais num espaço extremamente pequeno, talvez infinitamente pequeno. Para sair de um buraco negro, é preciso pular para fora dele numa velocidade maior do que a velocidade da luz. Como nada é mais veloz que a luz, nada escapa. Uma vez lá dentro, não há como sair. Aliás, a principal característica de um buraco negro é ser algo do qual a luz não consegue fugir.

Podemos apenas conjeturar o que acontece dentro de um buraco negro, e bem no seu centro até nossas leis da física deixam de funcionar. Coisas esquisitas ocorrem quando a gravidade fica tão forte. Se por acaso você caísse em pé num buraco negro, a força da gravidade seria tão mais poderosa nos seus pés do que na sua cabeça que você seria esticado como um bastão de espaguete. O tempo também passaria de forma estranha. A teoria da gravidade de Einstein afirma que na verdade o tempo passa mais devagar se você estiver perto de algo muito massivo. Por exemplo, as rochas no centro da Terra são de fato um pouco mais jovens do que as próximas à superfície, onde a gravidade não é tão forte. Estranho, mas aparentemente bastante verdadeiro. Então, se você está imaginando pegar duas gêmeas e, de algum modo, enviar uma delas para passar um tempo nas proximidades de um buraco negro, ela acabaria envelhecendo mais devagar do que sua irmã terráquea.

Não é possível ver diretamente os buracos negros, embora os astrônomos possam observar a luz de gases e poeira que é atraída de estrelas próximas para orbitar ao seu redor. Esse disco de material fica muito quente e emite raios X, um sinal de que há um buraco negro escondido em seu interior. Mas há também outra maneira completamente diferente de ver essas regiões. A força de gravidade delas é tão poderosa que distorce o espaço-tempo ao redor, sobretudo se dois buracos negros orbitarem em torno um do outro. Quando isso acontece, ambos sugam e estendem o espaço circundante, e podemos procurar seus efeitos diretamente no espaço.

Esse comportamento está previsto pela teoria da gravidade de Einstein, conhecida como relatividade geral e publicada em 1915, que explica como o próprio espaço-tempo se comporta. Encontraremos essa teoria inúmeras vezes ao longo deste livro. Se pensarmos no espaço como uma espécie de folha de borracha, segundo Einstein qualquer coisa com massa deforma o espaço, e algo mais massivo deforma ainda mais, assim como uma bola de chumbo colocada em cima de uma folha de borracha dobra essa folha mais do que uma bola de isopor. Os objetos e a luz percorrem um caminho que acompanha os contornos do espaço deformado. Empurrar, ou acelerar, depressa um objeto massivo através do espaço muda por alguns instantes a quantidade do espaço que é deformada, e isso desencadeia uma ondulação conhecida como onda gravitacional. É o que acontece quando dois buracos negros orbitam ao redor um do outro com tanta velocidade. Eles deformam o próprio espaço-tempo, desencadeando uma onda gravitacional. Estamos falando de uma onda, mas não de uma onda de luz. Trata-se, na verdade, de um esticamento e um encolhimento do próprio espaço. Se uma onda desse tipo passasse por nós, ficaríamos momentaneamente mais altos e magros e logo depois mais baixos e gordos, em seguida voltaríamos a ficar mais altos e magros, e assim por diante. Isso aconteceria conosco, com toda a Terra e com qualquer coisa no meio do caminho da onda. O efeito seria real, mas a mudança em nosso tamanho e no da Terra seria minúscula se apenas estivéssemos sentindo os efeitos de um par distante de buracos negros.

Até 2015 essas ondas não haviam sido detectadas diretamente. Nunca havíamos sentido a passagem de uma onda gravitacional. O ano de 2016 marcou a conclusão triunfante de uma busca de cinquenta anos por essas ondas e assinalou o começo de uma nova era da astronomia. O Observatório de Ondas Gravitacionais por Interferometria Laser [Laser Interferometer Gravitational-Wave Observatory, Ligo] é um projeto que levou três décadas para ser desenvolvido. Concebido nos anos 1980, hoje emprega quase mil cientistas de três continentes. Consiste num par de detectores de ondas gravitacionais instalado em Livingston, Louisiana, e em Hanford, Washington. Cada detector possui dois longos braços perpendiculares entre si, e cada braço se compõe de um tubo com alguns quilômetros de comprimento. Quando uma onda chega à Terra, um dos braços é esticado e o outro é comprimido, e depois vice-versa, com o primeiro braço se comprimindo e o segundo se esticando. Tais movimentos se repetem enquanto a onda passa pelo observatório. É possível detectar sua passagem pela medição do comprimento dos braços, o que é feito com o disparo de um feixe de luz em cada tubo, refletindo-o num espelho na extremidade de cada tubo e calculando o tempo que o feixe de luz leva para voltar. A ideia é simples, mas necessita de instrumentos extremamente sofisticados, pois o comprimento dos braços muda muito menos de um trilionésimo de milímetro quando a onda passa.

A equipe do projeto Ligo anunciou com entusiasmo a primeira detecção de ondulações no espaço-tempo em fevereiro de 2016, e o sinal foi exatamente igual ao que esperávamos ver de dois buracos negros em espiral e em colisão, transformando mais de três vezes a massa solar em energia de onda

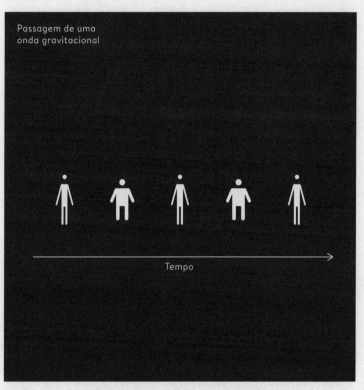

Efeito exagerado de uma onda gravitacional.

gravitacional. A colisão aconteceu a cerca de 1 bilhão de anos-luz de distância daqui, para além da Via Láctea, do Grupo Local e do nosso superaglomerado local. A onda viajou mais de 1 bilhão de anos até chegar à Terra em setembro de 2015, passou através de nós e prosseguiu em sua viagem. A equipe do Ligo descobriu o sinal apenas alguns dias depois de pôr em funcionamento a versão aprimorada de seu experimento e anunciou uma segunda detecção vinda de buracos negros em colisão apenas alguns meses mais tarde. Esse foi só o começo de muitas novas descobertas — mais três buracos negros em espiral enviaram ondulações através da Terra em janeiro, junho e agosto de 2017. O sinal de agosto de 2017 também foi observado pelo Virgo, experimento similar ao Ligo baseado na Itália.

O experimento Ligo conseguiu identificar vagamente o ponto no céu de onde veio o primeiro sinal, ao verificar qual dos dois locais sentiu o sinal primeiro, mas não pôde situar a fonte com precisão. Imediatamente após a descoberta desse sinal, seguiu-se um acompanhamento bem coreografado. Astrônomos em todo o mundo, com acesso a telescópios capazes de ver o céu em seus diferentes comprimentos de onda, desde ondas de rádio até raios gama, o examinaram na ampla área para verificar se houve uma explosão de luz em paralelo à liberação de ondas do espaço-tempo. Nada de muito convincente foi observado, e é bastante provável que buracos negros em colisão só possam ser vistos mediante o uso de ondas gravitacionais.

Muitas das estrelas no universo são encontradas orbitando umas às outras em pares. As estrelas de nêutrons também podem formar pares, uma em órbita ao redor da outra e ambas em rotação, numa dança cósmica radical. Em 1974, os astrônomos norte-americanos Joseph Taylor e Russell Hulse descobriram o primeiro desses pares usando o prato refletor de trezentos metros do radiotelescópio de Arecibo. Tratava-se de um pulsar que orbitava outra estrela de nêutrons a cada oito horas, com o pulsar girando quase vinte vezes por segundo. Pela observação contínua dessas estrelas durante muitos anos, os astrônomos observaram uma tendência precisa. O tempo necessário para as duas estrelas de nêutrons orbitarem uma em volta da outra diminuía, exatamente o que a lei da gravidade de Einstein previa. As estrelas giram uma em torno da outra com tanta velocidade e com uma gravidade tão forte que, assim como os buracos negros, deformam o espaço-tempo e produzem ondas gravitacionais. Ao fazê-lo, usam um pouco da própria energia, atraindo-se para uma órbita mais estreita. O par de estrelas já vem sendo observado há mais de quarenta anos e a mesma tendência perfeita prevalece, confirmando o efeito previsto por Einstein em 1915. Espera-se que as duas entrem em fusão ao final, mas não antes de algumas centenas de milhões de anos. Foi a descoberta delas que deu às comunidades da física e da astronomia a convicção de que as ondas gravitacionais acabariam sendo detectadas de forma direta, e graças a esse achado Hulse e Taylor foram laureados com o prêmio Nobel de Física em 1993.

Em 17 de agosto de 2017, o Ligo e o Virgo identificaram outra emissão de ondas gravitacionais passando pela Terra, mas essa foi diferente. Parecia não ter se originado de dois buracos negros em fusão, mas da fusão de duas estrelas de nêutrons, cada uma delas um pouco mais pesada que o Sol. Ao contrário do par encontrado por Joseph Taylor e Russell Hulse, as duas estavam bem no final de sua dança cósmica. Os detectores de ondas gravitacionais captaram ondulações no espaço-tempo que haviam sido produzidas nos últimos dois minutos da vida de ambas, quando giraram 3 mil vezes uma ao redor da outra antes de entrar em colisão. A onda chegou primeiro ao detector Virgo, na Itália, e em seguida atravessou a Terra até chegar aos detectores Ligo na Louisiana e depois em Washington, apenas milissegundos mais tarde.

Mais uma vez, astrônomos do mundo todo se mobilizaram numa campanha coreografada para apontar seus telescópios para esse raro e emocionante evento. Bem preparados havia muito tempo, dessa vez acertaram na mosca. Um sinal da colisão apareceu em cada comprimento de onda de luz e acabou sendo visto do espaço e por setenta observatórios nos sete continentes. Dois segundos depois que o Ligo e o Virgo sentiram a onda, uma rajada de raios gama apareceu no céu e foi vista pelos telescópios espaciais Fermi e Integral. As observações deram aos astrônomos uma vaga ideia da direção no céu, mas não a localização exata. Ainda era dia no Havaí e no Chile, e aqueles que estavam usando telescópios de grande porte tiveram de esperar horas até o anoitecer, preparando-se para a busca.

Onze horas depois da identificação inicial, o astrônomo Ryan Foley e sua equipe, da Universidade da Califórnia em Santa Cruz, foram os primeiros a ver a intensa luz óptica e infravermelha vindo da colisão e a identificar a galáxia exata de onde ela viera. A luz provavelmente começara a ser emitida no mesmo instante em que as estrelas se fundiram, mas foram necessárias essas onze horas para localizá-la no céu. Foley havia recebido o alerta na forma de uma mensagem de texto amplamente distribuída e pedalou até o trabalho, fazendo uma lista de possíveis galáxias para observar com o telescópio Swope, de um metro, no Observatório Las Campanas, no Chile, que já era utilizado como parte da Pesquisa Swope de Supernova. Sua equipe começou a tirar fotos de forma remota de cada galáxia candidata assim que a noite caiu no Chile. Na nona imagem, o pós-doutorando Charlie Kilpatrick anunciou que havia "encontrado alguma coisa". De fato, havia. Era uma galáxia a 130 milhões de anos-luz da Terra, onde duas estrelas de nêutrons haviam encerrado sua vida numa colisão fenomenal. A equipe de Foley emitiu um alerta para a toda a comunidade astronômica, e outros telescópios ajustaram suas miras para ver tudo mais de perto.

Inúmeros telescópios no Chile viram sua luz óptica e infravermelha, e quando a noite caiu no Havaí ela também foi avistada de lá. Quinze horas após o evento inicial, apareceu um sinal em ultravioleta. Nove dias mais tarde, o Observatório de Raios X Chandra viu os raios X. Por último, dezesseis dias após a colisão, veio o sinal de rádio, observado pelo Very Large Array (VLA), no Novo México. Encantados, cientistas apresentaram seus resultados e contaram a história da descoberta na Fundação Nacional de Ciência, nos Estados Unidos, e na sede do Observatório Europeu do Sul, na Alemanha, no dia 16 de outubro de 2017. O artigo científico contou com mais de 4 mil autores de mais de novecentas instituições. Foi um verdadeiro feito internacional envolvendo a comunidade astronômica do mundo todo.

O sinal que todos estavam vendo se originava de uma quilonova, o resultado explosivo da colisão de duas estrelas de nêutrons que deixaram para trás uma massiva estrela de nêutrons que possivelmente entrou em colapso, virando um buraco negro apenas alguns milissegundos depois. Prevista em teoria pelo físico Brian Metzger e colaboradores em 2010, essa sequência de luz com todos os diferentes tipos de comprimentos de onda vinha sendo esperada havia muito tempo. A quilonova ejetou material em um quinto da velocidade da luz e produziu enormes quantidades de ouro e platina: dez vezes a massa da Terra! Acredita-se que metade de todos os elementos mais pesados que o ferro no universo seja produzida durante essas colisões de pares de estrelas de nêutrons.

Buracos negros, estrelas de nêutrons e estrelas anãs brancas assinalam o fim do ciclo de vida das estrelas em nosso universo, mas ainda não examinamos com atenção suas origens.

Como o Sol se tornou uma bola de gás gigantesca? Temos certeza de que ele nasceu há cerca de 5 bilhões de anos, num berçário estelar na Via Láctea. Esse berçário teria sido uma nuvem molecular colossal composta praticamente de hidrogênio e gás hélio. A gravidade teria atraído esses gases para dentro de um amontoado nevoento no interior da Galáxia. Essa nuvem teria surgido como um lugar frio, com temperatura de mais de duzentos graus abaixo de zero, e provavelmente tão grande quanto toda a Vizinhança Solar, com dezenas de anos-luz de diâmetro.

Dentro dessa nuvem, algumas partes seriam mais amontoadas, mais densas do que outras. Esses amontoados teriam aos poucos atraído mais gás em sua direção até entrarem em colapso, virando um bando de bolas giratórias de hidrogênio e hélio. Uma dessas bolas de gás teria sido o embrião do Sol. À medida que a gravidade a empurrava cada vez mais para dentro, ela por fim teria ficado quente o bastante para promover a fusão em seu centro. Voltaremos a esse assunto no capítulo 5.

Foi nesse momento que nasceu o Sol como o conhecemos. Por volta da mesma época, nossas estrelas gêmeas vizinhas também foram ativadas. Ele se encontrava a anos-luz da estrela mais próxima, mas não estava completamente sozinho. Uma parte dos gases e da poeira por perto deve ter se acumulado num disco rodopiante a rodear o Sol, um pouco como os anéis de Saturno ficam girando em torno desse planeta gigantesco. Dentro do disco, partes mais densas devem ter sido comprimidas juntas, e um desses amontoados acabou se tornando a Terra.

Se nascesse antes de qualquer estrela massiva ter completado seu ciclo de vida, o Sol teria sido composto todo de hidrogênio e hélio. Acreditamos que esses dois elementos foram criados bem no começo do universo, um tópico que exploraremos melhor no capítulo 5. Não havia praticamente mais nada ao redor, para início de conversa. Isso significa que qualquer planeta a orbitar a estrela também devia ser composto apenas de hidrogênio e hélio. A vida como a conhecemos teria sido impossível nesses planetas.

Os muitos elementos de que os planetas, e nós mesmos, são feitos tinham de vir de algum lugar, e boa parte deles surgiu bem no centro de estrelas mais antigas. É lá que encontramos as usinas dos elementos mais pesados, já que as estrelas gigantes vermelhas fundem átomos de hélio para produzir oxigênio, carbono, nitrogênio e outros elementos. E são as supernovas, ou as quilonovas de estrelas de nêutrons em colisão, que lançam todos esses elementos no espaço. As explosões forçam violentamente esse material para fora, e foi a partir dessa mistura de gases que a nuvem berçário do Sol foi criada. Novas estrelas nascem dos resquícios de estrelas antigas. A nuvem do Sol ainda era basicamente de hidrogênio e hélio, mas, crucialmente para nós, ela possuía aqueles átomos extras de que precisávamos para fabricar a Terra rochosa e todas as mais diversas e complexas coisas que existem.

Somos realmente feitos de estrelas. Os átomos mais pesados que compõem a Terra, e a vida terrestre, formaram-se há bilhões de anos numa fornalha gigante bem no centro das estrelas que agora encerraram sua vida. É claro que nosso corpo cresce e pode produzir novas moléculas, mas só é capaz de fazê-lo pela replicação de outras células, usando os elementos dos quais a Terra é feita.

Já não é possível ver nosso berçário estelar, uma vez que o Sol está na meia-idade e o berçário já se foi há tempos, mas podemos ver muitos outros espalhados pela Via Láctea. Outras galáxias também estão cheias deles. Um dos exemplos mais impressionantes é a bela Nebulosa da Cabeça de Cavalo, que possui torres majestosas de gás a proteger estrelas recém-nascidas. Seu primeiro registro pertence a Williamina Fleming e foi feito no observatório da Universidade Harvard em 1888. É difícil ver com luz normal a poeira e os gases que envolvem esses berçários estelares por dentro, pois a luz visível das estrelas bebês é absorvida pela poeira e pelos gases que as circundam. Com um telescópio de luz visível não teríamos a menor ideia do que acontece ali. Felizmente, hoje é possível espiar através dos gases e da poeira procurando a luz infravermelha que vem dessas jovens estrelas. Essa luz consegue atravessar o véu enevoado, viaja direto até nossos telescópios e nos permite ver bem os locais onde as jovens estrelas estão nascendo.

Não temos motivo para acreditar que nosso sistema solar e a existência dos planetas em órbita ao redor do Sol sejam particularmente únicos. O Sol é uma estrela bastante comum, e achamos que se formou de maneira normal, como uma das muitas estrelas que se formam a partir de uma das inúmeras nuvens de gás dentro de uma de muitas galáxias. Desse modo, os astrônomos há muito tempo pensam ser provável que outras estrelas abriguem outros sistemas solares, grupos de outros planetas em órbita ao redor de seus próprios sóis. A maioria dos astrônomos ainda apostaria que em algum lugar lá fora no nosso universo existem outros planetas ou luas que teriam produzido alguma forma de vida.

Até recentemente, no entanto, não havia como saber quantas estrelas tinham seus próprios planetas ou como eram eles. Planetas não emitem luz própria, ao menos não muita, de modo que não conseguimos vê-los com facilidade quando olhamos para o céu noturno, mesmo com telescópios potentes. O que vemos são as estrelas, e podemos apenas imaginar que tipos de sistemas solares elas sustentam.

Vivemos hoje um período de grandes transformações em nossa jornada para responder a essa questão. Apenas nos últimos vinte anos, mais ou menos, os astrônomos descobriram como localizar planetas na órbita de estrelas distantes na Via

Láctea e desenvolveram novos telescópios para observá-los. Quanta riqueza detectaram! Em 1992, os astrônomos Aleksander Wolszczan e Dale Frail encontraram dois planetas orbitando um pulsar, um achado surpreendente na época, dados os eventos extraordinários que tendem a produzir estrelas de nêutrons. Esse avanço foi logo acompanhado pelo descobrimento de um planeta na órbita de uma estrela parecida com o Sol a cinquenta anos-luz da Terra, encontrada em 1995 pelos astrônomos suíços Michel Mayor e Didier Queloz. Batizado de 51 Pegasi b, é um planeta semelhante a Júpiter que completa uma volta em torno de sua estrela, nomeada 51 Pegasi, em apenas quatro dias e está mais perto dela do que Mercúrio está do Sol. Uma órbita de quatro dias é muito mais curta do que a de qualquer planeta em nosso sistema solar, o que se revelou um indício da incrível diversidade dos planetas a serem descobertos. Dez anos mais tarde, cerca de duzentos planetas foram encontrados, e em 2018 esse número disparou para mais de 3 mil. O satélite Kepler, da Nasa, lançado em 2009, exerceu o maior impacto nessa busca. As detecções de planetas são abundantes hoje, e a próxima década promete trazer milhares de outras descobertas graças aos novos telescópios espaciais. O campo de planetas extrassolares, ou exoplanetas, é atualmente uma área nova e importante da astronomia, repleta de perguntas fascinantes, como aquela sobre quão única é a Terra e quão singular é a vida nela.

Podemos encontrar planetas por meio de alguns métodos distintos. É difícil ver um planeta diretamente, uma vez que a luz de sua estrela-mãe é ofuscante de tão luminosa. O desafio tem sido comparado à tentativa de tirar a foto de um vaga-lume à noite quando ele está perto de um holofote: este ofusca o inseto completamente. Mas um planeta grande, que esteja bem distante de sua estrela, pode ser visto se você bloquear a luz dela com um coronógrafo, uma sombra que a obscurece da mesma forma que você conseguiria bloquear a luz do holofote com a mão. Até 2018, apenas cerca de vinte planetas foram achados por meio desse método, os quais se encontram de dezenas a milhares de vezes mais distantes de suas estrelas do que a Terra em relação ao Sol. Futuros telescópios espaciais, como o satélite WFIRST, em desenvolvimento na Nasa, destinam-se a encontrar muitos mais.

Outros métodos se baseiam na busca de evidências indiretas de que o planeta existe. O método para encontrar os primeiros planetas reside no fato de que um planeta faz sua estrela tremer. Como ambos os objetos têm massa, o planeta não orbita ao redor de um ponto no centro da estrela. Em vez disso, eles orbitam em volta de um centro de massa comum, que fica entre os dois, porém mais perto da estrela, que é mais massiva. Isso a faz tremer, levando-a a se mover ligeiramente em nossa direção e para longe de nós toda vez que o planeta passa ao seu redor. Podemos testar se uma estrela está se movendo dessa forma usando o efeito Doppler, algo que provavelmente já experimentamos com o som quando o barulho da sirene de uma ambulância ou de uma viatura policial se aproxima e se afasta de nós. Se algo que emite som ou luz vem em nossa direção, percebemos seu comprimento de onda como menor do que se não estivesse se movendo. Os picos da onda chegam com mais frequência. Em relação ao som, isso deixa sua altura mais elevada que o normal. Em relação à luz visível, encolhe o comprimento de onda no lado menor e "azul" do arco-íris. O oposto também é verdadeiro, com uma fonte de som, ou de luz, soando menor em altura, ou se tornando mais vermelha em cor, do que o normal se estiver se afastando de nós. Quanto mais rápido a fonte estiver se deslocando, maior será a mudança na cor.

Enquanto o planeta dá uma volta ao redor da estrela, a luz estelar primeiro parece ter um comprimento de onda ligeiramente menor quando a estrela vem em nossa direção e depois um comprimento maior quando ela se afasta de nós. Esse efeito, no entanto, é sutil e demanda um sofisticado espectroscópio capaz de distinguir velocidades de apenas dezenas de metros por segundo. O sucesso desse método na descoberta de 51 Pegasi b inspirou uma busca mais focada de outras estrelas com grandes telescópios, resultando na maioria dos primeiros duzentos planetas detectados no fim dos anos 1990. O mesmo efeito de trepidação também leva um planeta que orbita um pulsar a sutilmente interferir na regularidade dos sinais pulsantes. Foi esse método que Wolszczan e Frail utilizaram em 1992 para descobrir os primeiros planetas extrassolares.

Um método cada vez mais popular procura planetas durante sua passagem na frente da estrela-mãe em sua órbita. Ao transitar, eles bloqueiam uma parte da luz estelar, exatamente como se o vaga-lume passasse bem na frente da luz do holofote. Trata-se de um pequeno efeito de obscurecimento, pois as estrelas são muito luminosas e os planetas, relativamente pequenos, mas o já mencionado satélite Kepler foi projetado para buscar exatamente esses trânsitos. Os planetas encontrados por ele, na sua maioria, são os que estão orbitando numa velocidade maior, pois é mais fácil achar um planeta se este passar na frente da estrela diversas vezes durante o período de observação, que pode durar várias horas. Um planeta como Júpiter leva doze anos para completar sua órbita; logo, seria praticamente impossível encontrá-lo dessa forma. Esse método também só consegue localizar uma pequena fração de planetas cujas órbitas estão de tal modo alinhadas que eles acabam entrando em nossa linha de visada em relação à estrela.

Com base no censo planetário feito pelo Kepler, os astrônomos estimam que, apenas na Galáxia, no mínimo metade das estrelas semelhantes ao Sol possui ao menos um planeta maior que a Terra com órbita de menos de um ano terrestre.

É bem provável que toda estrela semelhante ao Sol tenha no mínimo um planeta em órbita ao seu redor, porém aqueles que demoram mais tempo para orbitar ou cujas órbitas não estão suficientemente alinhadas para que possamos vê-los ainda não foram encontrados. Algumas estrelas já são conhecidas por terem sistemas solares completos com até oito planetas.

Os planetas em nosso sistema solar já constituíam um grupo diversificado, mas agora a família planetária estendida ficou consideravelmente mais variada. Muitos deles se comportam de maneira completamente diferente quando comparados com os nossos. Encontramos imensos planetas gasosos como Júpiter, que estão muito mais próximos de sua estrela do que Mercúrio está do Sol e cuja órbita dura algumas horas ou dias. Alguns planetas orbitam uma estrela que já está em órbita ao redor de uma estrela acompanhante, e já se comprovou que um punhado deles chega a orbitar ambas as estrelas — foram chamados de planetas "Tatooine", em homenagem ao lar fictício de Luke Skywalker. Os de órbitas mais afastadas foram encontrados a centenas de vezes a distância da Terra ao Sol e levam milhares de anos para girar em torno de sua estrela. Os maiores são muitas vezes mais massivos que Júpiter. Alguns planetas rochosos estão tão próximos de sua estrela que devem ter superfície de lava derretida. Outros talvez estejam completamente encobertos de água.

Apesar da riqueza dessa nova coleção de planetas, somente arranhamos a superfície de tudo o que existe lá fora. Até o momento, só é possível encontrar planetas na órbita de estrelas no interior da Via Láctea, pois as galáxias para além da nossa estão muito distantes. Presumimos que existem muitos planetas em outras galáxias. O conjunto de sistemas solares já localizados se constitui também, por natureza, dos mais prováveis de serem encontrados com os métodos de que dispomos. Sem dúvida, muitos outros estão apenas à espera de ser descobertos.

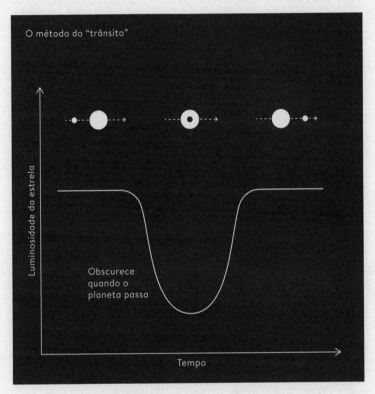

Encontrando um planeta em órbita ao redor de outra estrela: ele obscurece sutilmente a luz estelar ao passar.

Um dos objetivos primordiais dessas buscas é descobrir quão provável é que um planeta habitável como a Terra tenha se formado ao redor de outra estrela — e, o que seria ainda melhor, encontrá-lo. Chamamos de zona habitável a área em volta de uma estrela onde os planetas têm chances reais de possuir água em estado líquido na superfície. Ela é conhecida como zona de Cachinhos Dourados. As condições devem ser perfeitas para isso: nem tão quentes, nem tão frias, e com uma superfície sólida. Em nosso sistema solar, Marte se encontraria nessa zona, assim como a Terra, é claro. Outras dezenas de planetas já foram encontrados na zona habitável de suas estrelas, e hoje acreditamos que existem centenas de milhões de planetas do tamanho da Terra capazes de estar nessas zonas apenas no interior da Via Láctea. O mais próximo já localizado se encontra a apenas dez anos-luz de distância de nós, na Vizinhança Solar, e há evidências de haver outro em torno da nossa estrela menos distante, Proxima Centauri. Motivo de grande euforia foi a descoberta, em 2015, do sistema solar Trappist-1, em órbita ao redor de uma estrela a quarenta anos-luz de distância daqui. Ele possuiu sete planetas, todos comparáveis à Terra em tamanho, e se espera que ao menos dois possam estar dentro da zona habitável. Todos orbitam sua estrela a uma distância muito menor que a da órbita de Mercúrio ao redor do Sol, o que lhes dá anos que variam de apenas dois a dezenove dias terrestres, e ao menos um deles possui um oceano de água em estado líquido. Esse sistema solar, tão perto do nosso e com tal riqueza de planetas, sem dúvida será o centro das atenções de estudos significativos no futuro.

Não basta que o planeta esteja na zona habitável para que seja de fato habitável. Suas condições também precisam ser favoráveis, sobretudo as de sua atmosfera. Uma atmosfera cheia de ácido sulfúrico como a de Vênus, por exemplo, provavelmente seria tóxica a qualquer forma de vida. Estamos agora começando a examinar a atmosfera de planetas semelhantes a Júpiter e a descobrir se ela teria os elementos que acreditamos ser necessários para a vida e que podem dar indícios de já possuírem vida. Há uma série de novos satélites e telescópios preparados para levar essa busca adiante nas próximas décadas, como o Telescópio Europeu Extremamente Grande e o Telescópio Espacial James Webb. Existe a possibilidade emocionante de, num futuro próximo, encontrarmos uma irmã da Terra.

Mais especificamente, buscaremos por elementos como oxigênio, ozônio e metano na atmosfera de um exoplaneta rochoso. A luz da estrela hospedeira ou reações químicas com rochas na superfície do planeta normalmente diminuiriam a quantidade desses elementos, de modo que encontrá-los seria um indício de vida já existente. Na Terra, são as árvores e as algas que repõem o oxigênio da atmosfera. O sistema Trappist-1 certamente estará incluído nessa busca.

Além de procurar responder a questões fundamentais sobre a singularidade da Terra enquanto hospedeira da vida, a descoberta de novos sistemas solares está nos ajudando a entender melhor como nosso próprio sistema solar foi criado e como pode ter mudado ao longo do tempo. A ideia corrente de que nossos planetas migraram dentro do sistema solar foi parcialmente inspirada pela observação de como outros planetas se comportavam ao redor de outras estrelas. Expandir os horizontes nos permitiu ver nosso próprio lar sob uma nova luz. E foi apenas por meio da ampliação dos horizontes sociais na própria astronomia — permitindo a participação de mulheres e encorajando movimentos e colaborações internacionais, por exemplo — que demos saltos tão incríveis e ultrapassamos tantos limites no século passado.

3.
Vendo o invisível

As estrelas, para usar a metáfora que elas nos fornecem, são as verdadeiras "estrelas" do universo. Na Terra, o Sol ilumina nossos dias, e outras estrelas, nossas noites. E se ampliássemos nosso panorama para enxergar toda a Via Láctea, veríamos um disco espiralado repleto desses corpos celestes, com 100 mil anos-luz de diâmetro. Outros objetos esmaecem em comparação. Mas, como vimos, estamos aprendendo a detectar um número crescente de planetas distantes. E o universo contém ainda muito mais, sendo algumas coisas escassamente visíveis, quando observadas por telescópios sensíveis à luz óptica, e outras, nem um pouco visíveis.

Gás e poeira, dos quais falamos anteriormente, são alguns dos mais importantes ingredientes extras do universo. A maior parte do gás na Via Láctea reside em nuvens ao longo de seus braços espiralados, onde nascem novas estrelas. Muito desse gás existe desde que a Galáxia foi formada, há bilhões de anos, mas uma parte foi reciclada a partir dos resquícios de estrelas mais antigas. Conforme aprendemos no capítulo anterior, essas nuvens de gás que constituem berçários estelares são extremamente frias, com temperaturas de mais de duzentos graus abaixo do ponto de congelamento. Elas produzem pequenas quantidades de luz visível, dispersas por estrelas em seu interior, mas podemos vê-las melhor através de radiotelescópios e de telescópios infravermelhos. Há também gases mais quentes por toda a Via Láctea, alguns chegando a 1 milhão de graus depois de aquecidos por estrelas próximas. Trata-se principalmente de hidrogênio, mas esses átomos, de tão quentes, são quebrados em partes menores, prótons e nêutrons. Isso é chamado de "ionização" do gás, já que um íon se refere a uma partícula com carga elétrica, como o núcleo de um hidrogênio, que consiste numa partícula de próton. O gás quente, que emite basicamente raio X, vai até mais longe que as estrelas da Galáxia, criando uma tênue auréola gasosa que a envolve.

Existem ainda pequenos grãos de poeira cósmica espalhados pela Via Láctea. Ela é bem diferente daquela que encontramos em casa. Um grão de poeira na Terra pode ser tão grande quanto um décimo de milímetro de diâmetro ou tão pequeno quanto cerca de um milésimo de milímetro. Quase toda poeira cósmica é menor do que isso. Às vezes seus grãos chegam a ter apenas algumas dezenas de átomos de comprimento e, em termos de tamanho, se assemelham mais a partículas encontradas em fumaça. São compostos de uma mistura de elementos, entre os quais carbono e silício, e acreditamos que foram produzidos em grandes estrelas antigas e ejetados no espaço quando elas chegaram ao fim de sua vida. Há poeira em todos os cantos da Galáxia, embora tenda a se concentrar, como estrelas e gases, nos braços espiralados mais densos. Misturando-se aos gases dos berçários estelares, parte dela por fim forma novos planetas quando nascem novas estrelas.

Como o gás, os pequenos grãos de poeira podem ser aquecidos pela luz estelar ao seu redor, e o calor produzido gera luz infravermelha. Hoje temos belas imagens de galáxias próximas, entre elas nossa vizinha Andrômeda, que foram tiradas com telescópios infravermelhos, como o Telescópio Espacial Spitzer. Elas nos dão uma visão de Andrômeda completamente distinta daquela que encontramos em imagens tradicionais, revelando braços espiralados de poeira onde nascem novas estrelas. Podemos tirar fotos semelhantes da Via Láctea com telescópios desse tipo, mas, como a estamos fotografando de dentro, nunca conseguimos ver tudo de uma só vez.

O gás e a poeira são componentes importantes da Via Láctea, mas, se imaginássemos todas as estrelas, os gases, a poeira e os planetas no interior de um saco de um quilo de farinha contendo cerca de oito xícaras, poderíamos retirar todo o gás numa única xícara e toda a poeira em menos da metade de uma colher de chá. Os planetas, que chegam a bilhões na Galáxia, equivaleriam a apenas uma pitada de farinha. O restante do saco seria composto de estrelas.

Há também um gigante à espreita bem no centro da Via Láctea, ainda mais difícil de detectar do que gás e poeira. Trata-se de um enorme buraco negro, alguns milhões de vezes mais pesado que o Sol. É muito maior do que os buracos negros que surgem com o fim da vida de uma estrela grande, abordados no capítulo 2, que seriam apenas de algumas vezes a centenas de vezes mais pesados que o Sol. Ainda não sabemos exatamente como esse, localizado no centro da Galáxia, se tornou tão mais pesado que os outros. Ele pode ter surgido como um buraco negro "normal" que aos poucos foi comendo todo o gás ao redor e ficando cada vez mais pesado. Ou pode ter começado como uma única estrela enorme que rapidamente entrou em colapso e se transformou num buraco negro. Ou, ainda, pode ter sido o resultado da fusão de múltiplos buracos negros.

Ainda não conhecemos sua história, mas sabemos que ele está lá porque é possível ver estrelas na órbita de um objeto invisível no centro da Galáxia. A astrônoma norte-americana Andrea Ghez, da Universidade da Califórnia, em Los Angeles, lidera uma equipe que está usando o telescópio de dez metros de diâmetro do Observatório W. M. Keck, em Mauna Kea, no Havaí, para estudar o centro da Via Láctea. Eles utilizam uma câmera capaz de medir luz infravermelha para ver estrelas através da poeira que as circunda, e vêm acompanhando as trajetórias delas em torno do buraco negro, conhecido como Sagittarius A*, há mais de duas décadas. As leis da gravidade de Newton nos informam que um objeto mais massivo faz com que as coisas o orbitem mais depressa. A equipe de Ghez descobriu que somente algo com uma forte força gravitacional, que tenha 4 milhões de vezes a massa solar e esteja comprimido num volume extremamente pequeno, poderia fazer as estrelas à sua volta o orbitarem com tanta velocidade.

Todas as demais galáxias no universo são compostas de coisas semelhantes às da Via Láctea, e acredita-se que muitas possuem amplos buracos negros no centro. Contudo, a proporção de estrelas, gases e poeira é diferente, dependendo do tipo de galáxia, e o formato delas também varia. Ainda não entendemos por completo como as galáxias adquirem seus formatos e mudam com o passar do tempo, mas em 1936 Edwin Hubble as dividiu em três grupos, descritos em seu livro *Realm of the Nebulae* [O reino das nebulosas]. A primeira categoria é a de galáxias espirais. Assim como a Via Láctea e nossa vizinha Andrômeda, são as mais comumente observadas. Consistem em discos giratórios de estrelas com braços que se espiralam rumo a um bojo central. Este, em muitas delas, é atravessado no meio por uma barra estelar mais densa.

Depois vêm as elípticas. Essas galáxias são bolas achatadas ou comprimidas de estrelas, em formatos que variam de esferas a bolas alongadas, como as de rúgbi ou de futebol americano, ou confeitos M&M's. É provável que muitas delas tenham se formado depois da colisão de galáxias existentes, por isso podem se tornar muito maiores que as espirais. Possivelmente acabaremos numa galáxia elíptica quando a Via Láctea entrar em colisão com Andrômeda, daqui a muitos anos.

Como resultado dessas colisões, as estrelas nessas galáxias estão com frequência se movendo arbitrariamente, em vez de girar sempre da mesma forma, como ocorre em

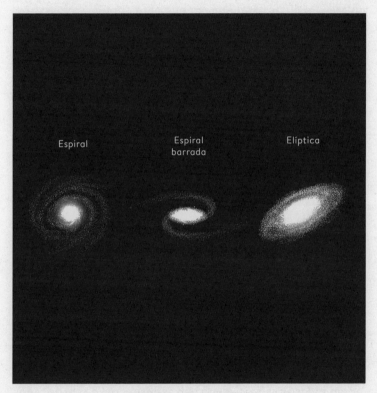

Categorias de galáxias.

galáxias espirais. As galáxias elípticas também possuem muito menos gases e poeira do que as espirais, por isso praticamente não formam novas estrelas. As mais massivas e breves estrelas brancas e azuis já se foram dessas galáxias, o que faz com que sejam dominadas pelas menos massivas e mais duradouras estrelas vermelhas. A última classe de galáxias é a das irregulares, que não são nem espirais nem elípticas. Nossas pequenas vizinhas Nuvens de Magalhães pertencem a esse tipo, com seus formatos mal definidos e nebulosos.

As galáxias não estão distribuídas de maneira uniforme no espaço, como aprendemos no capítulo 1: elas se reúnem em grupos e aglomerados, que, por sua vez, se agrupam em superaglomerados. Mas se distribuíssemos todas as galáxias do universo de maneira uniforme, elas ficariam separadas por alguns milhões de anos-luz. Lembremos que o diâmetro do disco de estrelas pode ser de 100 mil anos-luz; logo, os espaços entre as galáxias são em média dez a cem vezes maiores que o tamanho de cada galáxia. Esses espaços não estão completamente vazios. O gás quente com temperatura de milhões de graus que envolve cada galáxia também preenche o espaço entre as galáxias num aglomerado, em geral com alguns prótons e elétrons em cada pedacinho do espaço. Não podemos ver esse gás com telescópios ópticos, mas ele aparece reluzente se o olharmos com visão de raio X. Os astrônomos ainda não entenderam por completo como todo esse gás foi parar lá, mas ele existe em grande quantidade, e é tanto que todas as estrelas em todas as galáxias perfazem apenas cerca de 5% de todos os átomos no universo observável.

À exceção dos buracos negros, todos esses ingredientes cósmicos são coisas que podemos ver de uma maneira ou de outra, com telescópios que captam diferentes comprimentos de onda de luz. Há inúmeros objetos cintilantes no espaço que ocupam nossa atenção, porém mais cedo ou mais tarde começamos a nos perguntar se não existiriam outras coisas em nossas galáxias e no universo que não conseguimos ver. Um astronauta contemplando a Terra à noite, do espaço, vê somente as luzes brilhantes das grandes metrópoles, a cintilação de cidades pequenas e médias, casas bem iluminadas. Mas mesmo que não consiga ver nada além de luzes, ele sabe que existem muito mais coisas aqui embaixo, toda uma rica tapeçaria terrestre adornada de campos, vales, montanhas e oceanos.

As luzes podem ajudar nosso astronauta a ver o invisível ou ao menos a conhecer o invisível. A teia mais brilhante deve ser uma cidade. A longa linha cortando a escuridão deve ser uma estrada. A reluzente e estendida faixa luminosa perto da escuridão absoluta deve ser uma costa, cidades litorâneas delineando a beira do mar.

Assim como esse astronauta a nos olhar de cima, podemos conhecer o invisível existente no espaço erguendo os olhos para as luzes que podemos ver. A chave é a gravidade, porque ela não se importa se uma coisa produz ou não luz. Só se preocupa com quanto a coisa pesa. Um objeto pesado e escuro pode atrair algo bem iluminado, como uma estrela, em sua direção. Vemos a estrela se deslocar rumo a um ponto invisível e sabemos que deve haver alguma coisa pesada ali. Podemos fazer um exercício de pensamento semelhante aqui na Terra. Posso imaginar que estou olhando para uma tocha numa noite escura como breu, com tudo ao redor imerso em trevas. Agora, se quem segura a tocha a deixar cair, nós a veremos despencar na escuridão até bater no chão. Isso acontece porque a gravidade da Terra escura como breu a atrai para si. Se a Terra não estivesse aí, a tocha ficaria apenas suspensa no espaço. Ao olhar para o modo como a tocha se movimenta, posso descobrir com precisão onde está o chão. Também poderia determinar o peso da Terra calculando a velocidade da queda da tocha.

Se você soltasse a mesma tocha na Lua, ela cairia mais devagar, porque a Lua pesa menos que a Terra.

Usando o mesmo raciocínio, podemos calcular o peso de objetos enormes bem distantes da Terra pela observação da velocidade da órbita de objetos menores girando ao seu redor. Imaginemos de novo nossa tocha numa noite escura como breu, mas agora a atiramos para cima. Imagine que você é capaz de lançá-la com tanta força que ela entra em órbita ao redor da Terra. A gravidade continua a puxá-la de volta, mas o arremesso inicial a faz viajar em círculos e nunca mais retornar ao nosso planeta. Se também imaginarmos que desligamos a luz do Sol por um instante, veremos nossa tocha fulgurante dar voltas e mais voltas ao redor de uma Terra escura como breu. Se estivermos observando isso acontecer de longe, veremos apenas uma luz brilhante voando em círculos. Saberemos que há alguma coisa atraindo-a para aquele círculo mesmo se não conseguirmos ver o que é. Quanto maior for o peso da Terra, mais rápido a luz brilhante se moverá. Apenas pela observação da luz em órbita, podemos calcular o peso da Terra.

O mesmo método pode nos ajudar a calcular o peso de objetos incrivelmente maiores, como estrelas, galáxias e até aglomerados de galáxias. Sem um método desse tipo, os astrônomos estimam a massa de objetos cósmicos olhando para eles através de um telescópio e determinando suas propriedades, como cor e brilho. Se é uma galáxia, eles podem calcular a que distância se encontra de nós e quanta luz está produzindo, e, sabendo o brilho de uma estrela comum, podem estimar seu peso. O método mais acurado usa diretamente a gravidade, calculando a velocidade da órbita das coisas ao redor do objeto. É um pouco como a diferença entre estimar o peso de uma pessoa olhando para seu tamanho e colocá-la de fato em cima de uma balança. É claro que a balança oferece uma resposta mais precisa.

Fritz Zwicky, o visionário astrônomo do Instituto de Tecnologia da Califórnia, famoso por suas descobertas de supernovas e estrelas de nêutrons, em 1930 chegou à conclusão de que esse segundo método lhe permitiria medir o peso de todo um aglomerado de galáxias. Só dez anos se passaram desde que Edwin Hubble descobrira que realmente existiam galáxias para além da Via Láctea, porém Zwicky foi rápido em aderir a novas ideias. Ele concentrou seus esforços no estudo do aglomerado de galáxias Coma, situado a algumas centenas de milhões de anos-luz do Grupo Local. Num aglomerado, há normalmente uma ou mais galáxias maiores no centro, e outras orbitam em torno de um mesmo centro de massa. Seus movimentos não se confinam a um disco plano, mas acabam assumindo um formato mais esférico.

Zwicky analisou como as galáxias estavam se movendo no interior do aglomerado, e elas pareciam viajar muito mais depressa que o esperado. Ele já havia determinado o peso de todas elas, mediante a aferição de seu brilho e do cálculo do número de estrelas que deviam existir em seu interior. Com base nessas medições, as galáxias estavam se deslocando com muita velocidade. Na verdade, estavam se movendo tão rápido que dava a impressão de que Coma era muitas vezes mais pesado do que aparentava. O gás que preenche os espaços entre as galáxias não poderia ser o responsável de toda aquela massa. Numa tentativa de explicar esse fato, Zwicky levantou a hipótese de que deveria haver no aglomerado algum tipo de matéria que ele simplesmente não conseguia ver e que só aparecia nos cálculos com o uso do segundo método, o da gravidade direta. Ele não sabia o que poderia ser, mas, num artigo publicado num periódico científico suíço em 1933, resolveu lhe dar um nome: "*dunkle Materie*", ou "matéria escura". Era uma ideia fascinante, um primeiro indício de que no espaço poderia haver mais coisas do que parecia. E essa ideia logo se tornaria um dos mistérios mais enigmáticos do nosso tempo, mas que acabou inerte por décadas, à espera de novos avanços tecnológicos.

Zwicky percebeu o enigma das velocidades excessivas enquanto observava um aglomerado inteiro de galáxias. Nos anos seguintes, outros pesquisadores que estavam analisando galáxias individuais toparam com o mesmo enigma. Quanto mais pesada for uma galáxia, maior será a pressão externa de sua gravidade e mais veloz será sua rotação, o que fará com que todas as suas estrelas se movam mais depressa. O astrônomo norte-americano Horace Babcock foi quem primeiro identificou, no final dos anos 1930, que as estrelas de Andrômeda, nossa galáxia vizinha, estavam se movendo até duas vezes mais rápido que o esperado. Isso era curioso, mas na época Babcock não associou essa ideia a nenhum tipo de matéria ausente. Vinte anos depois, em 1959, a astrônoma holandesa Louise Volders examinou as estrelas existentes em outra vizinha nossa, a galáxia do Triângulo, e encontrou uma característica semelhante. Ela também estava girando rápido demais. Sem dúvida havia alguma coisa estranha, mas naquela altura ninguém a associou à hipótese de Zwicky a respeito da matéria escura.

Apenas no fim dos anos 1960 as peças se encaixaram, e a hipótese que Zwicky havia levantado tantos anos antes decolou de vez. Fora necessário todo esse tempo para que os telescópios evoluíssem o suficiente para ver cada vez mais longe e com mais detalhes, de modo a poder medir o movimento das galáxias de forma correta. O crédito vai para a astrônoma norte-americana Vera Rubin, pioneira numa série de medições revolucionárias de não apenas uma ou duas, mas de dezenas de galáxias individuais, trabalhando ao lado de Kent Ford. Rubin foi uma desbravadora. Ela estudou física no Vassar College, no fim dos anos 1940, e se candidatou para o mestrado na Universidade Princeton. Mas somente em 1961 a instituição permitiria o ingresso de sua primeira estudante mulher na pós-graduação. Rubin acabou fazendo o mestrado na Universidade Cornell, onde aprendeu mecânica quântica com o famoso físico Richard Feynman. Depois se transferiu para a Universidade Georgetown, em Washington, DC, para cursar o doutorado, onde volta e meia precisava assistir às aulas noturnas depois de passar o dia cuidando dos dois filhos pequenos. Nessa época, fez uma série de novos e importantes achados, descobrindo que as galáxias estavam aglomeradas juntas no espaço, e não espalhadas ao acaso.

Rubin permaneceu em Georgetown depois do doutorado, atuando como pesquisadora e a seguir como professora, até se transferir em 1965 para o Instituto Carnegie de Ciências, também em Washington. Lá solicitou o uso do telescópio Hale, de 5,1 metros de abertura, do Observatório Palomar, na Califórnia, o maior telescópio óptico da época. Ele havia sido planejado e desenvolvido nos anos 1920 pelo astrônomo George Ellery Hale, um grande pioneiro na criação de telescópios de ponta. Hale também dera um cargo a Edwin Hubble no Observatório Monte Wilson, onde Hubble realizou tantas descobertas importantes. A construção do telescópio de Hale no monte Palomar começou no final da década de 1930, mas o instrumento só ficou pronto em 1949, anos depois da morte de seu criador. Edwin Hubble foi o primeiro a usá-lo.

Até 1965, apenas homens podiam usar os telescópios do Observatório Palomar, o que traz à memória a época das "computadoras" de Harvard, décadas antes. Mas os tempos estavam mudando, e Vera Rubin varreu essa regra ultrapassada e se tornou a primeira mulher a obter permissão para usar os instrumentos do observatório. As instalações ainda não eram projetadas para incluir mulheres, e sua ex-colega de trabalho Neta Bahcall, professora de ciências astrofísicas na Universidade Princeton, relembra como Rubin teve a ideia de criar sua própria cabine no banheiro, que era só masculino, colando na porta uma saia de papel recortada.

Rubin trabalhava com Kent Ford, que havia construído um espectrômetro muito sensível, o tipo de instrumento que decompõe a luz das galáxias em diferentes cores ou comprimentos de onda. Eles o instalaram no telescópio Hale para calcular quão depressa as estrelas orbitavam no interior de uma galáxia, olhando para o comprimento de onda da luz que vinha de diferentes partes dela e usando o efeito Doppler. Se uma galáxia estiver girando num disco e a virmos de perfil, as estrelas de um lado se aproximarão de nós em relação ao centro, parecendo ter comprimentos de onda menores que o normal, e as estrelas do outro lado se afastarão de nós, parecendo ter comprimentos de onda maiores.

Rubin e Ford lançaram mão desse efeito para descobrir quão depressa as estrelas estavam se deslocando dentro de cada galáxia e para verificar, particularmente, como sua velocidade mudava quanto mais afastadas estivessem do centro galáctico. Era por isso que necessitavam de um telescópio tão grande, já que tinham de examinar as partes constituintes da galáxia em alta definição, em vez de apenas ver tudo como uma mancha de luz. Primeiro olharam para Andrômeda e depois para mais de cinquenta galáxias espirais mais distantes. Em todas elas, descobriram um padrão inesperado. Perceberam que quase todas as estrelas estavam a orbitar praticamente na mesma velocidade, não importando quão próximas estivessem do centro da galáxia em que se encontravam. Na própria Via Láctea, isso seria algo próximo a 225 quilômetros por segundo.

Eles esperavam encontrar algo bem diferente. Com base no que se podia ver de estrelas, gases e poeira, as galáxias pareciam ter um bojo de estrelas e gases no meio, circundado pelo disco estelar menos denso. A expectativa era que as estrelas para além da borda do bojo central mais brilhante girassem

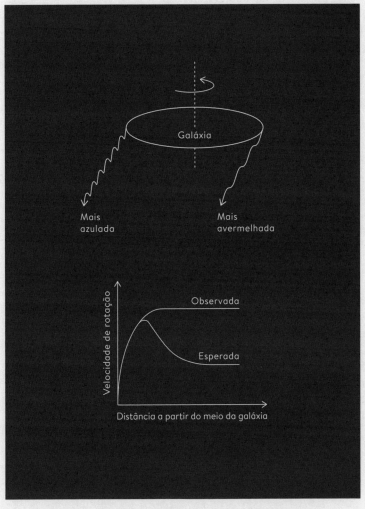

Podemos calcular quão rapidamente as galáxias giram por meio do efeito Doppler. Estrelas na beira de galáxias espirais se movem mais rápido do que o esperado: uma evidência da existência de matéria invisível extra ao redor da galáxia.

cada vez mais devagar à medida que se afastassem da parte mais pesada da galáxia, o meio.

Era essa a ideia de qualquer forma, mas ela não se encaixava nas observações de Rubin e Ford. As estrelas continuavam girando com muita velocidade mesmo próximo da beira do disco galáctico, e as mais afastadas não estavam diminuindo nem um pouco de velocidade. Algo a mais devia estar acontecendo. Rubin percebeu que tudo faria sentido se houvesse na galáxia uma massa extra que se estendesse para muito além das estrelas. O movimento previsto corresponderia ao que se via apenas se cada galáxia fosse na realidade algumas vezes mais larga do que parecia, com quase 90% de sua massa totalmente invisível. Dava a impressão de que as estrelas eram apenas as luzes brilhantes de uma cidade, encaixada no sertão escuro de uma galáxia muito mais vasta.

Isso era estranho e surpreendente, e de início a ideia foi recebida com grande ceticismo quando Rubin e Ford publicaram seus resultados, em 1976. Talvez ela não devesse ter sido uma surpresa assim tão grande; a própria Rubin relembrou que suas ideias correspondiam à hipótese que Zwicky havia levantado quatro décadas antes. Aquilo era a "matéria escura", algo que não podemos ver, mas que sente a força da gravidade. Agora havia cem galáxias contando a mesma história sobre a matéria escura de que o aglomerado de Coma dera indícios durante todos aqueles anos, e logo ficou claro que Rubin e Ford haviam encontrado provas convincentes da existência da matéria escura. Por volta da mesma época, Jerry Ostriker e Jim Peebles, na Universidade Princeton, usaram simulações computacionais para mostrar que galáxias sem nenhuma matéria escura invisível não podiam permanecer no formato de disco que observamos. Elas precisavam da matéria escura para não se separarem. Tudo começava a fazer sentido, e a *dunkle Materie* de Zwicky voltava à tona. O que essa coisa podia ser era um mistério: é algo que não produz luz, matéria que não podemos ver. É um mistério até hoje.

Até onde sabemos, existe matéria escura em todas as galáxias e em cada grupo e aglomerado de galáxias. Ela não apenas reside no interior e ao redor desses grandes objetos cósmicos, como se espalha pelo espaço para formar uma grande rede cósmica de interconexões. Essa rede lembra os neurônios em nosso cérebro, porém ampliados em proporções gigantescas. Ela é muito superior às coisas visíveis, com cinco vezes mais massa em matéria escura do que em átomos comuns. As partes estreladas das galáxias não passam de joias reluzentes dentro dessa enorme rede escura.

Nossa capacidade de entender e mapear a matéria escura é muito maior hoje do que na época de Zwicky, por causa não só de telescópios mais avançados, mas também de computadores. O desenvolvimento extraordinário na computação ocorrido nas últimas décadas significa que os computadores agora são quase tão imprescindíveis quanto os telescópios, dado o fato de conseguirem fazer cálculos com muito mais velocidade que os humanos. Ao nos ajudar a compreender melhor a matéria escura, eles nos permitem fazer um mapa virtual do universo, um modelo com equivalentes computadorizados de toda a matéria escura, e em alguns casos de todas as galáxias também, que compõe a rede cósmica.

Para elaborar esse mapa, dizemos a nossos computadores quais são as leis da física, acrescentamos informações para simular a presença de matéria escura e pedimos a eles que descubram o que acontecerá com tudo isso conforme o tempo passar. Sabemos, de modo geral, que a gravidade no universo real vai atrair a matéria escura para amontoados, mas nossas máquinas nos permitem simular o resultado de maneira muito mais detalhada do que poderíamos prever com papel e caneta.

Espalhamos matéria escura num espaço artificial, ativamos a gravidade e aceleramos o processo em nossos computadores. Estes determinam o efeito que a gravidade exerceria em todos os amontoados de matéria escura, e com o tempo, gradualmente, vemos alguns deles ficarem cada vez maiores, com espaços sendo criados entre eles. As simulações mostram em detalhes como os amontados de matéria escura estão interligados por esses longos filamentos e tecidos de matéria escura entrelaçados no espaço.

Usar um computador para esse propósito, descobrir algo de que ninguém foi capaz antes envolve a elaboração de alguns códigos de computação, um conjunto de instruções acerca do que a máquina deve realizar em seguida. Assim como no caso de instruções humanas, uma instrução para fazer algo pode ser dada em muitas linguagens computacionais diferentes. A programação computacional, aliada aos telescópios, se transformou na base da astronomia moderna, e nossa capacidade de compreender nosso universo está diretamente relacionada ao poder de nossos computadores. No caso de traçar a evolução da matéria escura, cada cálculo é simples, pois só envolve a lei da gravidade, mas identificar como cada pedaço de matéria escura interage com todos os outros requer um número imenso de cálculos que devem ser feitos rapidamente em sequência.

O caminho das primeiras simulações computacionais que mostravam como a matéria escura se transforma em estruturas cósmicas foi aberto, nos anos 1980, por um grupo de astrônomos conhecido como Gangue dos Quatro: George Efstathiou, Simon White, Carlos Frenk e Marc Davis. As simulações tentavam explicar alguns resultados inesperados observados na primeira iniciativa importante de empreender um levantamento extenso de galáxias. Completada em 1981, a pesquisa do Centro de Astrofísica de Harvard, liderada por Marc Davis, mapeou a posição de mais de 2 mil galáxias, alcançando

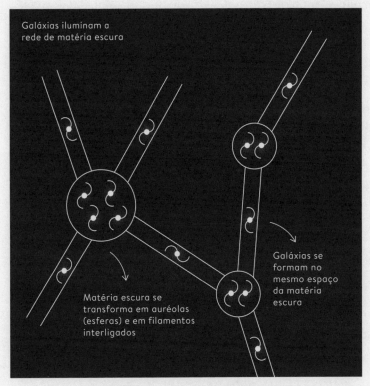

Desenho da rede cósmica da matéria escura.

distâncias muito além do superaglomerado de Virgem. Os astrônomos viram as galáxias agrupadas em nódulos e longos filamentos, com grandes espaços vazios no meio. Galáxias devem ser encontradas onde existe a maior densidade de matéria escura, de modo que essa foi a primeira visão indireta da rede de matéria escura. Na época, o processo de formação da rede ao longo da história cósmica não era muito conhecido (retornaremos a esse tópico no capítulo 5). Era útil, portanto, poder simular esse processo, e essas primeiras simulações computacionais conseguiram reproduzir características correspondentes às observações.

Levantamentos cada vez mais avançados foram empreendidos desde o de Harvard, como o recente Sloan Digital Sky Survey, que usou um telescópio óptico de 2,5 metros do Observatório Apache Point, no Novo México, para determinar a posição de mais de 2 milhões de galáxias. Essas pesquisas refinaram nosso entendimento das posições dos grupos de galáxias e dos aglomerados no espaço. À medida que nossa capacidade de calcular as estruturas cósmicas se amplia, o mesmo deve acontecer com a fidelidade das nossas simulações. Hoje podemos localizar dezenas de bilhões de blocos de matéria escura ao longo de bilhões de anos por meio de simulações numéricas. Elas exigem uma quantidade significativa de capacidade de processamento, a exemplo das simulações de última geração "Illustris: The Next Generation", produzidas em 2017 por uma equipe liderada pelo astrônomo Volker Springel. Essas simulações levaram milhares de "anos computacionais" para dar resultado, que foi alcançado na prática pelo uso de milhares de computadores, todos conectados a um supercomputador, durante muitos meses. Elas nos revelam de maneira muito mais detalhada como parece ser a rede de matéria escura no universo, bem como os gases e as estrelas nele presentes, para nos ajudar a compreender como as galáxias possivelmente se formaram e evoluíram. As observações de galáxias ainda são, de modo geral, uma boa combinação para as previsões dessas simulações.

Calcular a que velocidade giram as galáxias ou usá-las como faróis são dois caminhos para encontrar a matéria invisível. A teoria da gravidade de Einstein nos apresentou outra forma fascinante de vê-la. A luz viaja em linha reta através do espaço, a não ser que sinta a atração gravitacional de qualquer coisa que tenha massa. Para entender isso melhor, podemos começar a imaginar o espaço vazio meio como uma folha de borracha esticada feito uma cama elástica bastante flexível. Um objeto cósmico tal qual uma galáxia, ao ser colocado sobre a cama elástica, altera seu formato. Quanto mais pesado for o objeto, mais ele afundará a cama elástica. Uma bola de chumbo produzirá uma curvatura para dentro muito maior do que uma bola de isopor.

Agora podemos entrever de que maneira um objeto menor viajaria através do espaço, pensando em como ele se moveria em cima da cama elástica. Imagine que colocamos uma bola pesada bem no meio da cama elástica e depois lançamos bolas de gude em sua direção. Se as lançarmos em linha reta rumo à bola pesada, elas cairão na depressão criada pela bola e pararão ali mesmo. Se, ao contrário, as rolarmos afastadas o suficiente da bola, de modo a evitar que caiam na depressão, elas atravessarão em linha reta a superfície da cama elástica. Algo mais interessante acontecerá se lançarmos as bolas de gude perto o bastante da bola pesada para que alcancem a beira da depressão criada por ela. Elas contornarão a bola, mudando ligeiramente de direção.

Agora imagine que uma amiga esteja parada do outro lado da cama elástica, bem de frente para a bola. Se você remover a bola pesada e lançar uma bola de gude na cama elástica rumo

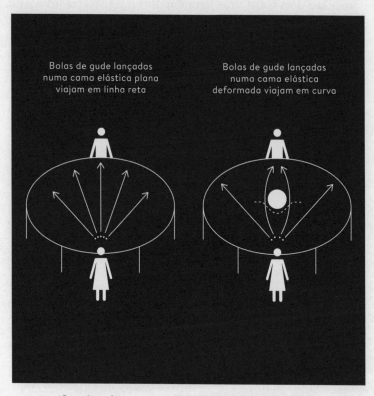

Imaginando o percurso da luz através do espaço como bolas de gude lançadas numa cama elástica.

a qualquer um dos lados do corpo da sua amiga, a bola de gude irá direto até lá. Agora coloque a bola pesada de volta no lugar de antes e lance a bola de gude na mesma direção. Em vez de ir para um dos lados do corpo da sua amiga, a bola de gude sofrerá um pequeno desvio ao passar pela depressão da bola pesada e irá direto para o meio do corpo e para as mãos dela. Ela também chegará a esse lugar se a lançarmos na mesma direção, só que pela outra lateral da bola pesada, fazendo uma pequena curva para chegar a sua amiga.

Isso é semelhante a como as coisas viajam no espaço, pois elas seguem os contornos das curvaturas criadas por objetos pesados. Essa foi uma das grandes descobertas de Einstein: perceber que massa e energia curvam o espaço e que qualquer coisa que se mova deve seguir uma trajetória numa superfície deformada pela gravidade. O mais difícil de imaginar é como isso funciona em três dimensões. A superfície da cama elástica em nosso exercício mental começou plana, bidimensional, com a pressão da bola pesada criando uma terceira direção, que é variável. O espaço é uma espécie de versão tridimensional da superfície da cama elástica, flexível em todas as direções. Um objeto pesado curva o espaço exatamente como uma bola pesada afunda uma cama elástica, mas isso não é fácil de visualizar porque nosso cérebro tridimensional simplesmente não consegue imaginar uma quarta dimensão curvada. Apesar disso, é possível supor as consequências. Assim como na cama elástica, poderíamos rolar uma bola de gude ao redor da bola pesada pela esquerda ou pela direita em direção a nossa amiga, só que agora também poderíamos rolá-la por cima ou por baixo da bola.

Einstein notou que não apenas pequenos objetos como meteoritos ou cometas se moveriam dessa forma no espaço, mas raios de luz também. Imagine uma fonte de luz bem luminosa emitindo raios em direção a um objeto mais pesado no espaço.

Os raios que fossem diretamente ao encontro desse objeto apenas bateriam nele e parariam. Aqueles que passassem um pouco afastados dele seguiriam em frente. Nesse intervalo entre os raios, alguns passariam tão perto do objeto que entrariam na parte do espaço que foi um pouco deformada. Eles fariam uma curva, e alguns se desviariam só o suficiente para chegar a nossos olhos. Eles teriam viajado bem ao redor do objeto para chegar até nós.

Esse efeito é conhecido como "lente gravitacional", com o objeto pesado atuando como a lente que desvia a luz e, em geral, com toda uma galáxia agindo como a fonte de luz ao fundo. O objeto pesado pode ser um aglomerado de galáxias, e se a galáxia luminosa estiver exatamente atrás desse objeto, veremos sua luz espalhada como um anel luminoso ao redor da lente no centro. Isso é o que chamamos de "anel de Einstein". Se a galáxia estiver um pouco deslocada, um pouco para o lado, acabaremos vendo algumas cópias dela. A luz se comportará como as bolas de gude indo em direção a nossa amiga por ambos os lados do objeto pesado na cama elástica. As cópias, ou imagens, da galáxia serão vistas na direção de onde vieram as bolas de gude, e cada imagem estará um pouco disforme, como um arco de luz, em vez de um ponto luminoso.

Muito antes que essa formação de múltiplas imagens do mesmo objeto fosse observada, os astrônomos estavam ansiosos para testar a primeira grande previsão da teoria de Einstein, o simples fato de que a gravidade poderia distorcer a trajetória da luz. A nova teoria de Einstein previa que a luz deveria se curvar duas vezes mais do que o previsto pela teoria tradicional de Newton. Em 1913, o físico alemão escreveu para George Ellery Hale na Califórnia, explicando suas previsões. Perguntava quais seriam as condições necessárias para calcular a deflexão da luz de uma única estrela distante sendo desviada pela gravidade do Sol, que seria a lente pesada. Seria um

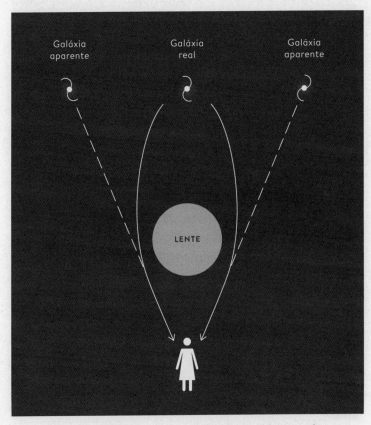

A luz de uma galáxia sofre um desvio de um objeto pesado;
a galáxia parece estar em mais de um lugar no céu.

pequeno desvio, explicou, com distância de menos de um milionésimo da largura de um polegar erguido com o braço esticado. Einstein queria saber se era necessário um eclipse total do Sol para ver esse fenômeno, quando a Lua bloquearia toda a luz solar, ou se bastaria um eclipse parcial. Hale respondeu que um eclipse total era fundamental. Caso contrário, qualquer quantidade de luz solar se sobreporia por completo à luz das estrelas mais próximas do Sol.

Einstein precisou esperar por um eclipse total. O astrônomo alemão Erwin Finlay-Freundlich estava torcendo para partir em expedição à Crimeia em 1914 a fim de observar um eclipse desse tipo e testar a previsão de Einstein, quando a eclosão da Primeira Guerra Mundial frustrou seus planos. Apenas em 1919, um ano após o fim da guerra, a deflexão da luz foi afinal calculada por Arthur Eddington e seus colegas. Dois grupos viajaram para fazer os cálculos: um para Sobral, no Brasil, o outro para a pequena ilha de Príncipe, na costa ocidental da África. Eles calcularam quanto a luz do fundo estrelado era desviada pelo Sol, comparando fotografias das posições normais das estrelas e das novas posições depois de o Sol distorcer o espaço em seus percursos. As posições haviam sido ligeiramente modificadas, e a modificação calculada em Príncipe correspondia à previsão de Einstein. Anunciado com entusiasmo, o resultado estampou a primeira página de todos os principais jornais britânicos. Foi o relato de Eddington dessa expedição, feito numa palestra pública após seu retorno a Cambridge, que tanto inspirou Cecilia Payne-Gaposchkin a se tornar astrônoma.

Apenas em 1936 Einstein apontou num artigo científico que uma consequência natural da deflexão da luz era a existência de lentes gravitacionais capazes de produzir múltiplas imagens de um único objeto. Ele havia notado esse efeito anos antes, mas ainda não tinha publicado nada a respeito, pois acreditava que jamais conseguiríamos medi-lo. Imaginava que isso exigiria que a luz de uma estrela distante funcionasse como a lente ao redor de uma estrela mais próxima, e a probabilidade de encontrar duas estrelas bem alinhadas o suficiente para ver o fenômeno acontecer é de fato incrivelmente pequena.

Incansável, Fritz Zwicky chegou à conclusão em 1937 de que, em vez de estrelas individuais, eram os aglomerados de galáxias que deviam ser as lentes pesadas que distorciam o espaço, desviando a luz emitida de galáxias inteiras mais adiante. Era muito mais provável acontecer o alinhamento de galáxias do que o de estrelas individuais. Depois de fazer suas observações do aglomerado de Coma em 1933 e de encontrar indícios de sua matéria escura, Zwicky idealizaria outra forma de pesá-lo para verificar se havia de fato alguma matéria ausente. Quanto mais desviasse a luz, mais massivo Coma deveria ser. Era um grande plano científico, mas, como ocorreu com inúmeras de suas ideias, o astrônomo suíço estava muito à frente de seu tempo. Os telescópios dos anos 1930 não eram bons o suficiente para medir a lente gravitacional de uma galáxia. Mais uma vez, Zwicky teve de esperar pelo avanço da tecnologia.

É possível identificar uma galáxia afetada por uma lente gravitacional encontrando múltiplas imagens dessa galáxia nas diferentes direções tomadas pela luz ao redor da lente. Apenas em 1979 cientistas conseguiram fazê-lo, quando duas imagens do mesmo quasar foram vistas pelos astrônomos Dennis Walsh, Robert Carswell e Ray Weymann, através de um telescópio de dois metros do Observatório de Kitt Peak, no Arizona. Os quasares estão entre os objetos mais luminosos do universo. Descobertos nos anos 1950, são os núcleos luminosos de galáxias que têm um buraco negro massivo no centro e um disco de gás orbitando ao seu redor. Um quasar se forma quando o disco de gás cai dentro do buraco negro e emite luzes de todos os comprimentos de onda, desde ondas de rádio até raios gama. Quasares são milhares de vezes mais brilhantes que a Via Láctea, e podemos vê-los a enormes distâncias da Terra, mais distantes ainda que a supernova tipo Ia, que abordamos no capítulo 1. A luz que vem do quasar mais longínquo que conhecemos foi emitida há mais de 13 bilhões de anos.

Os astrônomos avistaram o fenômeno da lente em 1979 enquanto observavam dois quasares próximos no céu que pareciam idênticos e continham a mesma quantidade de luz sendo produzida em cada comprimento de onda. Eles concluíram que eram possivelmente duas imagens do mesmo objeto, cuja luz havia sido desviada perto de uma galáxia próxima. Chamado de quasar duplo, o objeto está extremamente longe de nós, a cerca de 9 bilhões de anos-luz de distância, enquanto a galáxia que causa o desvio está a 4 bilhões de anos-luz de nós. Ambos se encontram nos confins do nosso universo observável. Enfim, uma lente gravitacional foi encontrada, embora o próprio Zwicky não tenha chegado a vê-la. Ele morreu cinco anos antes.

Uma das coisas mais interessantes a respeito de ver duas imagens de um objeto é que na verdade você pode estar olhando para imagens do mesmo objeto em épocas diferentes, já que a luz viaja distâncias diferentes até nos alcançar. Isso é muito estranho. É como se olhássemos para uma sala e víssemos a mesma pessoa em duas direções distintas, uma mais velha que a outra. Podemos ter uma noção de como isso funciona voltando mais uma vez para as bolas de gude na cama elástica. Se rolarmos duas bolinhas ao mesmo tempo exatamente de trás da bola pesada, do outro lado da nossa amiga, ambas chegarão ao mesmo tempo às mãos dela, pouco importando se contornaram a bola pela esquerda ou pela direita. Mas se chegarmos um pouco para o lado, posicionando-nos ligeiramente à esquerda da bola pesada, por exemplo, então nossa amiga pegará a bola de gude que foi lançada desse lado antes da que foi lançada pela direita, que precisou fazer um percurso mais longo e curvo, embora ambas tenham sido lançadas simultaneamente.

A mesma coisa acontece com a luz viajando através do espaço. A luz de um dos quasares duplos chega à Terra mais de um ano antes da outra, de modo que uma das imagens é a fotografia mais jovem, e a outra, a mais velha, de um mesmo objeto.

Bem recentemente tivemos um exemplo espetacular disso em tempo real, quando o astrônomo Patrick Kelly, à época da Universidade da Califórnia em Berkeley, usou o Telescópio Espacial Hubble em 2014 para examinar um aglomerado de galáxias distante. Ele encontrou uma supernova e a batizou de Refsdal, em homenagem ao astrofísico norueguês Sjur Refsdal. A luz dela havia sofrido o lenteamento de um objeto pesado em sua trajetória, motivo pelo qual apareceram múltiplas imagens da galáxia com a supernova. Ao calcular o formato e a posição da lente pesada, Kelly e colaboradores previram que haveria mais duas imagens da mesma supernova aparecendo em momentos distintos. Uma já teria aparecido, mas a outra deveria fazê-lo um ano depois. Conforme a previsão, outra imagem apareceu no fim de 2015, exatamente onde era esperada. Foi uma bela demonstração não apenas do efeito da gravidade no espaço como também da nossa capacidade de prever e testar uma hipótese científica.

Hoje, temos conhecimento de uma variedade de lentes cósmicas. Alguns anos depois da primeira descoberta, uma lente foi encontrada com quatro imagens de um quasar, e em 1988 astrônomos detectaram o primeiro anel de Einstein, um círculo distorcido de luz de uma galáxia individual. Agora já detectamos milhares de lentes gravitacionais, com longos arcos de luz a rodear objetos cósmicos massivos. Estão entre as imagens mais bonitas e impressionantes que temos do cosmos.

O que Zwicky tinha em mente nos anos 1930 era usar o efeito das lentes para descobrir a massa da galáxia ou do aglomerado atuando como a lente. Hoje os astrônomos esperam utilizar a lente gravitacional de forma ainda mais ambiciosa, para revelar

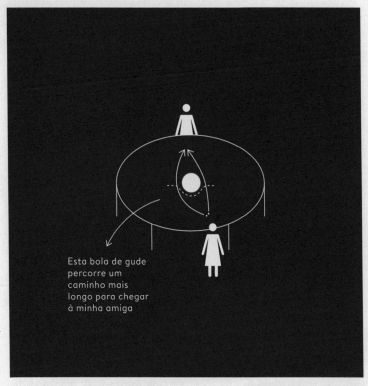

Duas bolas de gude podem percorrer caminhos de diferentes extensões na cama elástica. A luz de objetos no céu pode se comportar de maneira semelhante.

a verdadeira dimensão da matéria escura existente no universo. Isso deve ser possível porque qualquer coisa pesada, mesmo que não produza luz própria, desvia a trajetória da luz. Quanto maior a quantidade de matéria escura, maior o desvio da luz causado por ela. Podemos olhar para milhões de galáxias distantes, em aglomerados e em superaglomerados para além do nosso, e observar como sua luz foi desviada por toda a matéria pela qual passou a caminho de nossos telescópios aqui na Terra. Na sua maioria, as galáxias de fundo não se encontram particularmente bem alinhadas com uma lente em seu caminho, de modo que o efeito de lenteamento nelas é uma pequena distorção de seus formatos, em vez da criação de múltiplas imagens. Podemos usar essa distorção de formatos para elaborar um mapa tridimensional da matéria escura em quase todo o universo observável. Estamos apenas começando a fazer isso com os telescópios atuais, e a próxima década deve testemunhar avanços incríveis com o Euclid, da Agência Espacial Europeia, e com o Grande Telescópio de Levantamento Sinóptico, no Chile. Retornaremos a alguns desses projetos futuros no capítulo 5.

Hoje sabemos que quase toda a matéria existente no universo é invisível e nos encontramos na curiosa situação de termos calculado de maneira precisa sua quantidade e de, ao mesmo tempo, não sabermos bem *o que* ela é de fato. Só há um componente da matéria escura do qual realmente sabemos. São os neutrinos cósmicos, as menores partículas conhecidas, cada um pesando possivelmente menos de um milionésimo de um elétron ou menos de um bilionésimo de um átomo de hidrogênio. Eles estão por toda parte em números fenomenais. Até dezenas de bilhões de neutrinos passam pelas suas mãos a cada segundo. Não podemos vê-los, contudo, porque são essencialmente invisíveis. Não emitem luz própria em nenhum comprimento de onda e não interagem com os átomos em nosso corpo ou com quaisquer outros átomos. Ou, ao menos, quase nunca interagem. Muitos foram criados no início da vida do universo e são conhecidos como neutrinos cósmicos. Outros neutrinos foram criados mais recentemente em supernovas, no Sol e em outras estrelas, e até em nossa atmosfera.

Sabemos da existência dos neutrinos desde que Wolfgang Pauli surgiu com a ideia, em 1930. Ele estava estudando um tipo particular de decaimento radioativo em que um nêutron se transforma num próton, ou vice-versa, dentro do núcleo de um átomo. Conhecido como decaimento beta, o processo também produz um elétron e uma partícula de neutrino. Pauli pensava no neutrino como uma maneira de dar sentido à reação, tendo visto somente o elétron e calculado que faltava uma parte da energia do núcleo atômico. Contudo, ele achava que essa partícula jamais seria encontrada e chegou a fazer a célebre aposta de uma caixa de champanhe nisso.

No início, Pauli chamava a nova partícula de "nêutron", mas em 1932 James Chadwick usou esse mesmo nome para batizar a partícula mais pesada que hoje conhecemos. Um pouco mais adiante, naquele ano, o físico italiano Edoardo Amaldi pensou em nomeá-lo "neutrino", que significava "pequeno nêutron". Enrico Fermi, seu colaborador, começou a usar o nome em conferências, e ele acabou pegando. Em 1933, Fermi submeteu um artigo à *Nature*, no qual explicava como o neutrino podia ser criado no processo de decaimento beta, mas o artigo não foi aceito, sob o argumento de que estava muito longe da realidade. Posteriormente, foi provado que seu modelo estava certo. Mais de duas décadas depois, em 1956, a primeira detecção de neutrinos foi realizada pelos físicos norte-americanos Clyde Cowan e Frederick Reines no Savannah River Plant, um reator nuclear situado na Carolina do Sul. Eles mandaram um telegrama a Pauli contando a boa notícia, que em seguida lhes enviou uma caixa de champanhe.

Essa primeira detecção foi de neutrinos em produção num reator nuclear na Terra. Porém a maioria dos neutrinos que passam por nós vem do Sol. São criados como subprodutos da fusão no centro da estrela, enquanto o hidrogênio está sendo queimado para formar hélio. Eles saem dali e cerca de oito minutos depois chegam à Terra, levando apenas um pouco mais de tempo que a luz solar para nos alcançar a partir da superfície do Sol. Nos anos 1960, os físicos norte-americanos Ray Davis e John Bahcall foram os primeiros a detectar neutrinos que vinham da nossa estrela, por meio do experimento de Homestake, localizado bem abaixo da terra na Mina de Ouro de Homestake, na Dakota do Sul. Bahcall calculou o número de neutrinos que o Sol devia estar produzindo, e os dois rapidamente perceberam que só cerca de um terço dos neutrinos esperados parecia estar chegando à Terra.

Esse mistério foi logo chamado de "problema do neutrino solar". Físicos e astrônomos já tinham descoberto na época que os neutrinos vêm em três tipos ou sabores, conhecidos como neutrinos do elétron, neutrinos do múon e neutrinos do tau. Em 1957, o físico italiano Bruno Pontecorvo havia levantado a hipótese de que, se tivessem massa, essas partículas poderiam mudar de tipo ao viajar pelo espaço. A solução do problema seria então que eles estavam mudando de sabor e que nós andávamos apenas procurando e observando os neutrinos do elétron. Muitas outras ideias estavam em jogo também, e foram necessários mais de trinta anos para que os cientistas mostrassem que essa "oscilação" era a explicação correta para os neutrinos ausentes. Entre 1998 e 2002, o experimento Super-Kamiokande, no Japão, e o Observatório de Neutrinos de Sudbury, numa mina de níquel de Ontário, constataram que os sabores dos neutrinos estavam de fato sofrendo mudanças, mediante experimentos conduzidos no fundo da terra com milhares de toneladas de água pesada para detectá-los.

A descoberta deu aos líderes desses dois experimentos, Takaaki Kajita e Art McDonald, o prêmio Nobel de Física em 2015. E como mais um triunfo de previsão científica, o número total de neutrinos encontrados emitidos pelo Sol acabou correspondendo à previsão inicial de Bahcall, feita décadas antes.

Mesmo depois desses experimentos complexos, ainda não sabemos quanto os neutrinos pesam. Nossas melhores estimativas sugerem que os neutrinos cósmicos compõem algo entre 0,5% e 2% de toda a matéria escura do universo. No início dos anos 1980, muitos achavam que a matéria escura era inteiramente composta de neutrinos, uma ideia lançada pelo físico russo Yakov Zeldovich. Logo ficou claro que isso não era plausível, pois a rede de matéria escura teria se tornado algo muito diferente. É a gravidade da matéria escura que atrai as estruturas cósmicas umas em direção às outras, tecendo a rede em que se encontram as galáxias e os aglomerados de galáxias. Os neutrinos são tão leves que viajam através do espaço quase à velocidade da luz, e eles tentam escapar da atração gravitacional. Esse efeito demonstra que estruturas cósmicas feitas de neutrinos seriam menos amontoadas do que aquelas compostas por partículas de matéria escura mais lentas. Pela comparação das previsões das simulações da Gangue dos Quatro, feitas de partículas lentas ou "frias" de matéria escura, com o agrupamento galáctico observado no levantamento de galáxias do Centro de Astrofísica, os astrônomos concluíram, no fim dos anos 1980, que a rede cósmica não podia se compor puramente de neutrinos, senão o número de aglomerados de galáxias e o de superaglomerados que observamos não poderia existir, e que a maior parte da rede cósmica tinha de ser constituída de partículas mais pesadas e mais lentas de matéria escura fria. Essa descoberta tem sido confirmada inúmeras vezes conforme equipes de astrônomos mapeiam cada vez mais galáxias e executam simulações cada vez mais refinadas.

Fora os neutrinos, a maior parte da matéria escura é provavelmente constituída de algo que ainda não encontramos na Terra. Uma hipótese popular era de que muito dessa matéria escura fria se comporia de objetos familiares como estrelas, mas que são pequenos demais para que aconteçam fusões em seu centro, planetas e buracos negros. Eles seriam feitos de coisas de cuja existência nós de fato sabemos, mas que quase não produzem luz. São conhecidos como objetos com halo compacto e grande massa (*massive astrophysical compact halo objects*, Machos). O problema, contudo, é que teriam de ser enormes, desde cerca do tamanho da Lua até centenas de vezes o do Sol. Isso é tão grande que teríamos visto o efeito da gravidade deles em estrelas. Se passassem na frente de uma estrela, a força de sua gravidade causaria um desvio ligeiro na luz estelar, fazendo com que esta viesse mais em nossa direção e a estrela ficasse um pouco mais luminosa que o normal. Os astrônomos ainda não viram ocorrências suficientes disso para poder confirmar essa teoria da matéria escura.

Acabamos ficando então com outra possibilidade, a de que a matéria escura, à exceção dos neutrinos, poderia ser toda composta de uma partícula, ou um conjunto de partículas, inteiramente nova. Tem de ser algo que quase não emite luz ou que não a emite e que viajaria através de uma pessoa ou de uma parede sem parar em nada. Isso significa que não poderia ser feita de qualquer átomo que conhecemos, ou dos prótons, elétrons e nêutrons que compõem os átomos conhecidos, ou mesmo das partículas quarks, que são ainda menores e compõem os prótons e os nêutrons. E, com algumas exceções, não pode ser muito leve, como os neutrinos.

Precisamos de algo novo. Uma das principais possibilidades é algo chamado de partícula massiva fracamente interativa (*weakly interacting massive particle*, Wimp). Wimp é um nome genérico dado às partículas ainda desconhecidas que podem ser centenas ou milhares de vezes mais pesadas que um átomo de hidrogênio e que raramente interagem entre si ou conosco. Como Macho, o nome Wimp é de uso corrente na física e na astronomia, e não há nenhuma coincidência no fato de os dois estarem semanticamente relacionados. A partícula Wimp foi batizada primeiro, e Macho foi sugerido como uma brincadeira* pelo físico Kim Griest em 1990, para dar ênfase à diferença entre esses vastos objetos astronômicos e as Wimps, que são muito menores.

Até pouco tempo, a Wimp mais provavelmente tida como a elusiva partícula da matéria escura era uma partícula da família das supersimétricas. Supersimetria é uma teoria da física segundo a qual cada partícula conhecida possui uma parceira mais pesada. Cada uma das partículas quarks tem um superpar "squark". O minúsculo elétron tem uma contraparte "selétron". Pode soar exagerado, já que esses superpares nunca foram vistos, mas é uma teoria elegante. A menor dessas hipotéticas partículas supersimétricas é chamada de neutralino, que é muitas vezes mais pesada que um átomo de hidrogênio. A hipótese do neutralino é particularmente atraente para os físicos, pois ele não pode ser quebrado em nada menor, de modo que não se espera que interaja com outras partículas. É o fim da linha.

Existem também outras possibilidades na família das partículas supersimétricas, bem como outras possíveis partículas Wimp. Até recentemente, havia grandes esperanças de se criar essas partículas supersimétricas no Grande Colisor de Hádrons do Conseil Européen pour la Recherche Nucléaire (Cern), o laboratório europeu de pesquisas nucleares perto de Genebra, e de realmente encontrar a partícula da matéria escura. Apesar do enorme sucesso dos experimentos do Cern na descoberta

---

* A brincadeira diz respeito ao fato de *wimp*, em inglês, significar, coloquialmente, uma pessoa "banana", sem energia ou iniciativa, ao passo que *macho* seria o contrário, alguém "valentão", forte, vigoroso. [N.T.]

de outro objeto enigmático — o bóson de Higgs —, ainda não há sinal da supersimetria. Isso não significa que não exista, mas sim que está pelo menos fora do alcance da visão, o que tem levantado dúvidas em algumas pessoas sobre a possibilidade de ela existir. Talvez apenas não descreva a realidade.

O Grande Colisor de Hádrons não é o único instrumento que pode ser usado para encontrar essas partículas enigmáticas e de fraca interação de matéria escura. Também podemos torcer para capturar uma delas em um detector. Há uma série de experimentos em atividade em velhas minas subterrâneas para tentar encontrá-las, como o Large Underground Xenon (LUX), na Dakota do Sul. E, ao mesmo tempo, também perscrutamos os céus em busca de indícios, na tentativa de avistar um indicativo dessas partículas interagindo e emitindo algum sinal luminoso. Até agora, nada foi visto.

Outras teorias interessantes a respeito do que seria a matéria escura incluem uma partícula minúscula chamada áxion, uma mais pesada de neutrino e partículas que só aparecem se de fato vivermos em mais dimensões do que conhecemos. Ou talvez não devamos procurar apenas por uma partícula. A matéria escura pode consistir em toda uma família de partículas escuras. Também pode ser algo que ninguém imaginou ainda.

Agora nos encontramos na estranha situação em que achamos que o mundo mais amplo em que vivemos é basicamente invisível, que existe uma "coisa" nova no espaço que pesa ao todo cinco vezes os átomos conhecidos e que está em tudo quanto é lugar: aqui na Terra, no nosso sistema solar, na Via Láctea. E que forma o esqueleto cósmico no qual as galáxias visíveis e os aglomerados de galáxias estão encaixados. Quase todas as nossas evidências de que essa coisa existe, claro, são puramente baseadas na observação do efeito da gravidade da matéria escura nas coisas visíveis.

Assim, é comum os astrônomos se perguntarem, para começar, se é possível que tenhamos entendido de maneira errada o funcionamento da gravidade. A matéria escura seria de alguma forma uma ilusão? As leis da gravidade, que nos revelam como as coisas se movem na presença de outros objetos, precisariam de um aprimoramento? Trata-se de uma pergunta óbvia, que foi feita pelo físico israelense Mordehai Milgrom. No início dos anos 1980, ele elaborou uma teoria chamada dinâmica newtoniana modificada (*modified Newtonian dynamics*, Mond), como forma alternativa de explicar a rotação das galáxias observadas por Vera Rubin e Kent Ford. Sua hipótese era de que a força diminuía mais devagar à medida que a distância a partir de um objeto massivo aumentava, em comparação com o que acontecia nas tradicionais leis da física de Newton ou de Einstein. Na verdade, a própria Rubin a princípio achou essa ideia mais atraente do que a necessidade da existência de uma nova partícula.

Essa modificação das leis da gravidade entraria em cena apenas quando a gravidade fosse incrivelmente fraca, de modo que não seria percebida na Terra ou pelos objetos no sistema solar. Apenas nos confins de uma galáxia começaria a fazer efeito, o que explicava de maneira conveniente as galáxias giratórias. Essa teoria, contudo, apresenta inúmeras fraquezas significativas, já que é incapaz de explicar muitas outras observações.

Um exemplo disso é uma impressionante observação feita em 2006 pelo astrônomo norte-americano Douglas Clowe e colaboradores, que deu credibilidade extra a hipóteses acerca da matéria escura. O que eles viram foi o Aglomerado da Bala, dois enormes aglomerados de galáxias remanescentes de uma colisão. Os astrônomos estavam vendo a imagem de um aglomerado que havia se atirado em outro maior aparentemente a milhões de quilômetros por hora. O que acontece quando se tenta passar um aglomerado de galáxias por dentro de outro? Deixando a matéria escura por ora de lado podemos pensar no aglomerado como sendo composto de galáxias e de gás muito quente. As galáxias em si são relativamente pequenas, e as do aglomerado menor passariam através do maior sem colidir. Mas o gás diminuiria de velocidade ao interagir com o gás do outro aglomerado e ficaria para trás. Isso de fato parecia ser o caso quando foram tiradas fotografias do Aglomerado da Bala com luz óptica e raios X. A luz óptica mostrou as galáxias, e os raios X, o gás. O gás foi flagrado claramente ficando para trás das galáxias no aglomerado projétil.

Mas e a matéria escura? Ora, num aglomerado sem matéria escura, a maior parte da massa deveria estar onde se encontra o gás quente, já que o gás pesa mais que as estrelas. Se o aglomerado tem matéria escura, ela deve se atirar no aglomerado e passar através dele junto com as galáxias. Como não interage com nada, ela não perderia velocidade como o gás e, misturada às galáxias, teria formado uma massa mais pesada que ele. Convenientemente, podemos usar a lente gravitacional para descobrir onde as partes mais pesadas de objetos distantes se encontram, e a equipe de astrônomos observou como esse par de aglomerados desviava a luz de galáxias distantes que estavam atrás dos aglomerados. Com isso, puderam calcular qual lugar continha mais massa: o ocupado pelo gás ou o ocupado pelas galáxias. Eles descobriram que o espaço ocupado pelas galáxias possuía a maior massa. Esse espaço deveria, portanto, conter algo a mais além das galáxias: a matéria escura.

A descoberta do Aglomerado da Bala foi um forte argumento a favor da matéria escura. A maioria dos astrônomos e dos físicos não acredita que estamos equivocados acerca de sua existência. A matéria escura realmente parece fazer parte do nosso mundo. Mas, até a encontrarmos, é preciso manter a mente aberta e continuar a nos perguntar o que ela pode ser de fato.

4.
A natureza do espaço

Até agora, vimos como o universo está organizado. Subimos a escada cósmica, ampliando paulatinamente a escala, indo de sistemas solares a vizinhanças estelares, galáxias, grupos ou aglomerados de galáxias e por fim os superaglomerados, já nas dimensões maiores. Também aprendemos sobre as coisas visíveis e invisíveis pertencentes a esses diferentes reinos do universo, como planetas, estrelas, buracos negros, nuvens de gás onde nascem estrelas, poeira cósmica, gás quente que permeia os aglomerados galácticos e a ainda não identificada matéria escura. Voltamos nossa atenção para a imagem que temos do universo hoje e nos detivemos apenas brevemente em seu passado e no fato de que, quanto mais longe olhamos no espaço, mais olhamos para trás.

Neste capítulo, descobriremos mais sobre a própria natureza do espaço. Será ele infinitamente grande? É possível que tenha sempre existido? Essas questões nos levarão o mais longe possível no passado e no espaço, até o início de tudo, o nascimento do nosso universo.

Como vimos no capítulo 1, as pessoas só descobriram que o universo não se resumia à Via Láctea nos anos 1920. No Grande Debate entre Heber Curtis e Harlow Shapley, em 1920, a discussão era se existia pelo menos alguma coisa para além da Galáxia e, mais especificamente, se as manchas esmaecidas de luz avistadas no céu noturno estavam dentro dela ou mais distantes. O debate se encerrou com as observações feitas por Edwin

Hubble sobre as pulsantes estrelas cefeidas. Baseando-se no trabalho de Henrietta Leavitt sobre os padrões de luminosidade das cefeidas, Hubble determinou que as estrelas situadas nas manchas eram opacas demais e, consequentemente, distantes demais para viver na Via Láctea, identificando as nebulosas como galáxias completamente novas, externas a ela.

Isso aconteceu apenas alguns anos depois de Einstein ter desenvolvido sua teoria da relatividade geral, a esplêndida teoria que descreve de que maneira o espaço se comporta. Como aprendemos nos capítulos 2 e 3, Einstein explicou que a matéria distorce o espaço da mesma forma que a bola grande que usamos como exemplo no capítulo anterior deforma a cama elástica. Quanto mais massivo o objeto, mais ele dobra o espaço. Quanto mais deformado estiver o espaço, mais o objeto afetará a trajetória de outros objetos próximos. É dessa forma que a massa do Sol determina a órbita da Terra, assim como, em escala maior, a massa das galáxias determina como elas se atraem num aglomerado de galáxias.

A bela teoria de Einstein não só nos diz como objetos no espaço interagem, mas também algo sobre como o todo do espaço se comporta. A teoria previa que o espaço deve estar em constante mudança. Se você espalhasse matéria pelo espaço, ela não apenas criaria ondulações nele, mas também começaria a fazê-lo encolher. A gravidade de todos os diferentes objetos faria com que aos poucos tudo se atraísse e se comprimisse. O problema dessa hipótese é que o próprio Einstein a odiava: ele estava convencido de que o universo era imutável, de que devia ser e eternamente continuaria a ser do jeito que sempre foi. Na época, a ideia de que tudo era estático correspondia à realidade do que conseguíamos contemplar no céu. Antes de Hubble revelar o universo existente além da Via Láctea, não havia nenhuma evidência de que alguma mudança significativa pudesse estar em curso.

Einstein contornou o problema de um universo mutável fazendo modificações em sua teoria e introduzindo algo que chamou de constante cosmológica. Tratava-se da energia condensada no próprio espaço vazio. Essa energia tentaria fazer o espaço crescer e, assim, contrabalançaria a tendência oposta do espaço de se comprimir, mantendo as coisas perfeitamente estáticas. Era uma correção desajeitada, e sem dúvida não era a única forma possível de explicar o comportamento do universo.

Uma das primeiras pessoas que levantaram hipóteses alternativas sobre o fato de o espaço poder estar em transformação foi o russo Alexander Friedmann, que estudou física na Universidade de São Petersburgo, antes de ser recrutado para servir na Força Aérea russa durante a Primeira Guerra Mundial, o que interrompeu seus planos acadêmicos. Depois da guerra, Friedmann analisou com cuidado a nova teoria da relatividade geral de Einstein, e no início dos anos 1920 percebeu que havia uma explicação simples para como o todo do espaço devia se comportar, supondo que as coisas teriam que parecer idênticas em todas as direções e de todos os pontos de observação. Ele empregou as equações de Einstein para apresentar a ideia de que o universo, na verdade, podia estar se expandindo, e não encolhendo, e de que devia estar sofrendo transformações.

Friedmann publicou seus resultados em 1922 e 1924, no periódico alemão de física *Zeitschrift für Physik*. Einstein a princípio reagiu ao artigo de 1922 com enorme repúdio, afirmando que as descrições do universo em expansão feitas pelo autor eram impossíveis. Friedmann então lhe escreveu, explicando os cálculos que o haviam levado à sua conclusão, mas o célebre físico estava viajando pelo mundo e só ficou sabendo da carta meses depois. Quando isso aconteceu, Einstein reconheceu que os resultados de Friedmann eram corretos, que um universo em expansão era teoricamente possível, embora ainda não achasse a ideia convincente. Ainda estava certo de que o universo era estático. Logo se provaria que Friedmann tinha razão, mas ele acabou morrendo precocemente, em 1925, vítima de febre tifoide, sem saber que havia feito uma contribuição decisiva para nosso conhecimento do universo.

Alguns anos depois, o físico belga Georges Lemaître usou por conta própria as equações de Einstein e chegou a uma conclusão semelhante a respeito do comportamento do universo. Lemaître era cientista, mas também padre, vocação que havia descoberto quando tinha apenas nove anos. A seu ver, ambos os caminhos eram igualmente importantes, o que o fizera estudar física e matemática ao mesmo tempo que adquiria sua educação teológica, depois de anos de serviço no Exército belga durante a Primeira Guerra Mundial. No início da década de 1920, passou por um período formativo em que trabalhou com Arthur Eddington em Cambridge e com Harlow Shapley no observatório da Universidade Harvard, terminando o doutorado em 1927, no Instituto de Tecnologia de Massachusetts. Ao voltar para a Bélgica, empregou a teoria de Einstein em seus estudos e chegou à conclusão de que o espaço devia ou crescer, ou encolher. Como Friedmann anteriormente, ele achava que um universo estático não era uma opção. Lemaître publicou seus resultados em 1927, num obscuro periódico científico belga, *Annales de la Société Scientifique de Bruxelles*, mas o texto, escrito em francês, foi lido por pouquíssimas pessoas fora da Bélgica. No mesmo ano, ele apresentou seu trabalho para Einstein na Conferência de Solvay, em Bruxelas, e recebeu do físico alemão uma resposta que se tornou célebre: "Sua matemática está certa, mas sua física é abominável". Einstein estava decidido a não acreditar que um universo em constante mudança pudesse descrever a realidade.

Para melhor entender as ideias por trás desses debates e os cálculos feitos para prová-las, vamos dar agora um passo atrás e pensar no que de fato significa o espaço crescer ou encolher e em como poderíamos saber se uma dessas duas coisas estivesse acontecendo. É difícil definir até mesmo o que é o espaço. Pode-se, por exemplo, pensá-lo como as regiões existentes entre as coisas. Perto de casa, isso incluiria as regiões entre a Terra e o Sol, depois aquelas entre o Sol e as estrelas mais próximas, e por fim aquelas entre as estrelas. Nas escalas maiores, ele consistiria nas regiões entre as galáxias e os aglomerados de galáxias que preenchem nosso universo. Mas talvez seja melhor pensar no espaço não apenas como essas regiões, e sim como tudo: todos os objetos existentes nele, assim como todas as regiões entre eles.

Para começar a imaginar um espaço que está crescendo ou encolhendo, usaremos uma analogia que, embora imperfeita, nos ajudará a prever como podemos conceber tal espaço. Pensemos numa formiga vivendo num universo unidimensional, resumindo-se todo ele a uma faixa elástica comprida, do tipo que encontramos numa cinta, esticada de modo a formar uma linha extensa. A formiga está confinada a andar para a frente e para trás na faixa elástica. Não pode andar para o lado, nem ir para cima, nem para baixo. Agora expandimos seu universo, pegando a faixa elástica pelas pontas e esticando-a com delicadeza. Quando a esticamos, ela se expande um pouco mais. Cada uma de suas partes se alonga um pouco. E embora a estejamos puxando pelas pontas, a distensão não vem de um ponto único na faixa. Ela ocorre de todos os pontos.

Em seguida, fazemos o oposto e encolhemos o universo da formiga. Isso acontece quando liberamos sutilmente a tensão da faixa esticada. Ela diminui de tamanho, encolhendo em todos os pontos. Não há absolutamente nada em seu centro que a puxe para seu interior. A compressão interna ocorre ao longo de toda a linha. Até certo ponto, isso é similar à forma como o espaço se comporta. Quando se expande, o espaço se expande por todos os lados, como a faixa elástica. Quando encolhe, encolhe por todos os lados.

Existem algumas diferenças claras entre esse modelo e a realidade, além do fato de vivermos em três dimensões. Uma delas é que nada em nossa realidade corresponde a segurarmos as pontas da faixa elástica ou mesmo à ideia de que a faixa possui pontas. Não achamos que o espaço possui bordas. As duas formas de reproduzir isso no espaço elástico unidimensional seria se cada uma das pontas da faixa se esticasse eternamente e desse origem a uma linha infinitamente longa, ou se ambas as pontas se conectassem, formando um círculo. A linha de extensão infinita é difícil de imaginar, mas, para os fins deste exercício mental, só precisamos visualizar a faixa elástica debaixo da formiga. À medida que ela é esticada, podemos observá-la se expandir.

Agora, como nossa formiga poderia descobrir que seu universo estava em expansão? Como ela poderia ver isso de dentro do seu universo? Ela precisaria de algumas marcas na faixa elástica, as quais pudesse identificar e medir. Vamos supor então que prendemos alguns adesivos em forma de círculo na faixa. Agora imagine que a esticamos novamente pelas pontas. Ao fazê-lo, observamos todos os adesivos se afastarem uns dos outros. Se a distância entre eles era de um centímetro, talvez agora seja de dois.

Isso é o que constatamos ao segurar a faixa elástica e olhá-la de cima. Mas o que a formiga vê a partir do seu ponto de observação? Coloquemos nossa formiga sobre um dos adesivos, olhando ou para a frente ou para trás. Se esticarmos o elástico, a formiga observará todos os adesivos se afastarem dela. O mais próximo parecerá ter se afastado de um a dois centímetros. O seguinte parecerá ter se movido de dois a quatro centímetros. As distâncias da formiga até todas as outras marcas parecerão dobrar. Ela observará exatamente a mesma coisa olhando para a frente ou para trás na faixa elástica.

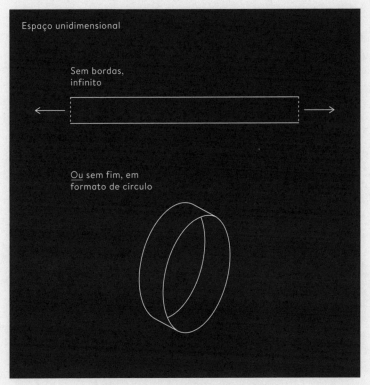

Duas maneiras diferentes de um espaço unidimensional não ter nenhuma borda.

Para a formiga, parecerá que as marcas mais distantes se afastaram mais depressa durante a expansão do que as mais próximas, como se tivessem percorrido uma distância maior em relação a ela durante o tempo decorrido para a faixa ser esticada. Quanto mais distante um adesivo, mais rápido e para mais longe ele parecerá se deslocar. Se passa a impressão de ter percorrido o dobro da distância, então ele deve ter se deslocado no dobro da velocidade. Quando começam a se afastar, os adesivos obedecem a um padrão preciso, com os mais distantes parecendo se afastar mais depressa.

Esse padrão se repetiria em qualquer marca onde colocássemos nossa formiga. Ela veria a mesma coisa. Ela se perceberia no centro de tudo, com todas as marcas no universo se distanciando dela. Na realidade, isso seria apenas seu ponto de vista. Seria a consequência natural de se viver em algum lugar dentro de um espaço que está crescendo em todas as direções. Se, ao contrário, a formiga estivesse vivendo num espaço que não estivesse crescendo, não haveria nenhum padrão específico relativo a como as marcas ao seu redor pareceriam estar se deslocando. No geral, elas não estariam se movendo.

Esse experimento mental com a faixa elástica é uma forma de nos ajudar a imaginar os efeitos de um universo real em expansão. Os espaços entre os objetos cósmicos ficam maiores, assim como os espaços entre as marcas na faixa, mas é claro que nosso universo não é unidimensional. Se nossa formiga vivesse em duas dimensões, poderíamos imaginá-la vivendo numa folha de borracha flexível coberta de adesivos, que serviriam como marcas. Assim como aconteceu com a faixa, podemos imaginar a folha se expandindo. Conforme cresce, ela se estende em todas as direções. A expansão não possui um centro, e, à medida que a folha se expande, todas as marcas se afastam cada vez mais umas das outras. Se novamente imaginássemos uma formiga vivendo em uma delas, essa formiga

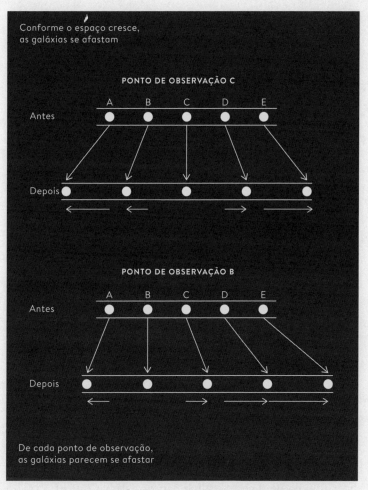

Aspecto de um universo unidimensional em expansão
visto de diferentes pontos de observação.

agora veria as marcas parecerem se afastar em todas as direções. Exatamente como na faixa elástica, as marcas mais afastadas dariam a impressão de se distanciar mais depressa. Uma formiga vivendo em qualquer uma dessas marcas observaria a mesma coisa.

Agora imagine o espaço crescendo como uma faixa elástica em todas as três dimensões. Podemos fazer uma analogia física com uma massa de bolo recheada de uvas-passas. O fermento na mistura faz a massa crescer e se expandir em todas as direções. Ela não cresce a partir de um ponto específico, e, vistas de longe, todas as uvas-passas se afastam umas das outras enquanto a massa cresce. Do ponto de vista de uma uva-passa específica, todas as uvas-passas ao seu redor parecerão se afastar conforme a massa se expande, e as uvas-passas mais distantes parecerão se afastar mais depressa.

Essas analogias com a faixa elástica, a folha de borracha e a massa de bolo podem nos ajudar a imaginar como seria um espaço em expansão, mas em cada caso a analogia falha quando pensamos nas pontas ou bordas dos materiais. O espaço não tem bordas. Há duas formas genéricas de nos livrarmos delas. Ou o espaço continua crescendo cada vez mais, rumo ao infinito, sempre com mais elástico ou mais massa. Ou ele forma um círculo assim como a faixa elástica, só que agora em três dimensões. Trata-se de um conceito difícil de visualizar, e voltaremos a ver o que isso significa mais adiante neste capítulo.

E as marcas no espaço? O que mais se aproxima dos adesivos, ou das uvas-passas, são as galáxias que preenchem o espaço. Elas funcionam como nossas marcas cósmicas. Podemos ficar aqui na Via Láctea e olhar para as galáxias que estão além da nossa, a fim de observar que padrão de movimento elas seguem. Como escreveu em seu artigo de 1927, Georges Lemaître concluiu que podemos testar se nosso universo está em expansão procurando um padrão semelhante ao que descrevemos

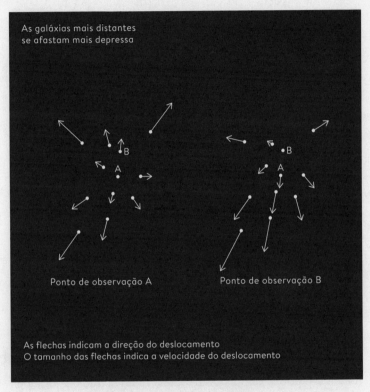

Aspecto de um universo bidimensional a partir de diferentes pontos de observação.

na analogia com as uvas-passas na massa de bolo. As galáxias pareceriam estar se distanciando de nós, e as mais distantes pareceriam se afastar mais rápido. No interior de um universo em sutil expansão, as galáxias não estariam se expandindo, já que a gravidade que as mantém unidas é mais forte que a expansão do espaço.

Lemaître demonstrou que esse modelo do espaço em expansão era compatível com novos cálculos de galáxias distantes. Como ele fez isso? Encontrar um grupo de galáxias distantes e calcular se estão todas se afastando de nós parece algo muito simples, mas a distância e o deslocamento delas são tecnicamente muito difíceis de ser medidos. Vamos começar com as distâncias. Na época, as melhores estimativas de distâncias usavam o brilho das galáxias. Edwin Hubble compilou uma série dessas distâncias em seu artigo "Extragalactic Nebulae" [Nebulosas extragalácticas], de 1926, baseado em quatrocentas nebulosas, como eram conhecidas na época, que já haviam sido observadas. Hubble partiu do princípio de que todas essas nebulosas distantes compartilhavam o mesmo brilho intrínseco, de modo que suas distâncias podiam ser estimadas pela medida de quão brilhantes pareciam se fossem observadas da Terra. As nebulosas mais distantes pareciam mais opacas.

Em seguida, para estimar quão depressa uma galáxia está se afastando de nós, não podemos simplesmente medir essa distância num dado momento e depois calcular sua nova distância um pouco depois. A distância relativa que ela teria percorrido nesse período seria muito pequena. Em vez disso, nos baseamos em algo mais fácil de medir: a cor da luz que vem da galáxia.

Como Vera Rubin demonstrou com as galáxias giratórias, a luz parece mais "avermelhada" que o normal, ou com um comprimento de onda mais longo, quando é emitida por algo que está se distanciando de nós. Algo que está se aproximando de

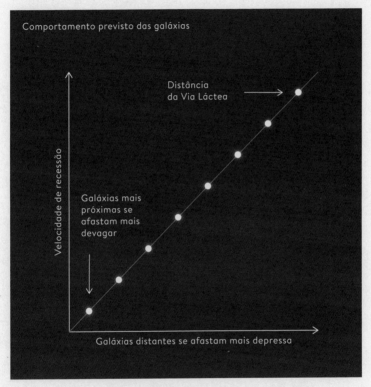

Em um espaço em expansão, as galáxias mais distantes devem parecer se afastar mais depressa da Via Láctea.

nós parece mais "azulado" que o normal e tem um comprimento de onda menor. O mesmo se aplica a galáxias inteiras. Uma galáxia parecerá mais avermelhada que o normal se estiver se afastando de nós, ou se apenas der a impressão de estar se afastando, porque o espaço está se expandindo. Se podemos medir a cor da luz que vem de uma galáxia, o único desafio é saber qual seria sua cor característica se ela não estivesse se deslocando. Quando conhecemos esses dois comprimentos de onda, podemos estimar a velocidade aparente do seu deslocamento.

Aqui voltamos às primeiras descobertas dos astrônomos a respeito do que são feitas as estrelas. Como sabemos, elas são compostas basicamente de hidrogênio e gás hélio, apesar de também conterem traços de outros elementos. Seus diferentes elementos emitem e absorvem luz em comprimentos de onda específicos. No capítulo 2, abordamos a ideia de que, quando medimos o espectro de uma estrela, encontramos faixas escuras onde sua atmosfera absorveu um comprimento de onda de luz específico. O mesmo vale para uma galáxia cheia de estrelas. Se medirmos o espectro de uma galáxia, ele também apresentará um padrão de faixas escuras de absorção, e de faixas claras de emissão, em comprimentos de onda específicos. Quanto mais depressa uma galáxia se distancia de nós, mais vemos as faixas se moverem para o lado mais vermelho do espectro.

Essa mudança no comprimento de onda da luz é chamada de desvio espectral para o vermelho [*redshift* em inglês]. Mesmo antes de sabermos exatamente do que as estrelas eram compostas ou que existem outras galáxias além da nossa, ainda podíamos usar o espectro para medir esse desvio. Vesto Slipher, astrônomo do Observatório Lowell, em Flagstaff, Arizona, que mais tarde convenceu Clyde Tombaugh a buscar Plutão, fez observações cruciais do espectro de uma série de galáxias,

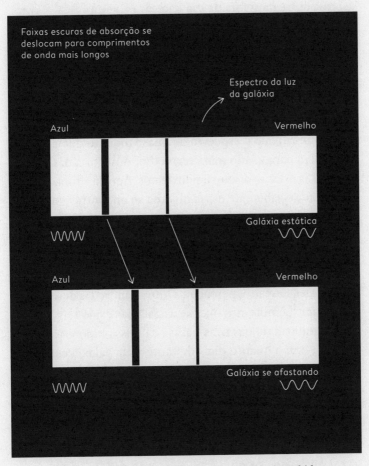

Se uma galáxia estiver se afastando, sua luz será recebida com um comprimento de onda mais longo, conhecido como desvio espectral para o vermelho (*redshift*, em inglês).

entre elas a primeira observação de uma variação espectral, em 1912. Tratava-se do espectro do que viríamos a reconhecer como Andrômeda, nossa galáxia vizinha, que, na época, não se sabia que estava fora da Via Láctea.

Slipher depois mediu outras catorze nebulosas em todas as direções ao nosso redor no céu. Ele notou que o espectro de Andrômeda sofria um desvio para o lado mais azulado, o que implicava que ela estava vindo em nossa direção, e calculou sua velocidade em trezentos quilômetros por segundo, muito mais rápido do que qualquer objeto no interior da Via Láctea. Ele descobriu que o espectro de quase todas as demais sofria um desvio para o lado mais vermelho. A maioria das nebulosas parecia estar se distanciando de nós. Àquela altura, em 1915, ainda não se sabia que esses objetos se encontravam fora da Galáxia, embora sua alta velocidade fosse um indício de que poderiam estar. Dez anos depois, em 1925, Hubble demonstrou de forma convincente que as nebulosas eram na verdade galáxias espirais bem distantes da Via Láctea.

Georges Lemaître percebeu a importância das descobertas de Slipher. Lembremos que, se as galáxias estão se movendo no mesmo padrão das uvas-passas da nossa hipotética massa de bolo, então quanto mais distante uma galáxia estiver do nosso ponto de observação, mais depressa parecerá estar se afastando de nós e mais avermelhada será sua luz. Se mais galáxias distantes realmente apresentam espectros cujas linhas sofrem desvios para comprimentos de onda mais longos do que os de galáxias mais próximas, então encontramos uma prova da expansão do espaço.

Lemaître mediu o padrão, descobrindo que galáxias mais distantes pareciam estar se deslocando mais depressa. As galáxias ao nosso redor de fato pareciam, no geral, estar se afastando de nós, como se espera em um espaço em expansão. O deslocamento local de Andrômeda em nossa direção podia ser explicado pela atração gravitacional no interior do Grupo Local. Lemaître usou os cálculos dos desvios espectrais para o vermelho feitos por Slipher e as distâncias de Hubble para estimar a taxa de expansão do universo, encontrando uma taxa de um pouco mais de seiscentos quilômetros por segundo por megaparsec. Essas unidades significam que, se duas galáxias estivessem separadas pela distância de um megaparsec, que é equivalente a 1 milhão de parsecs ou a pouco mais de 3 milhões de anos-luz, a expansão do espaço faria com que se afastassem uma da outra a seiscentos quilômetros por segundo. Galáxias separadas pelo dobro dessa distância se afastariam umas das outras no dobro dessa velocidade.

Lemaître então demonstrou, em 1927, que era bastante provável que o espaço estivesse se expandindo. Mas pouquíssimas pessoas viram seus resultados publicados no periódico belga. Na época, Edwin Hubble havia começado um programa voltado para calcular de forma mais precisa as distâncias para as galáxias de Slipher, trabalhando com um assistente talentoso, Milton Humason, no Observatório Monte Wilson, na Califórnia. Ao medir as estrelas variáveis cefeidas e utilizar a lei de Leavitt para relacionar o período de pulsação dessas estrelas com seu brilho intrínseco, Hubble e Humason mediram as distâncias de 24 das galáxias de Slipher, não mais se baseando na suposição de que todas tinham o mesmo brilho intrínseco. Embora ainda fosse difícil fazer medições precisas, àquela altura o padrão era inequívoco. A maioria das galáxias parecia realmente estar se afastando de nós, e as mais distantes estavam se afastando em maior velocidade.

Hubble publicou suas descobertas em 1929, num artigo intitulado "A Relation between Distance and Radial Velocity among Extra-Galactic Nebulae" [Uma relação entre a distância e a velocidade radial entre nebulosas extragalácticas]. Concluiu que as galáxias estavam se afastando numa taxa de quinhentos quilômetros por segundo por megaparsec. Isso era cerca de sete vezes mais rápido do que indicam nossos dados atuais, que são mais precisos, mas a tendência estava certa. O padrão ficou conhecido como lei de Hubble. Lemaître havia identificado a mesma tendência, mas nunca foi agraciado com uma "lei de Lemaître". No final das contas, Hubble tinha dados melhores e, o mais importante, conseguiu divulgar melhor sua mensagem à comunidade. Com o auxílio de Arthur Eddington, em 1931, Lemaître enfim traduziu seu artigo de 1927 para o inglês, publicando-o no *Monthly Notices of the Royal Astronomical Society*, mas omitindo a seção em que detalhava sua estimativa da expansão do espaço, talvez porque já estivesse ultrapassada. Ele havia sido derrotado.

O próprio Hubble não sabia o que pensar sobre o comportamento que havia observado nas galáxias. Mas seu trabalho logo causou impacto: em 1930, Einstein foi convencido por Arthur Eddington da importância dos resultados de Hubble e no ano seguinte foi visitá-lo na Califórnia. Os resultados eram tão convincentes que o físico alemão mudou radicalmente de opinião sobre o comportamento do espaço, declarando numa conferência, em 1931, que "o *redshift* de nebulosas distantes esmigalhou minha velha teoria como um golpe de machado". Havia afinal ficado claro para ele que o universo mais amplo à nossa volta estava crescendo. Ele também se apressou a declarar que a constante cosmológica, criada para provar que o universo é estático, foi seu "maior equívoco". Então a retirou de suas equações e adaptou sua forma de pensar à ideia de que o universo está, efetivamente, em constante transformação.

Essa descoberta revelou que vivemos em um espaço que está em crescimento, que não possui centro nem bordas. Ele está crescendo em todas as direções, e tudo em seu interior está aos poucos se afastando, a não ser dentro das galáxias e dos aglomerados de galáxias, onde a gravidade se sobrepõe à expansão relativamente sutil. Se agora imaginássemos que voltamos no tempo, veríamos o espaço se encolhendo, com todas as galáxias se aproximando umas das outras. Se voltássemos atrás no tempo o suficiente, cada galáxia acabaria bem ao lado de todas as demais, e se voltássemos ainda mais, elas estariam umas em cima das outras, todas ocupando o mesmo espaço. Aqui nossas analogias não funcionam, porque, em condições normais na Terra, um elástico só pode encolher até certo ponto. No espaço, as áreas entre os objetos podem continuar encolhendo quase indefinidamente.

O que significa dizer que todas as galáxias estão exatamente no mesmo lugar? Bem, isso coincidiria com o momento que chamamos de big bang, o primeiro instante na expansão do universo, nosso tempo zero, ou incrivelmente perto de zero. Falaremos mais sobre essa hipótese no próximo capítulo. Por ora, algo que precisamos saber é que, nos momentos iniciais, na verdade não havia nenhuma galáxia. Não ainda. O que havia eram partículas elementares comprimidas em um ponto de extrema densidade: os prótons e nêutrons que são os alicerces de átomos, partículas de matéria escura, partículas minúsculas de neutrinos e raios de luz.

Se pudéssemos voltar no tempo até o momento zero, veríamos os componentes do espaço se tornarem infinitamente densos e nossas leis da física caírem por terra. Então, em vez disso, costumamos acompanhar o comportamento do universo logo após a expansão começar, e esse é o momento que em geral chamamos de big bang. A essa altura, o universo estava extremamente comprimido, mas já podia se expandir de forma infinita, em todas as direções. Essa é uma das confusões a respeito do infinito. Mesmo que você comprima uma coisa infinitamente longa, a ponto de suas partes constituintes ficarem bem juntas, ela continua sendo infinitamente longa.

Agora vamos avançar no tempo, principiando naquele momento de densidade extrema. A expansão do espaço começa, e tudo no universo começa a se separar. Eis o big bang, que está mais para um enérgico início de expansão do que para uma explosão. É muito fácil imaginar o big bang como uma explosão colossal acontecendo no meio de um espaço vazio. Podemos imaginar coisas sendo lançadas subitamente no espaço a partir de um ponto central. Isso seria um grande equívoco. Não há ponto central, e nada sai voando pelo espaço. É o espaço em si que cresce. É verdade que ele parece ter começado a crescer com rapidez explosiva. Mas talvez seja melhor imaginá-lo mais como uma mola comprimida do que como uma espécie de bomba. Quando é liberada, a mola repentinamente se expande.

Lemaître foi o primeiro a expressar a ideia de que um big bang, um princípio do crescimento do espaço, é uma consequência inevitável do fato de vivermos num universo em expansão. Ele falou sobre isso no mesmo artigo de 1927 escrito em francês e traduzido para o inglês em 1931. E chamou o que existia antes do começo da expansão de "átomo primordial" ou "ovo cósmico". A ideia ganhou força em 1929, assim que Hubble publicou suas descobertas sobre o padrão de expansão das galáxias. O termo "big bang" só apareceu mais tarde, nos anos 1940, quando foi proposto por um oponente da ideia. O astrônomo Fred Hoyle, de Cambridge, o inventou como uma expressão pejorativa quando, junto com Hermann Bondi e Thomas Gold, elaborou uma hipótese alternativa para explicar as observações de Hubble. Conhecida como "teoria do estado estacionário", ela propunha que nova matéria era criada de forma contínua, de modo que o espaço pudesse continuar a crescer sem jamais precisar ter tido um começo. Ambas as hipóteses continuariam em cena durante muitos anos.

Os partidários do big bang perceberam que, se conhecermos a velocidade de expansão do espaço, podemos determinar quando o crescimento começou. Isso, então, nos revelaria a idade do universo. Em larga escala, o cálculo é como um típico problema de matemática do colégio: se alguém está dirigindo a sessenta quilômetros por hora e se encontra a sessenta quilômetros de casa, então deve ter saído de lá uma hora atrás, supondo que essa pessoa dirigiu na mesma velocidade durante todo o percurso. Quanto mais devagar ela dirigir, maior terá sido o tempo desde que saiu de casa. O mesmo se aplica ao crescimento do espaço. Quanto mais devagar for a expansão dele, o que podemos medir pela velocidade em que as galáxias parecem estar se afastando umas das outras, maior terá sido o tempo decorrido desde o início da expansão.

Exemplificando, se uma galáxia estiver a 10 milhões de anos-luz da Via Láctea e parecer estar se distanciando de nós a 50 bilhões de quilômetros por ano, então podemos determinar que ela se "separou" da Via Láctea há 2 bilhões de anos. Isso se dá porque o tempo necessário para se deslocar até algum lugar é a distância percorrida dividida pela velocidade do deslocamento, desde que a velocidade seja constante e que a distância para a galáxia seja de quase 100 trilhões de quilômetros quando fazemos a conversão dos anos-luz. Então uma distância de 100 trilhões de quilômetros a uma velocidade de 50 bilhões de quilômetros por ano dá 2 bilhões de anos. Em um espaço que se expande de maneira uniforme, esse tempo acabaria sendo o mesmo também para as galáxias mais distantes. Uma galáxia duas vezes mais distante da Via Láctea estaria se afastando duas vezes mais rápido. O mesmo aconteceria com uma galáxia dez vezes mais distante, que estaria se deslocando dez vezes mais rápido. Encontraríamos idêntica resposta para o tempo quando se separaram: 2 bilhões de anos, para qualquer galáxia.

Mas por que esse número é importante? Ora, ele descreve a quantidade de tempo transcorrido desde que o espaço começou

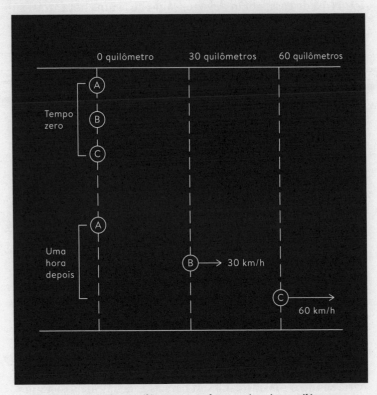

Se um carro a trinta quilômetros por hora está a trinta quilômetros de distância e outro a sessenta quilômetros por hora está a sessenta quilômetros de distância, ambos devem ter partido uma hora atrás. Para descobrir a idade do universo, fazemos um cálculo parecido, mas com galáxias em vez de carros.

a se expandir. Como consideramos que nosso universo teve início no big bang, esse número não passa de uma estimativa da idade do próprio universo. Quer dizer então que nosso universo tem 2 bilhões de anos? Não, na verdade achamos que ele é algumas vezes mais velho do que isso e que chega a quase 14 bilhões de anos, mas esses números ilustrativos correspondem aos cálculos feitos em 1929 por Edwin Hubble e Milton Humason. Segundo esses cálculos, a expansão do espaço teria começado há 2 bilhões de anos, supondo que ele cresceu ininterruptamente ao longo de sua história. Isso foi um problema na época, já que os geólogos tinham conseguido estimar a idade da Terra usando a datação radiométrica de rochas. No início dos anos 1930, o geólogo britânico Arthur Holmes havia demonstrado que algumas das rochas terrestres tinham mais de 3 bilhões de anos. Como era possível que a Terra fosse mais antiga que o universo? Havia alguma coisa estranha.

Como veremos no capítulo 5, essa estimativa precisa ser ajustada para considerar o espaço que não se expande de forma contínua ao longo de sua vida. Mas esse não era o único problema. Mais tarde ficou claro que Hubble havia subestimado as distâncias até as galáxias. Isso significava que ele havia superestimado a taxa de expansão do espaço, hoje conhecida como constante de Hubble, insinuando que o universo era jovem demais. Nos anos posteriores a 1929, os astrônomos continuaram a medir de forma ainda mais precisa as distâncias e as velocidades aparentes de um conjunto maior de galáxias ao nosso redor. Durante a Segunda Guerra Mundial, Walter Baade usou o telescópio Hooker, de 2,54 metros de diâmetro, do Observatório Monte Wilson, para examinar algumas estrelas particulares de Andrômeda, aproveitando a redução da poluição luminosa da região de Los Angeles durante os blecautes. Em 1952, ele anunciou que existiam, na verdade, dois tipos diferentes de estrelas cefeidas. Levar em conta essas populações distintas cortou pela metade a taxa de expansão e dobrou a idade estimada do universo.

Esse trabalho continua até os dias de hoje e tem uma história pitoresca, com dois famosos rivais, os astrônomos Allan Sandage e Gérard de Vaucouleurs, discordando durante muitos anos, na segunda metade do século XX, sobre o valor da constante de Hubble. Sandage era um astrônomo dos Observatórios Carnegie que havia trabalhado como assistente de Hubble durante sua pós-graduação, tanto no Observatório Monte Wilson quanto com o telescópio Hale, de 5,1 metros, inaugurado no monte Palomar, no sul da Califórnia, em 1949. Ele assumiu o programa de Hubble após a morte deste, em 1953, e usou o telescópio Hale para medir as pulsantes estrelas cefeidas. Determinou que elas se encontravam ainda mais distantes do que Baade tinha previsto e, nos anos 1970, estava convicto de que os dados apontavam para uma taxa de expansão de apenas cinquenta quilômetros por segundo por megaparsec, dez vezes mais lenta que a estimativa inicial de Hubble. Essa taxa muito menor significava que o universo teria quase 20 bilhões de anos de idade, se estivesse se expandindo numa taxa constante.

Gérard de Vaucouleurs, astrônomo francês que trabalhava na Universidade do Texas, em Austin, refutou essa estimativa, afirmando que os cálculos de Sandage das distâncias que nos separam das galáxias afastadas estavam errados. Por sua vez, estimou que a taxa de expansão seria duas vezes mais rápida, o que implicava que o universo teria apenas cerca de 10 bilhões de anos. Ao longo dos anos 1970 e 1980, houve tantas discussões entre os dois em encontros científicos e conferências que elas ficaram conhecidas como as "guerras do Hubble".

A resolução desse debate espinhoso surgiu com Wendy Freedman e sua equipe. Freedman, astrônoma de origem américo-canadense, era uma das cientistas dos Observatórios Carnegie, dos quais mais tarde seria diretora, e em 1987 era a primeira mulher a ter se tornado membro permanente da instituição. Ela liderou o Projeto Key do Telescópio Espacial Hubble junto com os astrônomos Robert Kennicutt, que na época trabalhava no Observatório Steward, no Arizona, e Jeremy Mould, do Instituto de Tecnologia da Califórnia. Sua equipe utilizou o magnífico telescópio espacial para medir melhor as distâncias de oitocentas estrelas cefeidas afastadas em galáxias a vinte megaparsecs da Terra e, depois, para ampliar o escopo e abranger galáxias mais longínquas, usando supernovas tipo Ia em galáxias que chegavam a quatrocentos megaparsecs de distância da Terra. Isso é mais de 1 bilhão de anos-luz e vai muito além do nosso próprio superaglomerado. A luz vinda dessas galáxias incrivelmente distantes teria chegado com um comprimento de onda 10% mais longo do que o de quando partiu em sua viagem à Terra.

Em 2001, a equipe do Projeto Key publicou suas descobertas, confirmando, com ainda mais precisão, que quanto mais distante uma galáxia estiver da Via Láctea, mais rápido se distanciará, o que corroborava a previsão de um espaço em expansão. Os astrônomos chegaram à conclusão de que a constante de Hubble é de apenas um pouco mais de setenta quilômetros por segundo por megaparsec. Essa nova medida tinha uma margem de erro de apenas 10%, situando-se bem no meio dos dois números acerca dos quais Sandage e De Vaucouleurs haviam brigado durante anos. Respondendo pelo fato de que a expansão do espaço não tem sido muito constante ao longo de sua vida, o novo resultado fez com que os astrônomos diminuíssem a idade do universo para a casa dos 14 bilhões de anos, sucesso que fez com que Freedman, Kennicutt e Mould fossem agraciados com o prêmio Gruber de Cosmologia em 2009. Outros cálculos do universo refinaram ainda mais a precisão desse tempo desde o big bang, conforme descobriremos no capítulo 5.

Durante grande parte do século XX, os cientistas não debateram sobre *quando* aconteceu o big bang, mas sobre *se* ele de fato aconteceu. As opiniões estavam muito divididas. Em meados da década de 1930, apenas alguns anos depois de Hubble ter anunciado suas descobertas, muitos já estavam convencidos de que sim, mas outros, liderados por Fred Hoyle em Cambridge, achavam a teoria do estado estacionário uma explicação mais atraente. Avanços ocorreriam nos anos 1940, impulsionados pelo físico russo-ucraniano George Gamow e pelos físicos norte-americanos Ralph Alpher e Robert Herman, que trabalhavam juntos no Laboratório de Física Aplicada da Universidade Johns Hopkins. Gamow era o orientador de doutorado de Alpher e depois seria o de Vera Rubin também. Esse grupo concluiu que, se o big bang realmente tivesse acontecido, então ainda deveria existir uma luz remanescente que teria surgido nos momentos iniciais. Ainda seríamos capazes de ver um pouco dessa luz hoje, e em 1948 Alpher e Herman calcularam que ela estaria alguns graus abaixo do zero absoluto. O zero absoluto é a temperatura mais fria que existe, um pouco abaixo de 270 graus Celsius negativos.

Por que deveria existir uma luz que teria sido deixada para trás pelo big bang? Se pudéssemos voltar no tempo, veríamos todas as galáxias no universo se aproximarem cada vez mais até por fim chegarmos a um tempo do passado profundo em que não existia nenhuma galáxia. No início da vida do universo, acreditamos que havia apenas partículas elementares densamente comprimidas e raios da luz primordial, produzidos nos primeiros instantes após o big bang. Uma época anterior à própria existência das estrelas. Aprenderemos sobre como essas partículas acabaram se transformando em estrelas e galáxias no próximo capítulo. Gamow, Alpher e Herman concluíram que deve ter existido uma época específica, quando o universo tinha quase 400 mil anos, em que esses raios de luz teriam subitamente começado a jorrar em todas as direções, a partir de diversos lugares do espaço.

Mas por que então? Devemos imaginar o universo começando bem quente e denso, com partículas em um estado de altíssima compressão. À medida que o espaço crescia e que seu conteúdo passava a poder se dispersar mais nele, a temperatura ambiente deve ter ficado cada vez mais fria. Essa época específica, há 400 mil anos, marca um período em que tudo no espaço havia resfriado diretamente de trilhões de graus para alguns milhares de graus. Antes disso, o calor extremo teria mantido os átomos divididos em suas partes elementares de núcleos e elétrons. Diante de um mar de elétrons, os raios de luz sempre mudam de direção quando encontram um deles, de modo que, nos primeiros anos do universo, o espaço devia estar cheio de raios de luz ziguezagueando de forma aleatória. Isso rapidamente mudou quando o universo se tornou frio o suficiente para que os átomos ficassem completos, com seus elétrons capturados. Átomos neutros não fazem a luz que encontram em seu caminho se desviar; então, de repente, um desses raios de luz pôde partir numa viagem em linha reta através do espaço.

Um efeito semelhante decorreria de lâmpadas que fossem espalhadas pelo espaço e depois piscassem por um curto período de tempo. Um jato de luz sairia de cada uma delas e fluiria em todas as direções. Esses jatos de luz, no universo real, teriam sido produzidos por aqueles raios luminosos que haviam sido espalhados no universo e que subitamente ficaram livres para viajar em linhas retas através do espaço.

Se imaginarmos a luz viajando a partir de um ponto específico no espaço, ela logo passará pela parte do espaço mais próxima desse ponto e seguirá em frente. Um raio de luz pode viajar através do espaço indefinidamente, de modo que, embora tenha iniciado sua viagem há apenas algumas centenas de

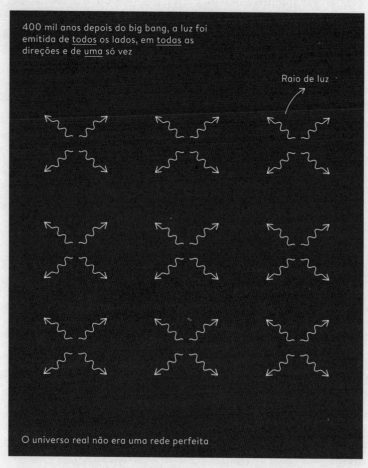

Desenho da luz primordial sendo lançada através do espaço, como um conjunto de lâmpadas piscando.

milhares de anos depois do big bang, ele, agora, quase 14 bilhões de anos depois, surpreendentemente ainda estaria viajando, a não ser que acabasse colidindo com um objeto no espaço. Lembremos: a maior parte do espaço é vazia. Neste exato instante, nós, humanos, aqui na Terra estamos sendo atingidos por raios específicos daquela luz primordial que foram emitidos justamente na distância certa para que chegassem até nós, hoje. Essa é a distância que a luz foi capaz de viajar nos quase 14 bilhões de anos que se passaram desde que o universo tinha apenas algumas centenas de milhares de anos de idade. De qual direção essa luz está vindo? Está vindo de todas as direções ao nosso redor, de lugares no espaço que estão na superfície de uma esfera que tem a Terra como centro.

A luz proveniente desses mesmos lugares terá sido emitida em outras direções também, mas nesse caso nunca chegará à Terra. A luz emitida de locais mais distantes ainda não terá nos alcançado, mas deverá fazê-lo nos anos que estão por vir. A luz vinda de locais próximos à Terra já terá nos atingido. Não há nada de especial em relação ao nosso lugar aqui: um ser senciente num planeta em outra galáxia também seria atingido por diferentes raios dessa luz, que teriam se originado em outra parte do espaço.

Essa luz terá começado sua viagem quando a temperatura ambiente era de alguns milhares de graus e naquela época teria tido um comprimento de onda mais curto, de cerca de um milésimo de milímetro, chegando à parte visível da luz. Como o espaço cresceu, a temperatura resfriou, assim como a luz. O comprimento de onda da luz terá se alongado conforme o espaço se expandia, chegando hoje, normalmente, a dois milímetros, bem na faixa da radiação micro-onda.

Essa é a luz primordial que foi prevista em 1948. Em consequência de um universo iniciado no calor de um big bang, não somente devemos observar galáxias se afastando de nós, mas também nos vemos banhados em micro-ondas geladas que estão chegando à Terra vindo de todas as direções. Num universo em estado estacionário, encontraríamos as galáxias se comportando da mesma forma, mas não esperaríamos esse banho de radiação. Essa era uma maneira clara de fazer uma distinção entre as duas situações hipotéticas, mas, assim como as pesquisas iniciais sobre a matéria escura, o trabalho brilhante de Alpher e Herman ficaria em compasso de espera por mais de uma década. Ainda não havia tecnologia avançada o suficiente para que os radiotelescópios e os telescópios de micro-ondas conseguissem medir essa luz.

No início dos anos 1960, o físico russo Yakov Zeldovich começou a trabalhar nas previsões da luz fóssil feitas por Gamow, Alpher e Herman, e em 1964 seus colegas Andrei Doroshkevich e Igor Novikov escreveram um artigo em que sugeriam que a radiação era um fenômeno possível de ser medido. Nos Estados Unidos, o físico Robert Dicke, na Universidade Princeton, surgiu de forma independente com a ideia de um banho preexistente de radiação, encorajando Jim Peebles, seu então orientando de pós-doutorado, em 1964, a investigar os detalhes teóricos. Peebles chegaria a previsões semelhantes às de Gamow, Alpher e Herman, mas apenas mais tarde ficou sabendo do trabalho deles. Por volta dos anos 1960, a tecnologia já havia alcançado a teoria: Dicke inventara um novo radiômetro, instrumento utilizado para medir a intensidade da onda de rádio ou da micro-onda, como parte de pesquisas de guerra no Laboratório de Radiação do Instituto de Tecnologia de Massachusetts. Ele o desenvolveu para identificar sinais fracos através da alternância entre a recepção da luz real proveniente do céu e outro sinal de referência emitido pelos humanos. Ruídos instrumentais vindos do interior do aparelho apareceriam em ambos os casos, de modo que qualquer diferença entre os sinais só poderia ter origem no céu. Dicke incentivou David

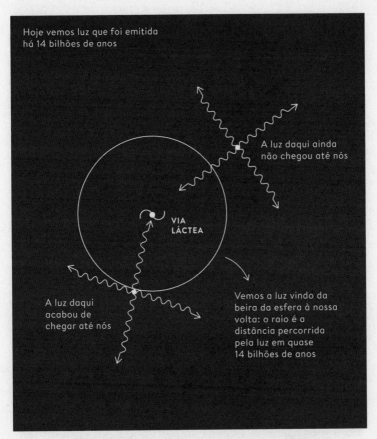

Ilustração de como recebemos a luz primordial emitida há quase 14 bilhões de anos, emergindo de locais no espaço que adotam a forma de uma esfera ao nosso redor.

Wilkinson e Peter Roll, seus orientandos de pós-doutorado em Princeton, a começar a desenvolver um detector usando o radiômetro que havia criado, na esperança de encontrar a luz fóssil que seria a prova da existência do big bang.

Ao mesmo tempo, os físicos Arno Penzias e Robert Wilson trabalhavam bem perto de Princeton, nos Laboratórios Bell, em Holmdel, Nova Jersey. Eles estavam utilizando uma grande antena em forma de chifre como radiotelescópio para obter algumas medidas da Via Láctea. Feita de alumínio, essa antena se assemelha a uma campânula de trompete, mas muito maior, com uma abertura de seis metros de diâmetro que direciona as ondas de rádio do céu para que sejam detectadas. Para onde quer que apontassem a antena, os pesquisadores captavam um zumbido fraco, um sinal mínimo que parecia não ter fonte alguma. Eles fizeram tudo que podiam para eliminar o sinal, inclusive, numa providência que se tornou célebre, removendo fezes de pombos que haviam caído na antena e talvez fossem a fonte do zumbido. Chegaram até a atirar nos pombos, mas, apesar de todos os esforços, o sinal não sumia.

Por fim, Penzias, num bate-papo casual com o radioastrônomo Bernie Burke, ficou sabendo de uma aula em que Jim Peebles tinha abordado a existência da radiação de fundo e as atividades em andamento em Princeton com o objetivo de procurá-la. Parecia uma explicação plausível para o sinal que os físicos estavam captando, e assim eles resolveram ligar para Dicke, o líder do grupo de Princeton. Depois de uma conversa sobre seus cálculos, Dicke compartilhou a notícia com seus colegas mais jovens Peebles, Wilkinson e Roll, fazendo uma declaração que ficou famosa: "É, rapazes, ficamos para trás". Eles de fato haviam ficado, mas no fim das contas os dois grupos publicaram artigos juntos em 1965: Penzias e Wilson relataram a descoberta que haviam feito da radiação do big bang, enquanto Dicke, Peebles, Wilkinson e Roll apresentaram os detalhes da interpretação teórica. Logo depois, o grupo de Dicke detectou a luz fóssil a partir do telhado do departamento de geologia de Princeton. A luz ficou conhecida como radiação cósmica de fundo em micro-ondas (RCFM). A descoberta fez com que Penzias e Wilson conquistassem o Nobel de Física em 1978.

A descoberta dessa luz fóssil assinalou o fim da teoria do estado estacionário para quase todo mundo. Por volta do fim dos anos 1960, a opinião predominante era de que nosso universo tinha de ter começado num big bang. Algumas pessoas, entre as quais Fred Hoyle, ainda se opunham a isso, mas eram minoria. A maneira mais clara de explicar a existência da luz fóssil partia do princípio de que nosso universo havia começado incrivelmente quente e denso, comprimido a um ponto quase inimaginável.

Dada a ideia de um big bang, surgem algumas perguntas lógicas que não podemos evitar a respeito do que acontece quando retrocedemos no tempo até o tempo zero. O espaço estava de fato infinitamente comprimido? Aconteceu alguma coisa antes do big bang? Por que o espaço começou a crescer? Essas estão entre as perguntas mais importantes que podemos fazer sobre nosso universo, e ainda não temos respostas para elas. À medida que tentamos retroceder até o início, nossos conhecimentos de física acabam caindo por terra. Quase conseguimos chegar lá, podemos voltar até uma minúscula fração de segundo, mas nunca conseguimos voltar até o zero, pelo menos não até agora.

O próprio Einstein havia percebido que a existência de matéria no espaço tende a desacelerar o crescimento deste, em vez de expandi-lo, por isso precisamos de algo novo para explicar por que ele começou a crescer. A hipótese mais popular hoje é chamada de inflação cósmica e foi proposta pelo físico norte-americano Alan Guth em 1980. Essa hipótese nos leva até o primeiro trilionésimo de trilionésimo de bilionésimo de segundo do crescimento do nosso universo, seu primeiro instante de vida. Se pudéssemos retroceder até esse momento, não encontraríamos nenhuma das coisas conhecidas que, achamos, compõem o espaço, como átomos ou raios de luz. Em vez disso, o modelo da inflação cósmica afirma que veríamos algo estranho permeando o espaço, algo que Guth nomeou de "campo ínflaton". Por "campo" ele se referia a uma energia difusa que preenchia o espaço.

De acordo com a hipótese de Guth, esse campo teria surgido com certa quantidade de energia armazenada em seu interior, um pouco como uma mola comprimida. Assim como a mola, que salta quando é solta, o espaço se impulsionaria repleto desse campo ínflaton. Ele teria feito isso numa velocidade extrema, crescendo em toda parte. Numa fração de segundo, dois pontos separados apenas pela distância de um átomo teriam acabado afastados por mais de 1 milhão de anos-luz. O crescimento teria sido exponencial, o que significa que o espaço teria dobrado de tamanho a cada segundo. A distância entre pontos no espaço teria aumentado numa velocidade ainda maior que a velocidade da luz.

Se isso de fato aconteceu, depois de muito menos que um trilionésimo de trilionésimo de bilionésimo de segundo, a energia armazenada teria sido liberada e o crescimento inicial extremo teria terminado. Conforme o universo se resfriava, num processo que ainda não entendemos por completo, esse campo ínflaton teria se transformado em nossos ingredientes conhecidos de átomos, raios de luz primordial e possivelmente partículas de matéria escura. O espaço continuaria a se expandir com vigor, mas agora de forma desacelerada, já que a gravidade de todo esse material funcionaria como um freio.

Guth levantou a hipótese da inflação para tentar dar sentido a algumas bizarrices cósmicas. Nos anos 1970, uma característica peculiar da radiação cósmica de fundo havia chamado a atenção. A radiação tinha quase sempre a mesma temperatura em todos os lugares para onde se olhasse, em todas as direções no céu, embora estivesse viajando havia bilhões de anos de diferentes partes do universo até nos alcançar. Isso sugeria que os diferentes pontos de origem, incrivelmente distantes uns dos outros, também tinham a mesma temperatura. Isso só seria possível se esses pontos tivessem entrado em contato uns com os outros em algum momento do passado, assim como um cubo de gelo e um copo d'água ficam com a mesma temperatura quando o gelo derrete dentro do copo. A inflação de Guth explica que todas as partes do espaço que podemos ver atualmente, o todo do nosso universo observável, já estiveram amontoadas juntas, em contato.

Ainda não sabemos se a hipótese da inflação é verdadeira. Ela corresponde a tudo que observamos (e que discutiremos no próximo capítulo), mas continua sendo um enigma, impossível, até agora, de ser corroborada com toda a certeza. Se realmente aconteceu, a inflação deve ter deixado sua própria marca tênue no espaço. O ato da inflação deve ter criado ondulações no espaço-tempo, gerando ondas gravitacionais que viajaram através do espaço, assim como os buracos negros em colisão criaram ondulações no espaço-tempo que foram detectadas de maneira triunfal pelo experimento Ligo em 2015. Normalmente, quanto mais energia contida no campo ínflaton, maiores seriam as ondulações, e elas devem ter deixado uma marca específica na RCFM. Se uma onda gravitacional estivesse atravessando o espaço quando o universo tinha 400 mil anos, quando a RCFM foi emitida, ela teria distorcido o espaço, expandindo-o em uma direção e encolhendo-o em outra. Isso teria produzido o efeito de polarizar de forma sutil os raios de luz, induzindo-os a vibrar preferencialmente mais numa direção do que na outra. No topo das montanhas dos desertos ao norte do Chile e nas frias e desoladas regiões montanhosas do polo Sul, astrônomos estão apontando telescópios de micro-ondas para o céu, em busca desses sinais.

Se eles forem descobertos, será uma maravilha. Teremos dado mais um passo em direção aos limites de tudo que poderemos saber sobre nossas origens. Claro, nesse momento nos perguntaremos por que o campo ínflaton existiu em primeiro lugar e, ainda por cima, com aquela quantidade específica de energia. É bem possível também que essa teoria esteja errada e que não encontremos nenhum indício dessas ondulações. Há físicos de renome, como Paul Steinhardt, da Universidade Princeton, e Neil Turok, do Instituto Perimeter, no Canadá, que argumentam que a hipótese da inflação cósmica está errada em princípio e que a inflação não produziria naturalmente um universo como o nosso, se levarmos em consideração, de forma correta, a mecânica quântica. Eles afirmam que precisamos começar de novo e pensar melhor no que mais poderia ter acontecido nos primeiros momentos de vida do nosso universo. Assim como eles, outros físicos, entre os quais Anna Ijjas, da Universidade de Nova York, estão propondo alternativas à inflação, a exemplo dos modelos "rebote" em que o big bang não assinala o começo do universo, no fim das contas, e sim apenas um momento numa história mais longa e talvez cíclica de expansões e contrações do espaço.

Até agora nos concentramos na questão sobre se o espaço sempre existiu. Mas também podemos pensar em como responder à pergunta sobre se o espaço é infinitamente grande. Para um espaço como o nosso, que, no geral, parece sempre o mesmo por toda parte e em todas as direções, a resposta a essa pergunta depende de duas características distintivas. Estamos falando da geometria e da topologia do espaço.

A geometria do espaço nos revela o quanto ele é curvo. Estamos acostumados a superfícies em duas dimensões que possuem geometrias diferentes. A superfície de um pedaço de papel é plana. A de uma laranja, ou a da Terra, é curva. O quanto uma superfície é curva nos revela qual é sua geometria, e não se pode modificar a geometria de alguma coisa sem deformá-la. Não importa o que fizermos, jamais conseguiremos transformar um pedaço plano de papel na superfície curva de uma bola sem danificá-lo. O oposto também é verdadeiro: só poderíamos transformar a casca de uma laranja numa superfície plana se a rasgássemos. Suas geometrias são diferentes.

Um jeito simples de verificar se duas superfícies possuem a mesma geometria é desenhando um triângulo em cada uma delas. A maioria das pessoas aprende na escola que a soma dos ângulos de um triângulo é sempre a mesma: 180 graus ou o equivalente a dois ângulos retos. Mas isso só é verdadeiro para um triângulo desenhado em algo plano. Desenhe um triângulo numa laranja e verá que a soma dos ângulos é maior do que numa superfície plana. Um triângulo extremo começaria no polo Norte da nossa laranja e um de seus lados desceria até o equador. O segundo lado daria um quarto de volta no equador e o terceiro lado subiria de volta até o polo Norte. Cada um dos três ângulos desse triângulo formaria um ângulo reto, somando até 270 graus.

Também podemos traçar linhas retas nessas diferentes superfícies para ver o quanto são curvas. Duas linhas retas que começam paralelas numa superfície plana permanecem paralelas para sempre. Numa superfície sinuosa como a de uma laranja, essas mesmas duas paralelas em algum momento se encontrarão. Outro tipo imaginável de superfície curva em duas dimensões é aquela de uma sela de cavalo ou a de uma batata

Pringles. Nesses casos, a superfície também é curva, porém, ao contrário da de uma bola, ela se curva em duas direções diferentes: para cima (de trás para a frente) e para baixo (de um lado para o outro). Se você desenhasse um triângulo numa batata Pringles, os ângulos somariam menos do que os de um triângulo tradicional numa superfície plana. Se você traçasse linhas paralelas na batata, elas começariam a divergir e se afastariam sem parar uma da outra.

Essas descrições se referem à geometria de superfícies de duas dimensões, mas também podem ser aplicadas à curvatura do nosso universo tridimensional. O espaço pode ser plano, curvado positivamente ou negativamente. Essas categorias são mais difíceis de visualizar, porque, para imaginar a superfície bidimensional de uma bola, pensamos na bola inteira, em três dimensões. Para imaginar um espaço tridimensional curvado de forma semelhante, precisaríamos conseguir pensar em quatro dimensões. Infelizmente, não estamos equipados para visualizar isso, mas ainda podemos imaginar a realização de cálculos em três dimensões. Assim como em duas dimensões, se a geometria do nosso espaço é plana, então linhas paralelas, como raios de luz, continuam paralelas para sempre. Se o espaço é curvo, então elas ou se aproximarão num universo curvado positivamente, ou se afastarão num universo curvado negativamente.

Em um espaço sem bordas ou limites, um universo com curvatura positiva não seria infinitamente grande, assim como a superfície de uma bola não é infinitamente grande. À semelhança do que acontece na superfície da Terra, num universo com curvatura positiva você poderia se lançar no espaço e, se viajasse por tempo suficiente, poderia por fim retornar pelo outro lado. Se partisse em outra direção, você novamente daria uma volta completa. Ao contrário do que ocorre na superfície da Terra, porém, você poderia se lançar em qualquer direção

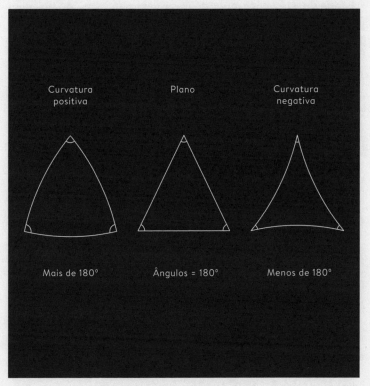

Diferentes geometrias do espaço.

no espaço, em qualquer uma das três dimensões, e por fim retornar a seu ponto de partida.

O que determina a geometria do nosso universo? Isso depende da quantidade de matéria que existe nele. Quanto mais o espaço pesar em média, mais será deformado, assim como uma bola de chumbo deformaria uma folha de borracha mais do que uma bola de isopor do mesmo tamanho, como no exemplo que encontramos no capítulo 3. Podemos medir a geometria pela análise de quanto o espaço foi deformado, seguindo o percurso da luz através dele. Quando a luz viaja através do espaço em nossa direção aqui na Terra a partir de objetos distantes, ela o faz em linha reta se o espaço não estiver deformado. Quanto mais deformado ele estiver, maior será a curva do raio de luz, exatamente como acontece com a bola de gude na cama elástica.

Agora posso imaginar aquela cama elástica com uma bola de chumbo ou uma bola de isopor sobre ela. Posiciono-me num dos lados da cama elástica, e do lado oposto uma amiga estica bem os braços e lança duas bolas de gude em minha direção ao mesmo tempo, cada uma com uma mão. Quando a bola de isopor está sobre a cama elástica, a superfície quase não se deforma, e as duas bolas de gude vêm rolando em linha reta até mim. Quando substituímos a bola de isopor pela de chumbo, a superfície da cama elástica afunda, e as duas bolas de gude percorrem um caminho mais longo e mais curvo até mim. Se agora medirmos o ângulo que separa a trajetória das duas bolas de gude quando chegam às minhas mãos, veremos que com a bola de isopor ele é menor do que com a de chumbo. Um triângulo traçado numa geometria plana possui ângulos menores do que um triângulo traçado numa geometria com curvatura positiva. Isso significa que posso usar o tamanho do ângulo entre as trajetórias das bolas de gude para descobrir quanto a bola pesa. No caso da bola de chumbo, o ângulo seria maior, e se eu não soubesse que as bolas de gude percorreram uma trajetória curva, teria a impressão de que minha amiga tem braços incrivelmente compridos.

No universo real, posso imaginar uma situação semelhante que me permita descobrir a geometria do espaço. Em vez das duas bolas de gude vindo dos braços esticados da minha amiga, posso utilizar raios de luz vindo de longe no espaço, e no lugar da cama elástica posso usar o próprio espaço. Se eu utilizar uma luz que fez uma longa viagem, posso usá-la para calcular a massa total de toda matéria no espaço pela qual ela passou, e não apenas para medir o peso de um único aglomerado de matéria no espaço. A radiação cósmica de fundo em micro-ondas é ideal para isso, já que ela está em viagem praticamente desde o início do universo. Em seguida, além do desafio de medir a luz, que é o equivalente cósmico de pegar as bolas de gude, também preciso descobrir que ângulo devo medir. No exemplo da cama elástica, eu conhecia a extensão dos braços da minha amiga, então podia descobrir se o triângulo tinha ângulos que somavam até 180 graus.

Acontece que existem traços quase imperceptíveis na radiação cósmica de fundo em micro-ondas, pontos mais luminosos ou opacos do que o normal, que podem fazer as vezes dos braços esticados da minha amiga. Descobriremos por que eles existem no capítulo 5, e por ora basta saber que parecem ter o tamanho do seu polegar levantado com o braço esticado contra o céu. O tamanho de um ponto normal equivale ao lado mais curto de um triângulo bastante extenso e estreito: o comprimento de cada um dos lados compridos é a distância que a RCFM viajou ao todo, ao longo de sua jornada de quase 14 bilhões de anos até nós. Os pontos aparecerão maiores no universo que tem o maior peso, que distorce mais o espaço e que faz com que a luz viaje numa trajetória curva.

Dizíamos, então, que a astronomia havia se proposto um objetivo maravilhosamente monumental: medir o peso da

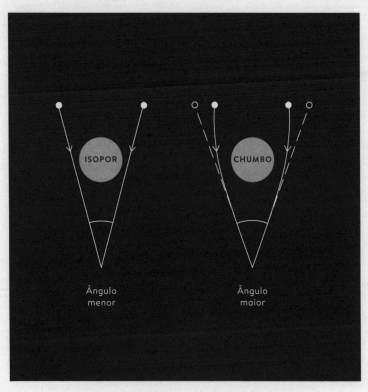

Pesando o espaço mediante os ângulos de um triângulo.

totalidade do universo observável, calculando o ângulo desse imenso triângulo que acabamos de descrever. O objetivo foi atingido no ano 2000. Dois experimentos rivais a bordo de balões ultrapassaram a atmosfera terrestre para medir os traços específicos da micro-onda cósmica de fundo. Lançado pelo Complexo Columbia de Balões Científicos, em Palestine, Texas, o experimento norte-americano Maxima voou durante oito horas em agosto de 1998. Em dezembro desse mesmo ano, o experimento norte-americano e italiano Boomerang foi lançado da Estação McMurdo, na Antártida, e esteve no ar por dez dias. Ambas as equipes encontraram e mediram os pontos e descobriram que eles tinham exatamente o tamanho esperado num universo em que a luz viaja em linhas retas. Eles haviam pesado o universo e descoberto que o espaço, no geral, não parece ser curvo.

Então, quanto acharam que o universo pesava? Surpreendentemente, pouco. Se espalhássemos toda a matéria no universo de maneira uniforme, cada bloco de espaço de um metro de comprimento não pesaria mais do que cerca de seis átomos de hidrogênio. É claro, o universo é muito mais denso que isso em determinados locais, onde há um aglomerado de galáxias ou um amontoado de matéria escura. Mas isso é um bom lembrete de que a maior parte do espaço é vazia.

A aparente planicidade do nosso espaço nos revela que ele pode ser infinito e estar se expandindo eternamente, em todas as direções. Ser plano, contudo, não necessariamente significa ser infinitamente grande. A topologia do espaço também importa. Ela é uma descrição de como o espaço está disposto, e é possível mudar a topologia de um espaço sem deformá-lo. Podemos usar nossa faixa elástica como exemplo. Sem deformar a faixa, poderíamos tanto esticá-la numa comprida linha reta quanto pegar suas duas pontas e uni-las formando um círculo. Poderíamos fazer algo parecido com uma folha de papel, deixando-a plana ou enrolando-a na forma de um longo tubo. A geometria do papel, ou a da faixa elástica, permanece inalterável em ambos os casos, mas a topologia se altera.

Também podemos pensar que o universo possui diferentes topologias. Na verdade, o espaço pode estar enrolado do mesmo modo que enrolamos uma folha de papel, mas isso não é fácil de visualizar. A superfície do papel é bidimensional, e o que imaginamos é um tubo de papel enrolado em três dimensões. Precisaríamos ser capazes de imaginar uma quarta dimensão se quiséssemos conectar um espaço tridimensional do mesmo modo. Isso poderia ser feito pela junção dos lados esquerdo e direito do espaço, dos lados da frente e de trás e dos de cima e de baixo, de maneira que, em qualquer direção que viajássemos no espaço, acabaríamos voltando ao nosso ponto de partida.

Se fosse conectado desse jeito, o espaço teria um tamanho finito, mas não teria limites. Se esse tamanho fosse muito maior que o universo observável, não teríamos como diferenciá-lo de um espaço infinitamente grande que não estivesse conectado por nenhum lado; no entanto, se o tamanho fosse menor que o do universo observável, já poderíamos ter percebido isso. E que aspecto teria esse universo finito, porém ilimitado? À primeira vista, não seria necessariamente diferente de um universo infinito.

Vamos usar o exemplo do tubo de papel para imaginar o que poderíamos ver. Aqui estamos pensando num espaço que consiste apenas na superfície bidimensional do papel. Agora, imagine colocar uma formiga com uma lanterna na cabeça em cima do papel e, a certa distância, uma segunda, que será a observadora. Formigas, é claro, são criaturas tridimensionais, mas em nosso exemplo fingiremos que são planas. Agora, vamos supor que a luz da lanterna não pode sair do papel e está confinada a viajar por sua superfície bidimensional. A observadora verá que a luz da lanterna da primeira formiga emite luz.

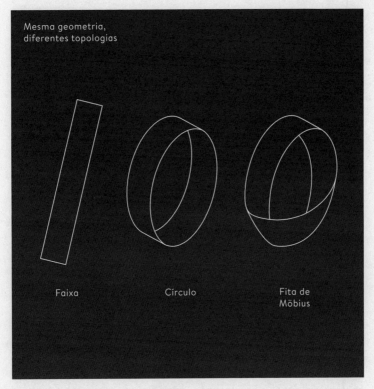

Algumas das diferentes topologias que um pedaço de papel pode ter.

Mas esta continuará a percorrer todo o tubo de papel, dando uma ou mais voltas completas antes de alcançar de novo a observadora. A luz continua vindo da lanterna da primeira formiga, mas, toda vez que completa uma volta, demora um pouco mais a ser vista e vai ainda mais longe.

A luz sempre viaja até se chocar com alguma coisa, de modo que a luz da lanterna continuará dando voltas ao redor do tubo. Cada vez que ela der uma volta completa, a observadora conseguirá vê-la. O efeito geral será que a observadora verá múltiplas imagens da luz da lanterna separadas por intervalos regulares que correspondem ao tempo necessário para ser dada uma volta completa no tubo. A imagem mais próxima será a mais recente, e aquelas sucessivamente mais distantes serão umas mais antigas que as outras, já que a luz precisa de tempo para completar suas voltas.

Em um universo finito, esse efeito seria produzido em três dimensões. A lanterna agora pode ser uma galáxia no espaço, e nós somos os observadores aqui na Via Láctea. A luz da galáxia nos alcançaria, e veríamos esse grande objeto cósmico. Mas muito antes disso, a luz dele teria sido lançada no espaço, dado uma volta em torno do universo finito e voltado para seu ponto de partida, assim como, se partíssemos em viagem ao redor da Terra, retornaríamos ao local de onde saímos. Esses raios de luz também chegariam até nós ao mesmo tempo que os primeiros, mas revelariam uma imagem muito mais antiga da galáxia. Dessa forma, acabaríamos vendo várias imagens dos mesmos objetos cósmicos quando olhássemos para o espaço. Seríamos levados a pensar que o universo é muito mais amplo do que realmente é. A cosmóloga norte-americana Janna Levin, especialista em topologia cósmica, compara esse efeito com o de estar numa sala de espelhos.

É claro que isso seria fácil de perceber se o tamanho do universo fosse, por exemplo, tão pequeno quanto o do Grupo

Local. Seria mais difícil de perceber se o tamanho fosse inúmeras vezes maior, já que ainda não conseguimos mapear os confins do universo observável, nem mesmo com telescópios modernos. Mas os astrônomos ainda não encontraram nenhuma evidência desses padrões recorrentes. Isso não significa que o universo tem de ser infinitamente grande, mas que, se for finito e estiver conectado de um lado a outro, na frente e atrás e em cima e embaixo, então seu tamanho tem de ser maior do que a parte dele que conseguimos observar.

Se o universo é infinito, talvez ele não se comporte da mesma forma, no geral, em toda parte. Se a inflação de fato aconteceu, então, segundo essa teoria, diferentes setores dele teriam começado a crescer em diferentes épocas, cada um se tornando seu próprio subuniverso, que poderia ter suas próprias leis da física e suas próprias partículas elementares. O que poderíamos chamar de "nosso universo" não passaria, então, da parte que inflacionou num dado momento, para produzir a parte do espaço que conseguimos ver, a parte que nos contém. Se o big bang é o que chamamos de começo da inflação da nossa própria bolha, é possível que o universo mais amplo já existisse antes dele.

Essa ideia de múltiplos universos-bolhas é um exemplo possível de algo chamado de multiverso, a hipótese de que nosso universo é apenas uma das partes de uma conglomeração muito maior. Ela possui grandes defensores e fortes oponentes. Entre seus maiores partidários encontra-se o físico russo-americano Andrei Linde, da Universidade Stanford, um dos proponentes da inflação. Do outro lado, entre seus adversários mais ferrenhos, encontra-se Paul Steinhardt, que sustenta que o multiverso que a inflação produziria seria incrivelmente dominado por regiões que são fisicamente diferentes daquelas que vemos. Dando sequência ao argumento, a inflação não consegue prever como nossa própria parte do universo

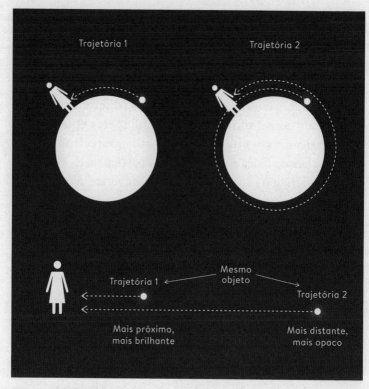

Múltiplas imagens do mesmo objeto em um universo finito.

deveria se comportar. Essa, afirma Steinhardt, é uma das coisas que a tornam uma hipótese cientificamente incorreta.

Se a inflação não for a hipótese correta, é possível que o universo se estenda infinitamente adiante e apresente as mesmas condições do início ao fim. Trata-se, no entanto, de algo curioso de contemplar, porque implica que deve haver cópias infinitas de cada um de nós em algum lugar nesse vasto além. É uma ideia esquisita, e, para muitos de nós, a hipótese de um universo finito se mostra uma opção mais palatável. Mas se o espaço é finito ou infinito, talvez nunca venhamos a saber. Porém já conseguimos aprender muito sobre toda a parte do espaço que podemos almejar ver. Sabemos que ela está crescendo e que começou a se expandir há 14 bilhões de anos. Só não sabemos ainda por quê.

5.
Do início ao fim

Retornando ao nosso lugar no universo, situamo-nos em nosso pequeno planeta viajando ao redor do Sol. O Sol é rodeado de estrelas vizinhas, muitas delas cercadas por seus próprios pequenos planetas. Nossas estrelas vizinhas se deslocam no longo braço estelar espiralado que faz parte do nosso lar maior, a Via Láctea. A Galáxia, um enorme disco de estrelas e gás inserido numa auréola muito mais ampla de matéria escura invisível, gira suavemente. Olhamos para nossa galáxia vizinha, a majestosa e espiralada Andrômeda, vindo devagar em nossa direção pelas profundezas do espaço. Em volta de nós, há inúmeras outras galáxias, espalhadas pelo espaço e agrupadas em grupos menores ou em aglomerados maiores. Dentro deles, nascem e morrem estrelas. Mais adiante, encontramos mais galáxias em seus grupos e aglomerados até onde nossa vista alcança. Se olharmos longe o suficiente, veremos esses objetos agrupados em estruturas ainda maiores, os superaglomerados, ao estilo de megalópoles cósmicas. As galáxias e os aglomerados de galáxias são as luzes brilhantes no esqueleto do universo, a rede de matéria escura.

Sabemos que o universo nem sempre foi assim. Não são apenas estrelas que nascem, mas também galáxias inteiras. Elas nem sempre estiveram lá, e as estrelas no seu interior nem sempre brilharam. Percebendo que as galáxias à nossa volta parecem, de modo geral, estar se afastando de nós, chegamos à conclusão de que nosso universo deve estar crescendo. Tudo no espaço está se afastando de todo o resto. Se, então, voltamos atrás no tempo, somos levados à conclusão inevitável de que, em algum momento no passado, todo o nosso universo deve ter começado a crescer. Teve algo que pode ser chamado de um início, como vimos no capítulo 4, embora ainda possamos descobrir que ele já existia muito antes de começar a crescer.

Neste capítulo, andaremos para a frente no tempo a partir daquele aparente ponto de partida e descobriremos como viemos parar onde estamos e o que pode acontecer ao nosso universo no futuro. O que torna isso possível é aquele maravilhoso efeito de máquina do tempo que experimentamos ao perscrutar o espaço. Quanto mais para longe se olha, mais para trás no tempo se vê. Como aprendemos no capítulo 1, pela observação de como as outras partes do espaço eram no passado, podemos reconstruir a evolução de todo o universo.

Nosso universo, tal como o vemos hoje, não é nada uniforme. Há partes que estão praticamente vazias e partes que podem conter a riqueza de um sistema solar, a densidade de um buraco negro ou um nó compacto de matéria escura. A primeira aparição desses elementos específicos nele teve de se produzir em algum lugar. Se nenhuma irregularidade tivesse se formado no começo do seu crescimento, hoje nosso universo ainda seria um mar monótono e regular de átomos e matéria escura. Nós simplesmente não estaríamos aqui.

Descobrir como foram criados esses elementos iniciais, que mais tarde se transformaram nos objetos cósmicos que vemos hoje, é uma das grandes questões da cosmologia e da astronomia. Isso provavelmente aconteceu nos primeiríssimos instantes do crescimento do universo. A explicação mais popular é a hipótese que apresentamos no capítulo anterior: o quase instantâneo processo de inflação durante o primeiro trilionésimo de trilonésimo de bilionésimo de segundo da vida do universo. Durante a inflação, as partículas que compõem os núcleos atômicos ainda não teriam se formado, e todo o universo teria sido dominado pelo campo ínflaton, cuja energia armazenada fez o espaço se expandir em velocidade exponencial por um curto período de tempo, dobrando de tamanho a cada tique-taque do relógio cósmico.

Lembremos que ainda não temos provas contundentes de que a inflação aconteceu e que, de acordo com muitos teóricos, ela é uma ideia problemática. Ocorre que uma das razões que levaram a hipótese da inflação a se tornar tão popular é que, associada à mecânica quântica, ela pode fornecer uma explicação elegante para o surgimento das primeiras alterações em um espaço bastante homogêneo. A física da mecânica quântica descreve o que acontece a coisas muito pequenas, na escala de átomos. Quando chegamos a essas escalas minúsculas, começamos a observar comportamentos estranhos. Descobrimos que não conseguimos apontar com precisão onde estão as coisas ou quando elas aconteceram. A energia em qualquer ponto do espaço pode mudar de repente, o que permite que novas partículas sejam criadas aparentemente do nada por um curto período de tempo.

Se, então, pegarmos esse homogêneo campo ínflaton, com sua energia distribuída de maneira uniforme pelo espaço, e aumentarmos o zoom para examinar o que está acontecendo em escalas muito pequenas, veremos que quantidades mínimas de energia excedente estão constantemente sendo criadas e depois desaparecendo. Se o espaço não estivesse se expandindo, isso não teria consequências. No geral, em escalas amplas, não veríamos ocorrer nada de óbvio. Mas naquele primeiro instante, o espaço está crescendo numa velocidade incrível, tão incrível que ele dobra de tamanho a cada segundo. Isso exerce um efeito importante nas quantidades mínimas de energia excedente. Criados num espaço que cresce num ritmo mais rápido que a velocidade da luz, esses amontoados quânticos são, em pouquíssimo tempo, tão esticados e separados que não conseguem se comunicar, pois a luz não tem tempo de viajar entre eles enquanto se afastam uns dos outros. Duas partes do espaço que começaram separadas por um átomo de distância podem, ao final da inflação, acabar afastadas por anos-luz de distância. Os amontoados com excesso de energia ficam presos, inseridos ali no espaço. Eles não conseguem desaparecer porque perderam o contato com suas contrapartes, que agora estão em partes muito distantes do universo.

Isso parece uma ideia bem esquisita. Se for verdade, alterações minúsculas — áreas do espaço superdensas — são produzidas, alterações que normalmente desapareceriam de novo se ele não estivesse crescendo tão depressa. Isso as transforma em características permanentes do espaço que são ligeiramente mais densas do que outras partes. E no fim do período de inflação, esses amontoados de energia se convertem nas partículas que conhecemos e, presume-se, em partículas de matéria escura também. Onde o campo ínflaton foi mais denso, agora não deve haver mais partículas.

Essas alterações devem ter sido produzidas numa ampla gama de diferentes escalas: umas tão amplas em diâmetro quanto uma galáxia, algumas do tamanho de uma estrela e outras do tamanho da sua mão. Mas elas devem ter sido incrivelmente sutis, mais densas que a média por apenas algumas partes em 1 milhão e completamente imperceptíveis a olho nu. Não obstante esses começos modestos, elas eram tudo de que precisávamos para dar início à evolução do nosso universo, as minúsculas sementes de estruturas que se desenvolveriam durante inúmeros anos, até formarem as estruturas cósmicas muito mais reconhecíveis dele.

Uma vez tendo deixado a primeira fração de segundo para trás, ficamos mais convictos de saber o que estava acontecendo.

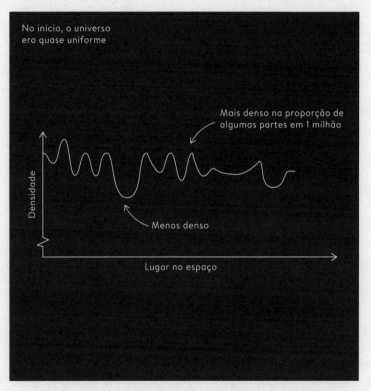

Desenho de variações sutis na densidade de partículas no espaço, fixadas durante os primeiros instantes após o big bang.

Vemo-nos num universo cheio de prótons, nêutrons, elétrons, partículas minúsculas de neutrinos, raios de luz e, talvez, partículas de matéria escura. Trata-se de um lugar incrivelmente quente, com temperaturas de bilhões de graus e com tudo bastante comprimido junto. É tão quente que prótons conseguem se transformar em nêutrons e se fundir, formando os núcleos de átomos. O hidrogênio é fundido em hélio. Conforme o tempo vai passando, o universo cresce e as coisas começam a se afastar. Quando isso acontece, tudo vai se resfriando aos poucos, de modo que, após alguns segundos, prótons e nêutrons não podem mais se transformar uns nos outros. O número de partículas que são prótons em oposição aos nêutrons é fixado.

Então, depois de alguns minutos, todo o universo se resfria o suficiente para encerrar as fusões, embora permaneça com amenos bilhões de graus de temperatura. O número de diferentes tipos de átomos é então fixado, e quase todos são hidrogênios, o primeiro elemento da tabela periódica, composto de um único próton e um único elétron. Para cada doze átomos de hidrogênio, existe um de hélio, com uma ainda menor quantidade de lítio, um elemento mais pesado. Não há carbono, nem nitrogênio, nem oxigênio. Não ainda. Criar esses elementos através da fusão de átomos de hélio leva tempo e demanda calor. O universo se resfriou muito rapidamente depois do big bang para criá-los. Teremos de esperar até muito depois, quando começarem a surgir as estrelas, com seus resistentes centros de calor extremo.

Foi o físico norte-americano Ralph Alpher quem primeiro pensou nesse processo de criação dos elementos primordiais, conhecido como nucleossíntese. Esse foi o tema de sua tese de doutorado, orientada por George Gamow na Universidade George Washington, em 1948, e o passo decisivo para sua previsão da existência da radiação cósmica de fundo em micro-ondas. Até Alpher, observações haviam demonstrado que o universo continha uma mistura específica de hidrogênio e hélio, mas ninguém entendia o porquê. Seus resultados foram publicados num artigo em 1948, "The Origin of Chemical Elements" [A origem dos elementos químicos], celebremente assinado por Alpher junto com Hans Bethe e Gamow. Era um trabalho sobretudo de Alpher, mas, para seu desgosto, Gamow havia incluído o nome de um amigo, o físico Hans Bethe, para fazer uma brincadeira com as três primeiras letras do alfabeto grego. Bethe não participou da pesquisa, e Alpher, ainda estudante, estava preocupado, com razão, com o fato de que, ao escrever um artigo com dois acadêmicos, ele não receberia o merecido crédito por sua descoberta. Só que ele acabou tendo seu momento de fama. Centenas de pessoas, entre as quais jornalistas, foram assistir à sua defesa de tese de doutorado no mesmo ano, e sua descoberta foi alardeada com pompa no *Washington Post*.

Voltando para o universo, agora apenas poucos minutos mais velho, nós o encontraremos cheio de núcleos atômicos espalhados, rodeados por um mar de minúsculos elétrons e neutrinos, bem como por raios de luz e de partículas de matéria escura. Os raios de luz, que mais tarde se tornarão a radiação cósmica de fundo em micro-ondas, viajam através do espaço em todas as direções, mudando de direção sempre que encontram um pequeno elétron. Como existem elétrons por toda parte, os raios estão constantemente mudando de direção, atravessando o mar cósmico. Isso faz com que o universo se comporte mais ou menos como uma nuvem opaca ou uma névoa.

Não enxergamos muito bem através de uma névoa porque as moléculas de água suspensas que a compõem desviam a direção dos raios de luz, alterando suas rotas. Qualquer luz que saia da névoa tomou um caminho aleatório através dela. Isso é mais ou menos como o efeito dos elétrons na luz quando o universo ainda é jovem. Até que saia da nossa névoa específica, não sabemos de onde ela vem.

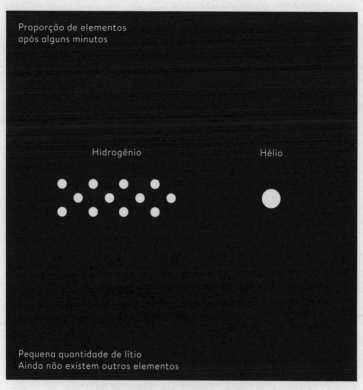

Proporções de elementos formados nos
primeiros minutos após o big bang.

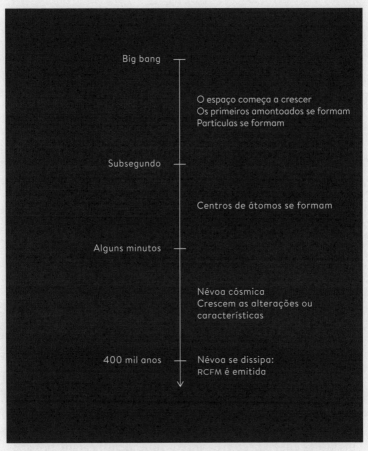

Linha do tempo dos primeiros 400 mil anos depois do big bang.

Esse universo enevoado conserva as características irregulares que surgiram nos primeiros instantes do tempo. Trata-se dos lugares amontoados onde o universo é um pouco mais denso do que o normal, onde as partículas estão um pouco mais comprimidas juntas. Esses amontoados agora podem começar a crescer, porque a gravidade os encoraja a se reunir. Como a atração gravitacional é mais forte em coisas que têm mais massa, uma área do espaço que tenha um pouco mais de matéria em seu interior tenderá a atrair outras matérias em sua direção, afastando-as das partes mais vazias do espaço. Lentamente, as características começam a ganhar contornos mais bem definidos.

Depois de cerca de 400 mil anos, a névoa afinal se dissipa. Durante esse tempo, o universo continuou a crescer e foi gradualmente se resfriando. A temperatura ambiente atual é de alguns milhares de graus, não mais quente o bastante para que o mar de elétrons seja separado dos minúsculos centros atômicos. Em vez disso, átomos inteiros de hidrogênio e de hélio podem existir agora.

Elétrons em livre flutuação podem mudar a trajetória de um raio de luz, mas, uma vez retidos dentro de átomos, eles perdem essa capacidade. Isso significa que os raios de luz agora podem viajar em linha reta através do espaço, quase completamente indiferentes aos átomos e às partículas de matéria escura ao seu redor. Essa luz é a radiação cósmica de fundo em micro-ondas, que vimos no capítulo 4, detectada pela primeira vez em 1965. Os físicos Jim Peebles e Yakov Zeldovich lideraram equipes de pesquisadores em Princeton e Moscou, que identificaram, nos anos seguintes, que os raios de luz emanados de diferentes partes do espaço também deviam ter intensidades ligeiramente diferentes. A intensidade, ou temperatura, da luz indicaria a densidade do espaço de onde ela havia emergido. Como partes distintas do espaço eram ligeiramente mais ou menos densas do que outras, a luz desses lugares também deveria vir mais quente ou mais fria.

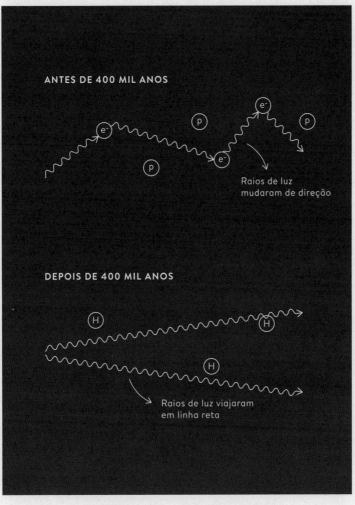

A formação da micro-onda cósmica de fundo.

O efeito, contudo, seria sutil. Naquela época, as partes mais densas do espaço só eram mais densas por cerca de dez partes em 1 milhão, motivo pelo qual se esperava que a intensidade da RCFM vinda de diferentes direções variasse em apenas milionésimos de um grau. Nas décadas posteriores à descoberta da RCFM, físicos concentraram esforços na busca dessas alterações. Levaram mais de vinte anos para encontrá-las, já que o sinal era tão ínfimo que foi preciso desenvolver detectores de micro-ondas cada vez mais sensíveis. Um bom local de observação também foi necessário, para evitar inundar o sinal com micro-ondas contaminadas pela atmosfera da Terra. Por fim, uma equipe de cientistas liderada pelo físico norte-americano John Mather anunciou a descoberta delas em 1992, usando imagens do céu de micro-ondas capturadas pelo satélite Explorador do Fundo Cósmico (Cosmic Background Explorer, Cobe), da Nasa.

Quatrocentos mil anos depois do big bang, o espaço está agora cheio de átomos de hidrogênio e de hélio e de minúsculas partículas de neutrino, assim como de partículas de matéria escura. As regiões do espaço mais densas de átomos e de partículas estão se acentuando cada vez mais. A gravidade continua a aumentá-las, atraindo mais matéria visível e invisível para regiões mais densas e deixando os espaços mais vazios cada vez mais vazios. Mas essas regiões ainda não estão densas o suficiente para entrar em colapso e se tornar objetos familiares, como estrelas. O universo, em vez disso, está entrando numa era conhecida como Idade das Trevas cósmica, um período que se estendeu por mais de 200 milhões de anos, durante o qual a única luz existente no espaço era a da radiação cósmica de fundo em micro-ondas. Nessa época, a temperatura da luz ambiente e dos átomos gradualmente cai de milhares de graus Celsius até bem abaixo de zero.

Durante essa era de escuridão, as regiões mais densas começam a entrar em colapso e a se transformar numa rede cósmica de átomos e de partículas de matéria escura, feita de estruturas semelhantes a filamentos gigantes que entrelaçam nós grumosos. Ainda não fomos capazes de ver tal acontecimento, por isso ainda não sabemos bem como ele se deu, mas nosso conhecimento está avançando graças à nossa capacidade de criar modelos de universos por meio de simulações computacionais, como as que vimos no capítulo 3. Os astrônomos e os físicos conseguem instruir um computador a calcular o que ocorreria a um número imenso de átomos ou de partículas de matéria escura em um universo com características específicas gravadas no big bang. O computador precisa conhecer a lei da gravidade e ser capaz de acompanhar os movimentos e os agrupamentos de um número grande o bastante de diferentes objetos. À medida que nossos computadores ficam mais sofisticados, podemos fazer simulações do universo cada vez mais próximas da realidade.

Essas simulações nos dão a convicção de que sabemos o que estava acontecendo lá atrás, mas talvez nunca sejamos capazes de perscrutar o passado longínquo da Idade das Trevas cósmica. Nenhuma estrela existia, logo não há nenhuma luz estelar dessa época que possa ser vista. Mas ainda há um resquício de esperança. Os próprios átomos de hidrogênio, aquecidos pela radiação cósmica de fundo em micro-ondas que os rodeava, emitiam um pouco de onda de rádio que era produzida quando seus elétrons variavam de estado. Cada átomo de hidrogênio possui um único elétron, e esse elétron possui algo chamado "spin", ou momento angular intrínseco, que pode ser comparado à rotação dos ponteiros de um relógio no sentido horário ou anti-horário. A mecânica quântica afirma que os elétrons, na verdade, não estão em rotação, mas que eles meio que se comportam como se estivessem. Quando o próton e o elétron em um átomo de hidrogênio giram na mesma direção, eles dispõem de um pouco mais de energia do que quando giram em direções contrárias. Isso significa que, quando o giro do elétron muda para a direção oposta, a energia do átomo de hidrogênio cai e é emitida em forma de luz.

Essa luz tem um comprimento de onda específico de 21 centímetros, semelhante ao comprimento de onda da luz que usamos para sinais wi-fi. Podemos medir as ondas de rádio que vêm dos átomos de hidrogênio por meio de telescópios especialmente afinados, mas há um porém. Essas ondas de rádio foram emitidas quando o universo era muito menor do que é agora, o que significa que o comprimento de onda da luz seria muito mais longo hoje. Seu novo comprimento de onda, de muitos metros de extensão, é quase impossível de ver aqui na Terra, por causa da interferência de aparelhos criados pelo homem, sobretudo de emissoras de rádio, que emitem ondas de rádio com exatamente o mesmo comprimento de onda.

Para contornar esse problema, os astrônomos que buscam estudar essas épocas têm algumas ideias para o futuro que implicam cobrir uma área imensa da superfície do lado oculto da Lua com milhares de antenas de rádio. Um conceito conhecido como Interferômetro Lunar da Idade das Trevas (Dark Ages Lunar Interferometer, Dali) seria grande o suficiente para captar comprimentos de onda incrivelmente longos de até trinta metros, fazendo com que nosso conhecimento da história astronômica alcance a Idade das Trevas. A ideia seria que um exército de robôs instalasse no solo lunar um sistema de milhares de antenas parabólicas. Juntas, elas seriam tão sensíveis quanto um único telescópio de alguns quilômetros de diâmetro e finalmente nos permitiriam vislumbrar a formação do universo na época anterior às estrelas.

Após uns 200 milhões de anos, o universo se aproxima do fim da Idade das Trevas. Enfim os amontoados de átomos ficaram densos o suficiente para formar as primeiras minigaláxias nos densos nós da teia cósmica da matéria escura. Essas protogaláxias teriam sido bastante diferentes das galáxias que podemos ver ao nosso redor hoje no universo. Muitas vezes menores, teriam tido apenas dezenas de anos-luz de diâmetro e sido talvez 1 milhão de vezes mais pesadas que o Sol. A princípio, não teriam possuído nenhuma estrela. Seguindo o que acontece em simulações computacionais, chegamos a pensar que cada uma delas era composta de um disco de gás inserido numa forma esférica e mais ampla de matéria escura. Os ingredientes do gás teriam sido apenas hidrogênio e hélio, o que é muito diferente do gás formador de estrelas em galáxias como a nossa. Os ingredientes de sistemas solares como o nosso, com elementos como carbono e oxigênio, ainda não existiam.

O que aconteceu no interior dessas minigaláxias? A força da gravidade deve ter comprimido o gás, aquecendo-o até cerca de mil graus. Onde era mais denso, o gás teria se amontoado ainda mais, trazendo os átomos de hidrogênio e hélio para perto. Antes que um amontoado de gás possa entrar em colapso e se converter numa estrela, os átomos em seu interior precisam se resfriar o suficiente para que a pressão externa da gravidade, que os atrai para dentro, se sobreponha à pressão interna do gás, que os empurra para fora. Quanto mais frio o gás, menor a pressão. Na prática, isso significa resfriar os amontoados de gás até centenas de graus abaixo de zero, o que acontece quando os átomos colidem uns com os outros. Isso os desacelera, abaixando sua temperatura, até que, finalmente, as densas nuvens de átomos de hidrogênio e hélio podem entrar em colapso e dar origem às primeiríssimas estrelas. De acordo com o que aprendemos no capítulo 2, a fusão pode então começar no centro delas, gerando luz e calor.

Átomos de hidrogênio e hélio não colidem e se resfriam tão prontamente quanto gases compostos de elementos como carbono e oxigênio. Isso significa que esses primeiros amontoados de gás teriam tido uma pressão interna do gás mais forte do que a que encontramos hoje dentro das nuvens de gás na Via Láctea. O que, por sua vez, significa que é provável que essas primeiras estrelas, no geral, tenham nascido muito mais pesadas do que uma estrela comum de hoje, com uma pressão gravitacional mais forte para contrabalançar a pressão interna. Teriam existido muito mais estrelas de vida curta, as azuis e as brancas, que são as mais pesadas e mais quentes de todas.

Acreditamos que as primeiras estrelas se formaram dessa maneira uns 200 milhões de anos depois do big bang, marcando o início do "amanhecer cósmico" do universo. Os astrônomos ainda não determinaram o momento exato em que isso aconteceu, porque não podemos ver suas luzes estelares. As estrelas estavam, inicialmente, rodeadas de densas nuvens de átomos de hidrogênio, que absorviam a maior parte de sua luz visível e ultravioleta, impedindo-as de serem vistas. Podemos, no entanto, procurar a luz que vem dos próprios átomos quentes de hidrogênio, a mesma onda de rádio que mencionamos anteriormente. Partindo com um comprimento de onda de 21 centímetros, essa luz agora já deve ter alguns metros de extensão, embora menos do que as ondas de rádio vindo de ainda mais cedo na Idade das Trevas. Isso deve fazer com que seu sinal seja observável de locais propícios para captação de ondas de rádio na Terra, e os astrônomos estão ativamente em busca dele a partir de lugares isolados, como a Austrália Ocidental, o deserto da Califórnia e a África do Sul. Eles também aguardam com entusiasmo as imagens de alta-fidelidade dessa emissão de rádio que serão produzidas pela já mencionada rede de radiotelescópios Square Kilometre Array, prevista para começar a funcionar na Austrália e na África do Sul ainda na década de 2020. A comunidade astronômica também deseja enviar um novo satélite, conhecido provisoriamente como Explorador de Rádio da Idade das Trevas, para orbitar a Lua. Enquanto orbitasse seu lado oculto, ele estaria protegido de aparelhos humanos e poderia captar sinais fracos vindos dos primeiros amontoados de hidrogênio.

Durante as próximas centenas de milhões de anos, transcorreu o amanhecer cósmico e aconteceu uma transformação conhecida como "reionização" em todo o universo. A luz das primeiras estrelas aqueceu o gás ao redor delas, e os raios de luz mais energéticos, os ultravioleta, teriam tido energia suficiente para quebrar os átomos de hidrogênio e hélio, dividindo-os novamente em núcleos e elétrons, ionizando o gás. Como eram pesadas, as primeiras estrelas teriam tido vida curta, de apenas alguns milhões de anos, e muitas teriam encerrado sua breve existência como explosivas supernovas. Estas provavelmente teriam aberto caminho através do gás que circundava as estrelas, ajudando a luz ultravioleta a escapar para quebrar os átomos no gás em torno das galáxias. Bolhas de gás quente devem ter surgido ao redor de todas as galáxias, permeando o universo como buracos num queijo suíço. Elas teriam continuado a se expandir durante muitos milhões de anos, se atravessando e se fundindo até que por fim todos os átomos espalhados pelo espaço se dividiram em núcleos e elétrons.

Ainda não sabemos dizer exatamente como ou quando esse processo ocorreu, na medida em que muito do nosso conhecimento e muitas de nossas suposições são baseados em simulações computacionais, e não em observações factuais. Mas nossas estimativas atuais são de que a transformação de um universo neutro em um universo ionizado, conhecida pelos astrônomos como "Época da Reionização", começou para valer cerca de 500 milhões de anos após o big bang e se completou há aproximadamente 900 milhões de anos. Isso ainda é uma especulação, mas podemos usar algumas observações como guias, pois é possível utilizar quasares brilhantes como faróis.

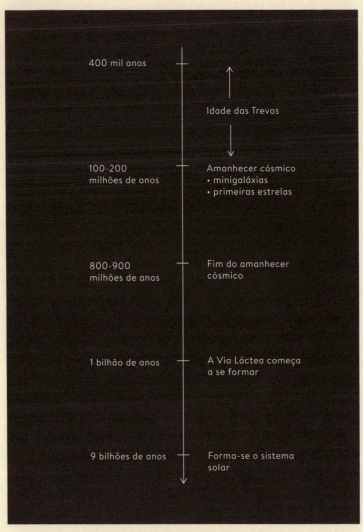

Linha do tempo dos primeiros 9 bilhões de anos do universo.

Muito mais brilhantes do que galáxias inteiras de estrelas, os quasares são os objetos mais distantes e, consequentemente, mais velhos que conseguimos ver. Os astrônomos norte-americanos Jim Gunn e Bruce Peterson descobriram em 1965 que, se você decompuser a luz de um quasar num espectro com todos os seus comprimentos de onda, minúsculos pedaços de hidrogênio neutro presentes no caminho dessa luz a recortarão em comprimentos de onda específicos. Como o hidrogênio neutro deixou de existir depois do período da reionização, segue-se que, quando observa a luz do quasar sendo extinta dessa forma, você sabe que deve estar olhando para uma época no passado em que a transformação decorrente da reionização ainda não havia sido concluída.

Se você então conseguir encontrar quasares ligeiramente mais próximos cujas luzes ainda não foram extintas pelo hidrogênio neutro, saberá que está olhando para objetos cuja luz foi emitida logo após o universo ser reionizado, quando não havia mais hidrogênio neutro. O astrônomo Robert Becker, da Universidade da Califórnia, liderou uma equipe que utilizou informações do Sloan Digital Sky Survey para procurar quasares brilhantes exatamente dessa maneira. Em 2001, eles avistaram o primeiro quasar cuja luz ainda mostrava os sinais reveladores da interação com o hidrogênio neutro. Calcularam a idade da luz do quasar pela observação de seu desvio espectral para o vermelho, determinando quanto o comprimento de onda dela se ampliou entre o momento de sua emissão e o de sua aferição aqui na Terra, e descobriram que ela havia sido emitida um pouco antes de 900 milhões de anos após o big bang. Os astrônomos também determinaram que a luz emitida de quasares um pouco depois dessa época não possui nenhum traço de interação com o hidrogênio neutro. Essa linha divisória parece demarcar o próprio fim da reionização, um marco importante da nossa linha do tempo cósmica.

Ainda há muitas questões em aberto a respeito dessa parte mais inicial da vida do nosso universo. Continuamos ansiosos para descobrir quando o amanhecer cósmico começou e como ele se desenrolou durante centenas de milhões de anos. Além de medir a luz estelar indiretamente pela observação do hidrogênio neutro mediante o uso desses levantamentos de ondas de rádio, ainda esperamos encontrar muitos mais desses quasares distantes com a ajuda do Telescópio Espacial James Webb, o sucessor do Telescópio Espacial Hubble, lançado em dezembro de 2021. O James Webb é o novo carro-chefe da Nasa, um satélite de muitos bilhões de dólares que saiu em busca de inúmeros objetivos astronômicos e ficou por anos em construção. Seu espelho possui mais de seis metros de diâmetro, o que lhe permite ver tudo em alta definição, mas, infelizmente, tornou impossível que ele ficasse aberto por completo dentro do foguete de lançamento. Por esse motivo, o espelho foi construído em diferentes segmentos, que, uma vez no espaço, se abriram de forma sofisticada. Foram momentos estressantes para engenheiros e cientistas.

O espelho do James Webb tem uma área sete vezes maior que a do Hubble e foi colocado acima de um guarda-sol enorme, do tamanho de uma quadra de tênis, para manter o telescópio frio. Ele viajará mais de 1,5 milhão de quilômetros a partir da Terra até um ponto estável onde possa orbitar o Sol e observará tanto a luz infravermelha quanto a luz visível dos comprimentos de onda vermelhos mais longos. A luz ultravioleta emitida pelos primeiros quasares e galáxias teria tido seu comprimento de onda ampliado inúmeras vezes à medida que o espaço crescia durante sua jornada de mais de 13 bilhões de anos, chegando aqui na Terra como luz infravermelha. O Telescópio Espacial James Webb finalmente é capaz de vê-la.

Avançando no tempo, na época em que nosso universo tinha 1 bilhão de anos, o gás no interior das galáxias e ao redor delas foi aquecido, e as galáxias minúsculas também começaram a se fundir e a formar galáxias ligeiramente maiores. Isso mais uma vez era causado pelo efeito da gravidade, que atraía regiões mais densas umas em direção às outras até colidirem e se tornarem objetos novos e maiores. Esses teriam sido os primeiros objetos reconhecíveis como os tipos de galáxias que conhecemos hoje, dos quais um ou mais seguiriam em frente e formariam a Via Láctea. Sabemos que parte dela deve datar desse período, porque vemos que contém estrelas com pelo menos 13 bilhões de anos. Como todo o universo tem um pouco menos de 14 bilhões de anos, essas antigas estrelas da Via Láctea devem ter pertencido a uma ou a mais de uma das primeiras galáxias.

Revelar como a Via Láctea se formou é vital e de enorme interesse para os astrônomos, porém até agora só temos uma visão parcial do todo. Jamais poderemos voltar no tempo e ver como ela era no passado; a luz que observamos das estrelas em seu interior foi emitida no máximo 100 mil anos atrás. A melhor alternativa é tentar a sorte e imaginar o que deve ter acontecido através da observação de outras galáxias, que estão mais distantes e cuja luz iniciou sua viagem até nós milhões e até bilhões de anos atrás. Agindo assim e fazendo simulações computacionais com o objetivo de reproduzir o que acontecia, passamos a ter uma razoável certeza de que a Via Láctea se formou a partir de galáxias menores que se fundiram no passado.

Ao se aproximar e se fundir, objetos em movimento tendem a formar um objeto maior giratório. Quando a Via Láctea se formou, a parte visível das minigaláxias em fusão, composta de estrelas, gás e poeira, deu origem a um disco giratório, enquanto a matéria escura invisível permaneceu mais esférica. Depois de mais 3 bilhões de anos, acreditamos que ela praticamente já apresentava seu tamanho atual e já possuía seus braços espirais. O universo teria cerca de 4 bilhões de anos a essa altura. A Galáxia até hoje cresce em ritmo suave, e sua força gravitacional segue atraindo galáxias anãs menores e vizinhas para se misturar com ela. Nossas duas vizinhas mais próximas, a Pequena e a Grande Nuvem de Magalhães, provavelmente se fundirão com a Via Láctea em aproximadamente 3 bilhões de anos, quando serão consumidas por ela.

A maioria das estrelas na Via Láctea se formou quando ela tinha apenas alguns bilhões de anos, no momento em que alcançou pela primeira vez seu tamanho atual. As condições dessa época eram ideais para o nascimento de novas estrelas, já que a fusão de galáxias criava colisões massivas de nuvens de gás. Agora mesmo, há relativamente pouca atividade na Galáxia, e as novas estrelas estão nascendo muito devagar, com apenas algumas aparecendo a cada ano, dentre os 100 bilhões de estrelas já existentes. No auge de sua atividade, ela provavelmente fabricava algumas centenas por ano.

O Sol nasceu quando o universo tinha cerca de 9 bilhões de anos, perto do fim do período de maior atividade de criação de estrelas. Condensado a partir de uma nuvem de gás bem no interior de um dos braços estelares espiralados, ele teria começado sua vida como estrela com um disco giratório de poeira ao seu redor. De acordo com o que aprendemos no capítulo 1, os cientistas planetários acham que nossos planetas se condensaram a partir dessa nuvem de poeira, quando rochas se amontoaram e constituíram pedregulhos cada vez maiores, até que foram formados minúsculos pré-planetas, cada um com sua própria força de gravidade, que por fim se tornaram maiores. Jamais poderemos ver como nosso sistema solar se formou, assim como não podemos ver a história profunda da Galáxia. Mas podemos observar como outros sistemas solares se formaram ao redor de outras estrelas e utilizar computadores para simular o que achamos que aconteceu para dar origem ao nosso.

A Via Láctea provavelmente tem uma história comum para uma galáxia espiral, o que significa que ela teve um passado menos instável do que o das galáxias elípticas ou ovais. Estas, acreditamos, surgiram como duas ou mais galáxias espirais de tamanho mais ou menos igual. Em algum momento, teriam entrado numa colisão drástica e sofrido o que os astrônomos chamam de uma "grande fusão". Uma colisão de galáxias nessa escala seria uma experiência curiosamente monótona para um pequeno observador no interior de uma das galáxias. Se a Via Láctea fosse colidir com outra galáxia neste instante, provavelmente não sentiríamos nenhum efeito. Nosso sistema solar é muito pequeno em comparação ao todo da galáxia, e os espaços entre as estrelas são muito vastos. Se aproximasse duas galáxias, você não esperaria que as estrelas de uma atingissem as da outra, embora um observador na Terra pudesse notar uma bela mudança no nosso céu noturno. Lembremos que, em nosso modelo, se encolhêssemos a Vizinhança Solar para que ela coubesse dentro de uma quadra de basquete, todo o nosso sistema solar seria do tamanho de um grão de sal, o que é praticamente imperceptível no interior desse imenso espaço.

Mesmo que a colisão de galáxias não afete de imediato estrelas individuais — ou matéria escura, supondo que ela seja composta de partículas menores —, alguns efeitos são produzidos. O gás e a poeira que ocupam os espaços entre as estrelas se espalham de forma mais escassa e relativamente mais regular do que as estrelas, e as nuvens de gás que surgem das galáxias em colisão se misturam para formar novos berçários estelares, dando origem a grandes quantidades de novas estrelas e de novos planetas. Usando os estoques de gás disponíveis, as novas supergaláxias acabam criando muito poucas estrelas depois de seu primeiro impulso de produtividade.

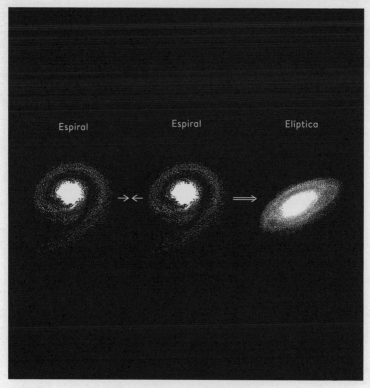

Galáxias espirais entram em colisão e dão
origem a uma galáxia elíptica maior.

A força gravitacional de cada galáxia entrando em colisão também afeta o equilíbrio delicado de sua parceira, lançando suas estrelas em órbitas aleatórias, após forçá-las a deixar suas órbitas originais ao redor do disco espiral de sua galáxia de origem. O formato espiralado de cada galáxia desaparece, e o formato resultante das galáxias misturadas tende a ser esférico: como o de uma bola de futebol americano ou de rúgbi, ou o de um confeito M&M's. O feitio exato dependerá do tamanho original delas e da direção em que estavam se deslocando quando entraram em colisão. Os astrônomos preveem os resultados dessas fusões através da criação de colisões de galáxias espirais em simulações computacionais, descobrindo que elas costumam produzir galáxias de formatos esféricos.

Temos muita sorte de ter capturado inúmeras imagens emocionantes de galáxias espirais em pleno processo de fusão. Muitas delas foram obtidas com o Telescópio Espacial Hubble ou com grandes telescópios ópticos no Chile e no Havaí. Com frequência, conseguimos ver as espirais perfeitas começando a ser distorcidas pela interação com suas vizinhas. Se pudesse dar uma nova olhada dentro de muitos milhões de anos, um astrônomo veria que as espirais teriam desaparecido e que uma única galáxia oval teria permanecido. Uma fusão desse tipo é para onde nos leva nosso próprio destino, já que a Via Láctea está em rota de colisão com nossa vizinha Andrômeda. Nossa parceira futura é maior do que nós, mas não muito, de modo que, depois de realmente colidirmos daqui a pouco mais de 4 bilhões de anos, presume-se que nos transformaremos numa nova e imensa galáxia elíptica.

Um sinal pelo qual estamos ansiosamente aguardando deve vir dos buracos negros gigantes situados no centro das galáxias. Espera-se que eles, que são milhões a bilhões de vezes mais pesados que o Sol, entrem em fusão quando suas galáxias se misturarem, criando buracos negros ainda maiores no centro da nova supergaláxia. Quando isso de fato ocorrer, eles devem produzir ondas gravitacionais, as ondulações no espaço-tempo que encontramos no capítulo 2. Uma onda gravitacional vindo da fusão distante de dois buracos negros gigantes irá então esticar e encolher o espaço-tempo quando passar pela Via Láctea.

Como podemos detectar isso? A distância habitual entre dois desses buracos negros gigantes em órbita um ao redor do outro, antes de se fundirem, é muito maior do que aquela entre buracos negros criados a partir de estrelas individuais, de modo que não seremos capazes de detectar essas ondas gravitacionais com o experimento Ligo. Assim, os astrônomos estão monitorando pulsares — as estrelas de nêutrons de rápida rotação descobertas por Jocelyn Bell Burnell — na Galáxia. Eles estão usando pulsares que giram centenas de vezes por segundo e já determinaram a regularidade de seus pulsos com radiotelescópios. Quando a onda gravitacional passar, o próprio tempo transcorrerá de outra maneira por um breve período. O efeito será aumentar ou diminuir a duração dos pulsos, de modo que o objetivo é buscar mudanças no período de pulsação de um conjunto de pulsares espalhados pela Via Láctea. Esse trabalho está em andamento e a cargo de uma equipe de astrônomos de grupos provenientes da América do Norte, da Europa e da Austrália que utilizam o International Pulsar Timing Array. Eles estão fazendo uso de radiotelescópios do mundo todo, como o imenso radiotelescópio de trezentos metros do Observatório de Arecibo, em Porto Rico; o Telescópio Green Bank, de cem metros, na Virgínia Ocidental, nos Estados Unidos; o Telescópio Lovell, de oitenta metros, em Jodrell Bank, no Reino Unido; e o Telescópio Parkes, de 64 metros, na Austrália. Acompanhando cuidadosamente um conjunto de cerca de sessenta pulsares já muito bem examinados, eles esperam, na próxima década, estar prontos para detectar o primeiro sinal vindo daqueles imensos buracos negros.

Deixando essas galáxias em fusão para trás, se agora reduzíssemos o zoom para obter uma visão mais panorâmica, veríamos toda a teia cósmica se formando e evoluindo ao longo dos quase 14 bilhões de anos da história do universo. Observaríamos, na época das primeiras galáxias, como a gravidade atraiu galáxias próximas umas em direção às outras e acabou formando os primeiros grupos e aglomerados, enquanto a rede de matéria escura criava nós e filamentos cada vez mais densos e surgiam espaços cada vez mais vazios entre eles. Mas nem todas as galáxias se fundem. Como aprendemos no capítulo 4, embora aquelas próximas se atraiam, a sutil expansão do espaço tende no geral a espalhá-las, de modo que veríamos o número de separações aumentar à medida que o tempo passasse.

Há muito tempo e até bem recentemente, os astrônomos supunham que a força da gravidade acabaria desacelerando a expansão do espaço. Essa suposição se baseava na ideia de que o processo que tivesse dado início à expansão do universo já deveria ter sido interrompido muito tempo antes. Assim, a força da gravidade, fosse ela da matéria visível ou da invisível, deveria necessariamente entrar em ação para aproximar áreas do espaço, em vez de separá-las. O resultado seria a desaceleração da expansão do espaço.

A analogia que se costuma fazer aqui é com o lançamento de uma bola para o alto. Você joga uma bola para cima e depois deixa a gravidade entrar em cena. O que acontece a seguir depende da velocidade com que você a jogou para cima. Em todos os cenários realistas, ela perderá velocidade até atingir certa altura, quando então começará a cair. Você também pode se imaginar lançando a bola com tal força que ela, embora perca velocidade, jamais comece a cair, chegando até o espaço. O que faz a bola desacelerar e começar a cair é a gravidade terrestre, que a puxa de volta. Se o peso da Terra fosse muito menor, a bola teria mais chances de escapar de sua atração gravitacional e poderia nunca mais voltar. Quando se pensa no espaço, o lançamento da bola é um pouco como a expansão inicial do espaço no big bang. A velocidade da bola equivale à da expansão do espaço. Quando ela alcança um limite e começa a cair, é como o espaço começando a encolher. A gravidade da Terra puxando a bola de volta é como a gravidade de toda a matéria no espaço que tende a desacelerar sua expansão.

No final do século XX, uma das grandes perguntas na mente de astrônomos e físicos era, desse modo, se a matéria existente no universo era densa o bastante, se exercia uma atração gravitacional suficiente para interromper por completo sua expansão. Se fosse esse o caso, o espaço não apenas pararia de se expandir como também começaria a encolher. As galáxias passariam a se mover umas em direção às outras, e em algum momento no futuro distante aconteceria um inevitável *big crunch* [grande implosão], quando todo o espaço seria comprimido em um ponto de alta ou de infinita condensação. Essa ideia era atraente por inúmeros motivos, pois sugeria que o universo tem uma natureza cíclica. Um universo que teve um big bang e depois um *big crunch* poderia passar pelo mesmo processo repetidas vezes. Expansão e contração, para fora e para dentro novamente. Processos cíclicos existem por toda parte na natureza, e talvez os humanos estejam predispostos a se sentir atraídos por eles.

Para descobrir se existia massa suficiente no universo para interromper sua expansão, a primeira e mais importante tarefa era calcular quanto ele pesava, em média, ao longo do espaço. De acordo com o que aprendemos no capítulo 4, quanto mais matéria houver em forma de estrelas, gás, poeira e matéria escura, mais denso será o universo e mais a gravidade agirá para desacelerar o crescimento do espaço. Um universo mais vazio e leve no geral sentirá mais dificuldade para desacelerar. Talvez consiga diminuir apenas um pouco a velocidade de seu crescimento. Existe uma coisa chamada "densidade crítica", que é a quantidade exata de matéria para desacelerar o crescimento do universo apenas o suficiente para interromper sua expansão, mas não o suficiente para revertê-la. Um universo com tal densidade crítica também seria geometricamente plano, como a versão tridimensional da superfície do pedaço de papel que vimos no capítulo 4. Num universo desse tipo, a luz viaja em linhas paralelas.

Os astrônomos e os físicos calcularam que a densidade crítica do universo correspondia ao equivalente a seis átomos de hidrogênio por metro cúbico de espaço. Um universo mais denso que isso acabaria entrando em colapso e culminaria num *big crunch*. Um universo mais leve continuaria a crescer para sempre, embora cada vez mais devagar. Essas projeções para o futuro do universo foram ensinadas como sendo o padrão em escolas e universidades até o início dos anos 2000. Tudo que faltava era que se fizesse um cálculo de quanto tudo no universo pesava em média.

A possibilidade de que talvez nosso universo tivesse essa densidade crítica perfeitamente equilibrada parecia bem atraente nos anos 1990, porque era o que se achava que a famosa teoria inflacionária previa. Ela era teoricamente atraente por inúmeros motivos. Mas também existiam alguns indícios de que havia alguma coisa errada. Depois de estudarem as posições de 2 milhões de galáxias situadas numa região que abrange um décimo do céu, por meio de fotografias tiradas por um instrumento chamado Automatic Plate Measuring, os astrônomos britânicos George Efstathiou, Steve Maddox e colegas concluíram, em 1990, que, no geral, a densidade do universo deve ser menor que metade da densidade crítica. Além disso, alguém fez uma curiosa observação: a idade do universo não estava fazendo sentido. A taxa de expansão dele parecia indicar aos astrônomos que o big bang acontecera havia menos de 10 bilhões de anos. Mas, pela observação da idade das estrelas, era evidente que algumas delas haviam nascido mais de 12 bilhões de anos antes.

No final dos anos 1990, os dois experimentos a bordo de balões para captar a radiação cósmica de fundo em micro-ondas que abordamos no capítulo 4 estavam sendo preparados para pesar o universo com mais precisão. Antes de coletarem os dados, no entanto, duas equipes de astrônomos apresentaram resultados fascinantes depois de medirem distantes e luminosas supernovas tipo Ia. Essas são supernovas que encontramos no capítulo 1, aquele tipo específico usado pelos astrônomos para medir as maiores distâncias no espaço, provavelmente criadas quando uma estrela anã branca adquiriu massa de uma estrela companheira. Usando um conjunto de telescópios sensíveis, as duas equipes rivais fizeram uma nova série de observações de supernovas ao longo da década. Um dos grupos, chamado High-z, era liderado por Brian Schmidt no Observatório Monte Stromlo, na Austrália. Seus vinte astrônomos usaram o Telescópio Víctor M. Blanco, de quatro metros de diâmetro, no Chile, encontrando supernovas cuja luz foi emitida havia 7 bilhões de anos, quando o universo tinha metade da sua idade atual. A segunda equipe era o Projeto Cosmológico de Supernova, um grupo de cerca de trinta pessoas liderado por Saul Perlmutter, na Universidade da Califórnia em Berkeley, que usou telescópios tanto no Chile quanto nas Ilhas Canárias para descobrir supernovas. Uma vez encontradas, os dois grupos resolveram checá-las com o Telescópio Espacial Hubble e com os telescópios de dez metros do Observatório W. M. Keck, os maiores da Terra, que ficam no Havaí.

Em vez de usarem essas supernovas para medir o peso do universo, as equipes almejavam verificar quanto a taxa de expansão do universo estava diminuindo de velocidade. No capítulo 4, vimos a ideia da lei de Hubble, segundo a qual todas as galáxias estão, no geral, se afastando umas das outras, com as mais distantes parecendo se afastar mais depressa. A taxa de expansão do universo se resume à velocidade com que as galáxias estão se afastando, dadas as suas distâncias a partir de nós. Podemos determinar a distância usando a luminosidade de uma supernova e verificando como essa luminosidade varia ao longo do tempo, depois da explosão inicial, e encontrar a velocidade aparente usando o desvio espectral para o vermelho da luz da supernova. Para averiguar quanto o universo está desacelerando, faríamos uma comparação entre a taxa de expansão medida com galáxias muitos distantes e a taxa medida com galáxias mais próximas. A luz das mais distantes, emitida há muito tempo, indica a taxa de expansão no passado. A luz das mais próximas, emitida mais recentemente, revela a taxa de expansão "atual".

Ambas as equipes de supernovas estavam esperando medir uma taxa de expansão mais rápida no passado, porque quase todo mundo achava que a expansão do espaço devia estar perdendo velocidade. A questão principal era saber quanto ela estava desacelerando. O que descobriram foi incrivelmente surpreendente. Quando examinaram seus dados com atenção, os dois grupos chegaram à mesma conclusão. Eles descobriram que a taxa de expansão do universo era aparentemente mais lenta no passado, e não mais rápida. O crescimento do universo estava, na verdade, aumentando de velocidade. Isso era tão estranho quanto lançar uma bola para o alto que, em vez de perder velocidade e começar a cair, ganhasse cada vez mais velocidade, subindo sem parar e afastando-se cada vez mais rápido da Terra.

As duas equipes anunciaram seus resultados em 1998, os quais despertaram enorme entusiasmo e interesse na comunidade astronômica. Elas haviam feito uma descoberta fascinante, pois nada do que se conhecia no universo poderia acelerar o crescimento do espaço. Bem, quase nada. Tudo em nosso inventário cósmico que inclui átomos normais, matéria escura, neutrinos ou luz possui uma força de gravidade que tende a desacelerar a expansão do espaço. Uma das únicas coisas que poderia fazer o espaço crescer era a estranha constante cosmológica de Einstein, também conhecida como lambda. Voltamos ao fator inventado por Einstein que ele havia introduzido em suas equações da relatividade geral para equilibrar a atração gravitacional, de modo que não precisasse concluir que o espaço estava em expansão. Ele rapidamente eliminara a constante cosmológica de seus cálculos depois de ver as observações de galáxias distantes feitas por Edwin Hubble.

Nos anos imediatamente anteriores à descoberta da supernova, astrônomos como George Efstathiou, de Cambridge, haviam tentado reutilizar a constante de Einstein. Isso levava todas as observações a fazer mais sentido, mas nem todo mundo tinha comprado a ideia. Agora, com os novos resultados das supernovas, a ideia se tornara mais convincente para a comunidade astronômica. A constante de Einstein parecia estar de volta. Ela descreve a energia do próprio espaço vazio. Se você pegar um pedaço do espaço aparentemente vazio, é possível que ele apresente certa quantidade de energia que chamamos de "energia de vácuo". Essa energia teria a capacidade de fazer o espaço crescer mais depressa. Seu comportamento seria de alguma forma parecido com o da energia que pode ter desencadeado a expansão inicial do universo.

Os cálculos das equipes de supernovas mostraram que cerca de dois terços da energia existente hoje no universo parecem ser compostos dessa energia de vácuo. Somado à matéria normal e à matéria escura, isso acabou totalizando a quantidade certa de energia para fornecer ao universo a densidade crítica perfeita para que sua geometria seja plana. Era a peça

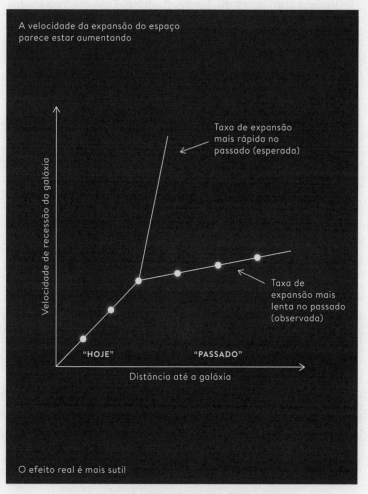

Desenho demonstrando como descobrimos que a expansão do espaço está aumentando de velocidade; a velocidade de recessão de galáxias distantes revela a taxa no passado, a de galáxias próximas indica a taxa atual.

que faltava no quebra-cabeça cósmico: as coisas começavam a fazer sentido.

Em outubro de 1998, depois da divulgação dos resultados, Jim Peebles e o cosmólogo norte-americano Mike Turner deram sequência ao Grande Debate de 1920 entre Harlow Shapley e Heber Curtis. No evento, realizado no mesmo auditório, o Museu Nacional de História Natural do Instituto Smithsoniano, em Washington, DC, o novo tema em discussão foi "O Grande Debate: A cosmologia está resolvida?". Mike Turner argumentou que "sim", que a cosmologia estava resolvida, a constante de Einstein estava de volta e o universo tinha densidade crítica. Jim Peebles defendeu que "não", que eram precisos novos trabalhos e novas observações para convencê-lo de que a constante cosmológica de Einstein era realmente necessária.

Os resultados dos experimentos a bordo de balões para captar a micro-onda cósmica de fundo acabariam dando sustentação a essa imagem de um universo geometricamente plano, e evidências adicionais vieram à tona em 2003, através da Sonda Wilkinson de Anisotropia de Micro-ondas (Wilkinson Microwave Anisotropy Probe, WMAP), da Nasa, a sucessora do satélite Cobe. Projetada para medir as características da radiação cósmica de fundo com fidelidade muito maior, ela recebeu esse nome em homenagem ao físico David Wilkinson, da Universidade Princeton, que mediu a radiação junto com Bob Dicke em 1965 e era vital para a missão, mas que acabou falecendo em 2002, enquanto o satélite ainda estava observando o céu. A equipe de cientistas que trabalhava na WMAP, liderada por Charles Bennett no Centro de Voo Espacial Goddard, concluiu que as alterações observadas nas ínfimas variações de temperatura da RCFM só poderiam ser explicadas se nosso universo contivesse tanto matéria escura quanto uma energia de vácuo. Eles também descobriram que a energia de vácuo constitui aproximadamente dois terços da energia atual do universo.

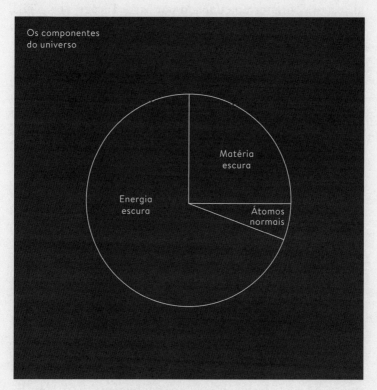

Componentes atuais do universo.

Dentro de poucos anos, surgia uma nova realidade. A velocidade do crescimento de nosso universo está aumentando, e do último terço de sua vida até agora sua energia parece ter sido dominada por essa energia de vácuo ou constante cosmológica. Os astrônomos também se referem a isso como "energia escura", um termo cunhado por Mike Turner, pois ainda não podemos afirmar com certeza absoluta se ela é uma energia de vácuo pura ou talvez alguma outra coisa, um novo ingrediente do universo. Energia escura é um nome genérico para qualquer coisa que possa explicar o crescimento acelerado do espaço.

Um dos problemas teóricos da energia escura é sua quantidade, que ainda não faz sentido. Algumas explicações possíveis para o porquê de o espaço vazio poder ter sua própria energia têm a ver com a rápida criação e eliminação de partículas de acordo com as leis da mecânica quântica. Mas essas explicações levam à conclusão de que ou nosso universo seria inteiramente dominado por essa energia de vácuo, ou seus efeitos seriam nulos. Ainda não existe nenhuma teoria de qualidade para explicar por que a energia escura deveria ter praticamente a mesma importância, em termos de sua porcentagem dentro do total de energia do universo, que a matéria visível e a matéria invisível no espaço. Trata-se de uma grande questão pendente.

A existência dessa matéria, contudo, não deve nos preocupar muito. A energia escura não exerce nenhum efeito evidente sobre nós em nosso sistema solar ou mesmo na Galáxia. Ela produz mais efeitos indiretos, como a inibição do amontoamento de grandes aglomerados de galáxias, dado que sua tendência a esticar o espaço cada vez mais rápido evita que a gravidade reúna objetos cósmicos cada vez maiores. Enquanto ainda não sabemos no que ela consiste, a energia escura é como uma coceira irritante, um indicador de que algo maior pode estar errado com toda a nossa visão do espaço e das leis da física que o descrevem. Vários físicos estão trabalhando com a possibilidade de que a lei da gravidade de Einstein não seja de todo completa, de que ela possa, por exemplo, precisar de ajustes para conseguir explicar como a matéria se comporta quando a força de gravidade é muito fraca. Talvez um ajuste desse tipo possa mimetizar os efeitos da energia escura.

Para ajudar a resolver esses quebra-cabeças, um programa extensivo está em andamento, projetado para ficar pronto ainda na década de 2020, com o objetivo de medir melhor quão depressa tem crescido o universo ao longo de sua história, bem como as grandes estruturas cósmicas. Um dos instrumentos desenvolvidos para essa missão é o Observatório Vera C. Rubin (que faz parte do projeto Legacy Survey of Space and Time, LSST), que está sendo construído no Chile e deve começar a olhar para o céu em meados da década de 2020. O Vera C. Rubin será realmente imenso. O telescópio inteiro alcança a altura de um prédio de cinco andares e possui um espelho de oito metros para captar luz. Sua câmera medirá a luz visível e será tão grande quanto um carro, com seus 3 bilhões de pixels, o maior número de pixels já inseridos dentro de uma câmera digital. Esse telescópio gigantesco vai varrer todo o céu observável a partir do Chile em determinadas noites e será capaz de observar bilhões de galáxias. Ele será incrivelmente valioso não apenas para entendermos o que a energia escura pode ser, mas também para identificarmos eventos cósmicos no céu que mudam todos os dias, como vigorosas explosões estelares. O Vera C. Rubin nos ajudará a conhecer ainda melhor nosso universo.

Todas as nossas observações do céu nos dizem que nosso momento de vida atual, o momento dos seres humanos, habitantes da Terra, se situa a quase 14 bilhões de anos na história do nosso universo e a cerca de 5 bilhões de anos na história do sistema solar.

Hoje temos uma ideia bem formada de quando e como nosso planeta veio parar aqui, mas também faz parte da nossa natureza imaginar o que poderá acontecer no futuro. Felizmente, as leis da física são confiáveis o suficiente para que possamos fazer previsões certeiras. Podemos ter bastante certeza de algumas coisas. Nas próximas centenas de anos mais ou menos, é possível que exploda uma supernova na Galáxia. Isso será magnífico de assistir e também muito valioso para entendermos os mecanismos internos dessas estrelas em explosão. Em algum momento nas próximas centenas de milhares de anos, a estrela vermelha Betelgeuse, em Órion, também se tornará uma supernova, iluminando o céu por dias ou semanas. Alguns de nossos afortunados descendentes talvez estejam por perto e consigam vê-la.

Em aproximadamente 200 milhões de anos, o sistema solar completará uma nova órbita ao redor da Via Láctea. A essa altura, as constelações conhecidas no céu noturno da Terra já terão sofrido mudanças. Muitos dos mesmos vizinhos celestes ainda estarão ao nosso redor, mas o Sol não permanecerá numa posição completamente fixa em relação ao fundo dessas estrelas próximas. É muito possível que, durante esse período de tempo, a Terra também seja atingida por grandes objetos rochosos que viajam pelo sistema solar.

Mais adiante, dentro de 4 bilhões ou 5 bilhões de anos, o Sol por fim ficará sem combustível em seu centro e inchará até se transformar numa gigante vermelha. A seguir, terminará seus dias como uma anã branca. Num prazo semelhante, a Via Láctea primeiro consumirá as Nuvens de Magalhães e depois entrará em colisão com Andrômeda, dando origem a uma galáxia elíptica novinha em folha. A Terra será pouco afetada pela colisão com Andrômeda, mas sofrerá um grande impacto causado pelo crescimento do Sol. Ela ou será absorvida pelo Sol ainda maior, ou acabará perigosamente perto de sua borda. Será um lugar completamente inóspito. Mesmo antes disso, o Sol ficará cada vez mais quente, limitando as opções de vida no nosso planeta.

Ainda não sabemos se, no futuro muito distante, o universo continuará a crescer. No momento, parece que sim, já que no geral todas as galáxias estão se afastando cada vez mais umas das outras. Pode haver uma época, nesse futuro longínquo, em que um astrônomo situado numa galáxia como a nossa não consiga ver nenhuma outra galáxia, já que todas elas terão se esfumado, desaparecendo no horizonte cósmico à medida que o espaço cresce cada vez mais rápido. Felizmente, essa época ainda não chegou, e o universo ainda está bem dentro do nosso alcance.

Epílogo

Em direção ao futuro

A comunidade de astrônomos percorreu um enorme caminho para ampliar o conhecimento do universo e do nosso lugar nele. É extraordinário pensar que, um século atrás, nem sequer sabíamos da existência de outras galáxias além da nossa, não tínhamos ideia de como as estrelas criavam sua luz e não estávamos cientes de que o espaço está se expandindo. Mesmo nos últimos vinte anos, transformamos bastante nosso conhecimento de coisas básicas, como a idade do universo, a natureza dos sistemas solares ao redor de outras estrelas e os ingredientes fundamentais do universo. Hoje podemos traçar a evolução do universo desde seus primeiros instantes até sua história de 14 bilhões de anos e entendemos como galáxias, estrelas e planetas como os nossos surgiram. Nossa compreensão de como as coisas funcionam no espaço tem dado saltos incríveis, permitindo que a astronomia evolua de uma ciência baseada sobretudo em observações empíricas para uma ciência assentada no conhecimento profundo do comportamento físico de objetos e de fenômenos que observamos no céu.

Esta é uma época de ouro para a astronomia, repleta de interesses e de possibilidades. Uma das coisas mais emocionantes é que há, sem sombra de dúvida, novos achados logo ali na esquina. Novos planetas continuarão a ser descobertos em ritmo acelerado, e talvez em breve apareçam sinais de condições que indiquem a possibilidade da existência de vida extraterrestre. Nos próximos anos, sem dúvida vamos detectar muitos outros sinais de ondas gravitacionais vindo de buracos negros e de estrelas de nêutrons em colisão no espaço, o que ampliará nossa visão e nosso conhecimento do universo. Esperamos descobrir em breve o que realmente são as partículas de matéria escura. E nos anos vindouros contamos enfim ver as primeiras galáxias que se formaram no universo.

Essas descobertas estão se tornando possíveis graças ao casamento de novos e magníficos telescópios com avanços cada vez maiores em computação. Os telescópios que estão sendo preparados para a próxima década abrangem todos os comprimentos de onda de luz, assim como ondas gravitacionais, e terão como objetivo observar em alta definição objetos específicos e fazer amplas varreduras de todo o céu. Destacam-se a rede de telescópios Square Kilometre Array, que medirá ondas de rádio, o Telescópio Espacial James Webb, que examinará a luz infravermelha, e o Observatório Vera C. Rubin, que registrará todos os comprimentos de onda de luz visível do céu. Para interpretar os dados, nossos computadores ficarão cada vez mais rápidos e potentes, possibilitando a realização de simulações cada vez melhores do cosmos e dos objetos em seu interior.

Haverá também descobertas que não estão logo ali na esquina, que precisarão de muito mais tempo para se concretizar. Poderemos levar décadas para observar em detalhes um planeta propício à vida. O mesmo se aplica à elaboração de uma história completa da criação da Via Láctea. Entender por que o universo está crescendo cada vez mais rápido e como ele começou a crescer em primeiro lugar provavelmente será um longo processo. Mas podemos prever avanços em direção a cada um desses objetivos, porque esse tipo de trabalho é um desenvolvimento contínuo para o qual todos contribuímos um pouco. Estamos sobre os ombros dos cientistas que nos antecederam, todos os quais contribuíram de alguma forma para armar as bases que nos sustentam e nos permitem ir ainda mais longe.

Quando olhamos para o futuro, passamos nossas ferramentas e nosso conhecimento para nossos alunos e fazemos planos para coisas que podem acontecer daqui a cinquenta ou cem anos, antecipando o sucesso daqueles que seguem nossos passos. Nosso passado está cheio de exemplos de astrônomos visionários e de físicos que não fizeram as descobertas com as quais tanto sonharam. Halley não conseguiu ver o trânsito de Vênus. Hale não chegou a ver seu incrível telescópio ser concluído. Zwicky nunca viu uma lente gravitacional. Mas nada disso é sinônimo de fracasso. Esses cientistas inspiraram novas gerações a seguir seu caminho e as prepararam para fazer suas próprias descobertas.

Enquanto seguimos em direção a novos conhecimentos, nossa experiência passada nos mostra que nosso quadro maior do universo e nossas leis da natureza talvez ainda precisem de grandes ajustes. Nossas observações são com certeza reais, e nossa interpretação atual delas retrata uma história consistente, mas é razoável supor que algumas mudanças futuras no quadro maior ainda estão por acontecer. As descobertas mais emocionantes são as mais inesperadas, aquelas que podem mudar radicalmente nossa visão do que acreditávamos ser verdade e acabar nos proporcionando uma melhor compreensão do mundo lá fora. Esperamos ansiosamente por elas.

Agradecimentos

Este livro surgiu graças à minha amiga e agente Rebecca Carter. Ela fez uma ideia se tornar realidade, guiando-me e encorajando-me a escrever. Chloe Currens e Tom Penn, da Penguin, assim como Ian Malcolm, da Harvard University Press, têm sido editores inestimáveis. Suas inúmeras sugestões melhoraram muito a obra, e sou especialmente grata a Chloe por me conduzir até o final. Obrigada também à minha agente norte-americana Emma Parry e à excelente equipe de produção da Penguin.

Agradeço aos amigos da universidade que me faziam perguntas sobre o espaço e que me ajudaram a descobrir a diversão que é explicar as maravilhas do universo. Eu sempre os tinha em mente quando escrevia, sobretudo Tom Harvey, Lou Oliver e Dan Smith. Também sou grata aos alunos das escolas que visitei e às pessoas presentes em conferências públicas por fazerem perguntas tão interessantes. Muitas ideias para simplificar conceitos neste livro vieram de um curso de aperfeiçoamento de professores em astronomia que dei na Universidade Princeton em 2008, ao lado da professora de ciências Ilene Levine, com orientação da educadora Lindsay Bartolone. Meus agradecimentos a David Spergel por me encorajar nisso.

Sou grata ao departamento de física da Universidade de Oxford, que integrei até 2016, por transformar o engajamento público em ciência numa parte integral de nossa vida acadêmica. Pedro Ferreira, em Oxford, me mostrou que é possível fazer pesquisa e escrever ao mesmo tempo. Andrea Wulf me apresentou à incrível história das expedições dos trânsitos de Vênus. Agradeço a colegas e a companheiros astrônomos por ideias ou comentários, entre eles Neta Bahcall, George Efstathiou, Ryan Foley, Wendy Freedman, Patrick Kelly, Jim Peebles, Michael Strauss, Joe Taylor e Josh Winn. Este livro não teria sido concluído sem a valiosa contribuição dos estudantes da pós-graduação em ciências astrofísicas da Universidade Princeton. Goni Halevi, Brianna Lacy, Luke Bouma, Johnny Greco, Qiana Hunt, Louis Johnson, Christina Kreisch, Lachlan Lancaster e David Vartanyan me ajudaram a verificar detalhes e fizeram sugestões que engrandeceram o livro. Qualquer erro remanescente é de responsabilidade minha.

Equilibrar pesquisa, escrita e maternidade só tem sido possível com o apoio de meu marido, Fara Dabhoiwala, cujas conquistas como escritor me inspiraram a me arriscar nesse caminho. Ele, minhas filhas e minhas enteadas enchem minha vida de alegria; eles são meu universo.

Recursos educacionais e leituras adicionais

Recursos educacionais

Várias ideias presentes neste livro foram desenvolvidas com ajuda da educadora Lindsay Bartolone, da Nasa, e da professora Ilene Levine, para o curso "Nosso lugar no espaço", financiado pela Nasa e realizado em 2008 e 2009. O curso fez parte do programa Quest de desenvolvimento profissional para professores, da Universidade Princeton, elaborado pelo Programa de Preparação de Professores. Os cursos foram baseados em materiais preparados por educadores do centro de ensinamento Universe Forum, do Centro de Astrofísica Harvard-Smithsonian, e por muitos outros educadores de ciências. A seguir, encontram-se exemplos específicos:

A ideia de reduzir a escala do sistema solar, apresentada no capítulo 1, é proveniente de *The Thousand-Yard Model or, the Earth as a Peppercorn*, de Guy Ottewell (Universal Workshop, disponível em: <www.universalworkshop.com/guy-ottewell/the-thousand-yard-model-or-the-earth-as-a-peppercorn/>).

A ideia de reduzir a escala de domínios cada vez maiores do universo e de equipará-los a espaços de atividades humanas, apresentada no capítulo 1, é proveniente da atividade "Realms of the Universe", elaborada pelo Universe Forum (disponível em: <www.cfa.harvard.edu/seuforum/mtu>).

A ideia de simplificar a classificação das estrelas e reduzi-las a quatro tipos, apresentada no capítulo 2, é proveniente da atividade "Life Cycle of Stars", elaborada por educadores do Planetário Adler para o programa "Astronomy Connections: Gravity and Black Holes", de 2001.

A ideia de comparar o universo com uma comprida faixa elástica, apresentada no capítulo 4, é proveniente da atividade "Modeling the Expanding Universe", desenvolvida por educadores do Centro de Astrofísica Harvard-Smithsonian para o *Cosmic Questions Educator's Guide* (disponível em: <www.cfa.harvard.edu/seuforum/mtu/>).

Referências e leituras adicionais

Livros

BARROW, John. *The Book of Nothing*. Londres: Vintage, 2001.

BEGELMAN, Mitchell; REES, Martin. *Gravity's Fatal Attraction: Black Holes in the Universe*. Cambridge: Cambridge University Press, 2009.

CLOSE, Frank. *Neutrino*. Oxford: Oxford University Press, 2012.

COLES, Peter. *Cosmology: A Very Short Introduction*. Oxford: Oxford University Press, 2001.

FERGUSON, Kitty. *Measuring the Universe*. Londres: Headline, 1999.

FERREIRA, Pedro. *The State of the Universe*. Londres: Weidenfeld & Nicolson, 2006.

_____. *The Perfect Theory*. Londres: Little Brown, 2014.

FREESE, Katherine. *The Cosmic Cocktail*. Princeton: Princeton University Press, 2014.

HARAMUNDANIS, Katherine (Org.). *Cecilia Payne-Gaposchkin*. Cambridge: Cambridge University Press, 1984.

HARVEY SMITH, Lisa. *When Galaxies Collide*. Melbourne: Melbourne University Publishing, 2018.

HAWKING, Stephen. *A Brief History of Time*. Nova York: Bantam, 1988. [Ed. bras.: *Uma breve história do tempo*. Rio de Janeiro: Intrínseca, 2015.]

HIRSHFIELD, Alan. *Parallax*. Nova York: Freeman, 2001.

JOHNSON, George. *Miss Leavitt's Stars*. Nova York: W. W. Norton, 2006.

LEMONICK, Michael. *Echo of the Big Bang*. Princeton: Princeton University Press, 2003.

LEVIN, Janna. *Black Hole Blues*. Nova York: Alfred A. Knopf, 2016.

_____. *How the Universe got Its Spots*. Londres: Weidenfeld & Nicolson, 2002.

MILLER, Arthur I. *Empire of the Stars*. Londres: Abacus, 2007.

PANEK, Richard. *The 4 Percent Universe*. Boston: Houghton Mifflin Harcourt, 2011.

PEEBLES, P. James; PAGE, Lyman; PARTRIDGE, Bruce (Orgs.). *Finding the Big Bang*. Cambridge: Cambridge University Press, 2009.

SOBEL, Dava. *The Glass Universe*. Londres: Penguin, 2016.

TYSON, Neil deGrasse; STRAUSS, Michael; GOTT, J. Richard. *Welcome to the Universe*. Princeton: Princeton University Press, 2016.

WEINBERG, Steven. *The First Three Minutes*. Nova York: Basic, 1993.

WULF, Andrea. *Chasing Venus*. Nova York: Knopf, 2012.

Seleção de artigos de revistas científicas

Muitos desses artigos estão disponíveis on-line de forma gratuita. Podem ser encontrados na biblioteca digital Astrophysics Data System da SAO/Nasa (adsabs.harvard.edu/abstract_service.html) ou via o serviço arXiv (arxiv.org). Estão listados na ordem em que aparecem no livro.

1. Nosso lugar no espaço [pp. 25-78]

HALLEY, Edmund. "A New Method of Determining the Parallax of the Sun", *Philosophical Transactions of the Royal Society of London*, v. XXIX, n. 348, p. 454, 1716 (referência p36, traduzida do latim).

WALSH, Kevin et al. "A Low Mass for Mars from Jupiter's Early Gas-driven Migration", *Nature*, v. 475, n. 7355, pp. 206-9, 2011.

BROWN, Michael; TRUJILLO, Chad; RABINOWITZ, David. "Discovery of a Planetary-Sized Object in the Scattered Kuiper Belt", *Astrophysical Journal*, v. 635, pp. L97-L100, 2005.

BROWN, Michael; BATYGIN, Konstantin. "Evidence for a Distant Giant Planet in the Solar System", *Astronomical Journal*, v. 151, n. 2, pp. 22-34, 2016.

GAIA COLLABORATION. "Gaia Data Release 2: Summary of the Contents and Survey Properties", *Astronomy & Astrophysics*, v. 616, p. A1, 2018.

LEAVITT, Henrietta S. "1777 Variables in the Magellanic Clouds", *Annals of Harvard College Observatory*, v. 60, n. 4, pp. 87-108, 1908.

_____. "Periods of 25 Variable Stars in the Small Magellanic Cloud", *Harvard College Observatory Circular*, v. 173, pp. 1-3, 1912.

SHAPLEY, Harlow. "Globular Clusters and the Structure of the Galactic System", *Publications of the Astronomical Society of the Pacific*, v. 30, n. 173, pp. 42-54, 1919.

HUBBLE, Edwin. "NGC 6822, a Remote Stellar System", *Astrophysical Journal*, v. 62, pp. 409-33, 1925.

_____. "Extragalactic Nebulae", *Astrophysical Journal*, v. 64, p. 321, 1926.

TULLY, R. Brent; COURTOIS, Hélène; HOFFMAN, Yehuda; POMARÈDE, Daniel. "The Laniakea Supercluster of Galaxies", *Nature*, v. 513, pp. 71-3, 2014.

2. Somos feitos de estrelas [pp. 79-135]

PICKERING, Edward C.; CANNON, Annie J. "Spectra of Bright Southern Stars", *Annals of Harvard College Observatory*, v. 28, pp. 129-31, 1901.

ROSENBERG, Hans. "On the Relation between Brightness and Spectral Type in the Pleiades", *Astronomische Nachrichten*, v. 186, p. 71, 1910.

RUSSELL, Henry N. "Relations between the Spectra and Other Characteristics of the Stars", *Popular Astronomy*, v. 22, n. 6, pp. 331-51, 1914.

PAYNE-GAPOSCHKIN, Cecilia. *Stellar Atmospheres: A Contribution to the Observational Study of High Temperature in the Reversing Layers of Stars*. Cambridge, MA: Radcliffe College, 1925. 215 pp. Tese (Doutorado em Astrofísica).

EDDINGTON, Arthur. "The Internal Constitution of the Stars", *The Observatory*, v. 43, n. 557, pp. 341-58, 1920.

BETHE, Hans. "Energy Production in Stars", *Physical Review*, v. 55, pp. 434-56, 1939.

CHANDRASEKHAR, Subrahmanyan. "The Maximum Mass of Ideal White Dwarfs", *Journal of Astrophysics and Astronomy*, v. 74, n. 1, pp. 81-2, 1931.

SODERBERG, Alicia et al. "An Extremely Luminous X-Ray Outburst at the Birth of a Supernova", *Nature*, v. 453, n. 7194, pp. 469-74, 2008.

BAADE, Walter; ZWICKY, Fritz. "Cosmic Rays from Super-Novae", *Proceedings of the National Academy of Sciences*, v. 20, pp. 259-63, 1934.

_____. "On Super-Novae", *Proceedings of the National Academy of Sciences*, v. 20, pp. 254-9, 1934.

PACINI, Franco. "Energy Emission from a Neutron Star", *Nature*, v. 216, n. 5115, pp. 567-8, 1967.

HEWISH, Antony; BELL, Jocelyn; PILKINGTON, John; SCOTT, Paul; COLLINS, Robin. "Observation of a Rapidly Pulsating Radio Source", *Nature*, v. 217, n. 5130, pp. 709-13, 1968.

EINSTEIN, Albert. "Die Feldgleichungen der Gravitation (The Field Equations of Gravitation)", *Sitzungsberichte der Preussischen Akademie der Wissenschaften zu Berlin*, v. 48/49, pp. 844-7, 1915.

LIGO; VIRGO COLLABORATIONS. "Observation of Gravitational Waves from a Binary Black Hole Merger", *Physical Review Letters*, v. 116, art. n. 061102, 2016.

HULSE, Russell; TAYLOR, Joseph. "Discovery of a Pulsar in a Binary System", *Astrophysical Journal*, v. 195, pp. L51-L53, 1975.

ABBOTT, Ben et al. "Multi-Messenger Observations of a Binary Neutron Star Merger", *Astrophysical Journal Letters*, v. 848, n. 2, pp. L12-L71, 2017.

WOLSZCZAN, Alexander; FRAIL, Dale. "A Planetary System Around the Millisecond Pulsar PSR1257+12", *Nature*, v. 355, n. 6356, pp. 145-7, 1992.

MAYOR, Michel; QUELOZ, Didier. "A Jupiter-Mass Companion to a Solar-Type Star", *Nature*, v. 378, n. 6555, pp. 355-9, 1995.

GILLON, Michael et al. "Temperate Earth-Sized Planets Transiting a Nearby Ultracool Dwarf Star", *Nature*, v. 533, n. 7602, pp. 221-4, 2016.

3. Vendo o invisível [pp. 137-73]

ZWICKY, Fritz. "Die Rotverschiebung von extragalaktischen Nebeln (The Redshift of Extragalactic Nebulae)", *Helvetica Physica Acta*, v. 6, pp. 110-27, 1933. Republicado em tradução para o inglês em *General Relativity Gravitation*, v. 41, pp. 207-24, 2009.

RUBIN, Vera; FORD, Kent; THONNARD, Norbert. "Extended Rotation Curves of High-Luminosity Spiral Galaxies", *Astrophysical Journal*, v. 225, pp. L107-L111, 1978.

PEEBLES, Phillip J.; OSTRIKER, Jeremiah; YAHIL, Amos. "The Size and Mass of Galaxies, and the Mass of the Universe", *Astrophysical Journal*, v. 193, pp. L1-L4, 1974.

DAVIS, Marc; HUCHRA, John; LATHAM, David; TONRY, John. "Survey of Galaxy Redshifts. II — The Large Scale Space Distribution", *Astrophysical Journal*, v. 253, pp. 423-45, 1981.

DAVIS, M.; EFSTATHIOU, George; FRENK, Carlos; WHITE, Simon. "The Evolution of Large-Scale Structure in a Universe Dominated by Cold Dark Matter", *Astrophysical Journal*, v. 292, pp. 371-94, 1985.

SPRINGEL, Volker et al. "First Results from the IllustrisTNG Simulations: Matter and Galaxy Clustering", *Monthly Notices of the Royal Astronomical Society*, v. 475, n. 1, pp. 676-98, 2018.

DYSON, Frank; EDDINGTON, Arthur; DAVIDSON, Charles. "A Determination of the Deflection of Light by the Sun's Gravitational Field, from Observations Made at the Total Eclipse of May 29", *Philosophical Transactions of the Royal Society A*, v. 220, pp. 291-333, 1920.

EINSTEIN, A. "Lens-Like Action of a Star by the Deviation of Light in the Gravitational Field", *Science*, v. 84, n. 2188, pp. 506-7, 1936.

ZWICKY, Fritz. "On the Masses of Nebulae and of Clusters of Nebulae", *Astrophysical Journal*, v. 86, pp. 217-46, 1937.

WALSH, Dennis; CARSWELL, Robert; WEYMANN, Ray. "0957 + 561 A, B — Twin Quasistellar Objects or Gravitational Lens?", *Nature*, v. 279, n. 5712, pp. 381-4, 1979.

KELLY, Patrick et al. "Multiple Images of a Highly Magnified Supernova Formed by an Early-Type Cluster Galaxy Lens", *Science*, v. 347, n. 6226, pp. 1123-6, 2015.

COWAN, Clyde; REINES, Frederick; HARRISON, Francis; KRUSE, Herald; MCGUIRE, Austin. "Detection of the Free Neutrino: A Confirmation", *Science*, v. 124, n. 3212, pp. 103-4, 1956.

BAHCALL, John; DAVIS, Raymond. "Solar Neutrinos: A Scientific Puzzle", *Science*, v. 191, n. 4224, pp. 264-7, 1976.

SUPER-KAMIOKANDE COLLABORATION. "Evidence for Oscillation of Atmospheric Neutrinos", *Physical Review Letters*, v. 81, n. 8, pp. 1562-7, 1998.

SNO COLLABORATION. "Direct Evidence for Neutrino Flavor Transformation from Neutral-Current Interactions in the Sudbury Neutrino Observatory", *Physical Review Letters*, v. 89, art. n. 011301, 2002.

CLOWE, Douglas et al. "A Direct Empirical Proof of the Existence of Dark Matter", *Astrophysical Journal*, v. 648, pp. L109-L113, 2006.

4. A natureza do espaço [pp. 175-223]

FRIEDMANN, A. "Über die Krümmung des Raumes (On the Curvature of Space)", *Zeitschrift für Physik*, v. 10, pp. 377-86, 1922.

LEMAÎTRE, Georges-Henri. "Un Univers homogène de masse constante et de rayon croissant rendant compte de la vitesse radiale des nébuleuses extra-galactiques (A Homogeneous Universe of Constant Mass and Increasing Radius Accounting for the Radial Velocity of Extra-galactic Nebulae)", *Annales de la Société Scientifique de Bruxelles*, v. A47, pp. 49-59, 1927. Tradução parcial em *Monthly Notices of the Royal Astronomical Society*, v. 91, n. 5, pp. 483-90, 1931.

SLIPHER, Vesto. "Spectrographic Observations of Nebulae", *Popular Astronomy*, v. 23, pp. 21-4, 1915.

HUBBLE, Edwin. "A Relation between Distance and Radial Velocity among Extra-Galactic Nebulae", *Proceedings of the National Academy of Sciences*, v. 15, pp. 168-73, 1929.

DE VAUCOULEURS, Gérard; BOLLINGER, G. "The Extragalactic Distance Scale. VII — The Velocity-Distance Relations in Different Directions and the Hubble Ratio within and without the Local Supercluster", *Astrophysical Journal*, v. 233, p. 433, 1979.

SANDAGE, Allan; TAMMANN, Gustav. "Steps toward the Hubble Constant. VIII — The Global Value", *Astrophysical Journal*, v. 256, pp. 339-45, 1982.

FREEDMAN, Wendy et al. "Final Results from the Hubble Space Telescope Key Project to Measure the Hubble Constant", *Astrophysical Journal*, v. 553, pp. 47-72, 2001.

ALPHER, Ralph; HERMAN, Robert. "Evolution of the Universe", *Nature*, v. 162, n. 4124, pp. 774-5, 1948.

PENZIAS, Arno; WILSON, Robert. "A Measurement of Excess Antenna Temperature at 4080 Mc/s", *Astrophysical Journal*, v. 142, pp. 419-21, 1965.

DICKE, Robert; PEEBLES, James; ROLL, Peter; WILKINSON, David. "Cosmic Black-Body Radiation", *Astrophysical Journal*, v. 142, pp. 414-9, 1965.

GUTH, Alan. "Inflationary Universe: A Possible Solution to the Horizon and Flatness Problems", *Physical Review D*, v. 23, n. 2, pp. 347-56, 1981.

IJJAS, Anna; STEINHARDT, Paul. "Bouncing Cosmology Made Simple", *Classical and Quantum Gravity*, v. 35, n. 13, p. 135 004, 2018.

DE BERNARDIS, Paolo et al. "A Flat Universe from High-Resolution Maps of the Cosmic Microwave Background Radiation", *Nature*, v. 404, n. 6781, pp. 955-9, 2000.

HANANY, Shaul et al. "MAXIMA-I: A Measurement of the Cosmic Microwave Background Anisotropy on Angular Scales of 10'-5°", *Astrophysical Journal*, v. 545, pp. L5-L9, 2000.

5. Do início ao fim [pp. 225-63]

ALPHER, Ralph A.; BETHE, Hans; GAMOW, George. "The Origin of Chemical Elements", *Physical Review*, v. 73, n. 7, pp. 803-4, 1948.

PEEBLES, James. "Primeval Helium Abundance and the Primeval Fireball", *Physical Review Letters*, v. 16, p. 410, 1966.

SILK, Joseph. "Cosmic Black-Body Radiation and Galaxy Formation", *Astrophysical Journal*, v. 151, p. 459, 1968.

PEEBLES, J.; YU, J. "Primeval Adiabatic Perturbation in an Expanding Universe", *Astrophysical Journal*, v. 162, pp. 815-36, 1970.

SMOOT, George et al. "Structure in the Cobe Differential Microwave Radiometer First-Year Maps", *Astrophysical Journal*, v. 396, pp. L1-L5, 1992.

MADAU, Piero; REES, Martin. "Massive Black Holes as Population III Remnants", *Astrophysical Journal*, v. 551, pp. L27-L30, 2001.

GUNN, James; PETERSON, Bruce. "On the Density of Neutral Hydrogen in Intergalactic Space", *Astrophysical Journal*, v. 142, pp. 1633-6, 1965.

BECKER, Robert et al. "Evidence for Reionization at z ∼ 6: Detection of a Gunn-Peterson Trough in a z=6.28 Quasar", *Astronomical Journal*, v. 122, n. 6, pp. 2850-7, 2001.

MADDOX, Steve; EFSTATHIOU, George; SUTHERLAND, Will; LOVEDAY, Jon. "Galaxy Correlations on Large Scales", *Monthly Notices of the Royal Astronomical Society*, v. 242, pp. 43-7, 1990.

RIESS, Adam et al. "Observational Evidence from Supernovae for an Accelerating Universe and a Cosmological Constant", *Astronomical Journal*, v. 116, pp. 1009-38, 1998.

PERLMUTTER, Saul et al. Measurements of Ω and Λ from 42 High-Redshift Supernovae", *Astrophysical Journal*, v. 517, pp. 565-86, 1999.

EFSTATHIOU, George; SUTHERLAND, Will; MADDOX, Steve. "The Cosmological Constant and Cold Dark Matter", *Nature*, v. 348, n. 6303, pp. 705-7, 1990.

SPERGEL, David et al. "First-Year Wilkinson Microwave Anisotropy Probe (WMAP) Observations: Determination of Cosmological Parameters", *Astrophysical Journal Supplement Series*, v. 148, pp. 175-94, 2003.

Índice remissivo

51 Pegasi b (planeta), 129, 131
61 Cygni (sistema estelar), 60

A

Abd al-Rahman al-Sufi, 13
absorção, padrões estelares de, 101
Abu Sa'id al-Sijzi, 13
ácido sulfúrico, 44, 134
Adam, John Couch, 53
África, 10, 160
África do Sul, 40, 90, 240
Agência Espacial Europeia, 44, 50, 61, 113, 165; Euclid (satélite), 165; Gaia (satélite), 61, 113; Venus Express (espaçonave), 44-5; XMM-Newton, Observatório
Aglomerado da Bala, 172, 173
"aglomerados globulares", 67
água, 28, 46, 51-2, 61, 81, 87-8, 95, 132, 134, 167, 209, 231; em Marte, 46
Akatsuki (sonda japonesa), 45
Alemanha, 39, 85, 90, 125; Observatório Europeu do Sul, 85, 125; Telescópio Extremamente Grande [Extremely Large Telescope] (Observatório Europeu do Sul), 85
Almagesto (Ptolomeu), 12-3
Alpha Centauri (sistema estelar), 57, 60-1
Alpher, Ralph, 200, 204, 230-1

Amaldi, Eduardo, 166
amanhecer cósmico, 240-1, 244
amarelas, estrelas, 102-3, 107-9
anãs brancas (estrelas), 73, 106-8, 110-1, 115, 125, 254, 262
anãs negras (estrelas), 107-8
Andrômeda (galáxia), 13, 68-70, 138, 140, 146, 148, 190, 197, 225, 249, 262
anel de Einstein, 163
anos-luz, 42, 57-8, 60-1, 63, 65, 67-8, 70, 72-5, 77, 107, 112-4, 122, 124, 126, 129, 134, 137, 142, 145, 162, 191, 195, 199, 208, 228, 239
Antártida, 217
Apache Point, Observatório (Novo México), 154
Apollo (espaçonave das missões na Lua), 28
arco-íris, 79, 81, 86, 98-9, 103, 130; ver também cores; luz
Arecibo, Observatório de (Porto Rico), 90, 122, 250
Aristarco de Samos, 12
Aristóteles, 11, 113
Arizona (EUA), 53, 113, 161, 188, 199
asteroides, 22, 31, 47, 51, 55; cinturão de, 46-8, 53-4
astrofísica, 17
astronomia: definição, 9; desenvolvimento histórico, 10-7; época de ouro para a, 265; futuro, 265-7

astrônomos, 17; amadores, 18; mulheres astrônomas, 18, 66, 98, 135, 147; profissionais, 18; treinamento de, 18
átomos: densidade, 109, 127, 238-9; fissão nuclear, 95; formação de, 230; fusão nuclear, 95; números de, 237
Austrália, 68, 90, 240, 250, 254
Automatic Plate Measuring, 253
avanços tecnológicos, 10, 16, 146
áxion, 171
Azerbaijão, 13
azuis, estrelas, 100, 102-3, 108-9, 112, 117, 142, 240

B

Baade, Walter, 115-6, 197-8
Babcock, Horace, 146
babilônios, 11
Bahcall, John, 85, 147, 167-8, 270
Barentine, John, 113
Becker, Robert, 243
Bell Burnell, Jocelyn, 117, 250
Bennett, Charles, 258
BepiColombo (missão), 43
Berger, Edo, 111
Bessel, Friedrich, 60
Betelgeuse (estrela), 9, 19, 112, 262
Bethe, Hans, 102, 231
big bang, 23, 193-4, 197-9, 200, 202-3, 206-7, 210, 221, 229-30, 232-3, 236-7, 240-1, 243, 252-4; luz fóssil, 204, 207; origem do termo, 194; primeiro trilionésimo de trilionésimo de bilionésimo de segundo, 208, 226-7; radiação cósmica de fundo, 206-7, 209, 215, 230-1, 233-4, 236-7, 254, 258; *ver também* inflação cósmica; universo
big crunch [grande implosão], 252-3

Bode, Johann, 52
Bohr, Niels, 16
bombas nucleares, 95
Bond, William, 15
Bondi, Hermann, 194
Boomerang (experimento), 217
bóson de Higgs, 171
Bouvard, Alexis, 53
Boyle, Willard, 16
Brahe, Tycho, 113-4
brancas, estrelas, 102-3, 108-10, 142, 240
Brown, Mike, 54-5
buracos negros, 10, 22, 63, 89, 92, 94, 118-20, 122, 123, 139-40, 142, 169, 175, 209, 249-50; binários, 119-20, 123, 250; colisão de, 20, 122; disco de acreção, 89, 119; efeitos do tempo, 118; formação de, 118; fracasso das leis da física em, 118; gravidade, 118; ondas gravitacionais, 119, 120
Burke, Bernie, 206
Burney, Venetia, 54

C

Cabeça de Cavalo, Nebulosa da, 127
Cachinhos Dourados (zona habitável do sistema solar), 134
cálcio, 92, 101
Calisto (lua de Júpiter), 50
Cambridge, Universidade de, 96, 98, 107, 117, 160, 178, 194, 200, 256
câmeras, 10, 16, 44, 84, 86-7, 91
campo ínflaton, 208-9, 210, 227-8
Canárias, Ilhas: vulcões das, 85, 254
Cannon, Annie Jump, 99-100, 101
Caranguejo, Nebulosa do, 113
carbono, 44, 87, 92, 104, 106, 108-9, 127, 138, 230, 239-40
Carswell, Robert, 161

Cassini (missão), 50-1, 57

Cassiopeia (constelação), 69

catálogos: de Ptolomeu, 12, 13; *Draper Catalogue of Stellar Spectra* [Catálogo Draper do espectro das estrelas] (catálogo de 1890), 99; Messier de, 69, 70; primeiros, 99

CDD (*charge coupled device*) [dispositivo de carga acoplada], 16, 87

cefeidas, estrelas, 66-7, 71, 73-4, 98, 176, 191, 197-9

Centro de Astrofísica de Harvard, 152

Ceres (planeta-anão), 47, 54

céu noturno, 9-12, 22, 32, 34, 39, 46, 50, 52, 55-6, 61, 63-6, 69-70, 88, 112, 128, 175, 247, 262

Chadwick, James, 166

Chandrasekhar, Subrahmanyan, 73, 107; limite de Chandrasekhar, 107, 110

Chile, 84-5, 124-5, 165, 210, 249, 254, 261; Grande Telescópio de Levantamento Sinóptico, 165; Observatório Las Campanas, 124; Telescópio Gigante de Magalhães, 84-5

China, 11, 13

cintilação, 34, 143

cinturão de asteroides, 46-8, 53-4

Cinturão de Kuiper, 53

Cinturão de Órion (constelação), 19, 61

Clowe, Douglas, 172

Cobe (satélite), 236, 258

Coma (aglomerado de galáxias), 145, 150, 161

cometas, 10, 31, 35, 51-2, 157

constante cosmológica, 177, 192, 256, 258, 260

constante de Hubble, 197-8

constelações, 13, 69, 262

Cook, James, 41

Copérnico, Nicolau, 13-4, 18, 57, 113-4; *De Revolutionibus Orbium Coelestium* [Das revoluções das esferas celestes], 13; revolução copernicana, 13

cores: de estrelas, 95, 101-3; temperatura de cada cor, 86-7; visíveis, 81, 86, 93

Cowan, Clyde, 166

Curtis, Heber, 70-1, 175, 258

curvatura do espaço, 211-3

D

Daguerre, Louis, 15

Dark Ages Lunar Interferometer [Interferômetro Lunar da Idade das Trevas], 238

Davis, Marc, 152

Davis, Ray, 167

De Revolutionibus Orbium Coelestium [Das revoluções das esferas celestes] (Copérnico), 13

decaimento beta, 166

Deimos (lua de Marte), 46

Delisle, Joseph-Nicolas, 39-41, 69

densidade crítica, 253, 256, 258

desvio espectral para o vermelho [*redshift* em inglês], 188-9, 255

diagrama de Hertzsprung-Russell, 101

diários astronômicos, primeiros, 11

Dicke, Robert, 204, 206-7, 258

dinâmica newtoniana modificada (*modified Newtonian dynamics*, Mond), 172

distâncias: Júpiter a partir da Terra, 32, 34, 42; Lua a partir da Terra, 28; Marte a partir da Terra, 32, 105; medição, 42; Mercúrio a partir da Terra, 32, 105; Netuno a partir da Terra, 32; Saturno a partir da Terra, 32, 42; Terra ao Sol, 32, 34, 42, 132; Urano a partir da Terra, 32; Vênus a partir da Terra, 32, 36-7, 105

Dixon, Jeremiah, 40-1

Doppler, efeito, 130, 148-9

Doroshkevich, Andrei, 204

Draper Catalogue of Stellar Spectra [Catálogo Draper do espectro das estrelas] (catálogo de 1890), 99

Draper, Henry, 99

Draper, John William, 15

Draper, Mary Anna, 99

E

eclipses, 10-1, 26, 96, 160

Eddington, Arthur, 96, 102, 107, 160, 178, 192

efeito Doppler, 130, 148-9

Effelsberg, telescópio de (Alemanha), 90

Efstathiou, George, 152, 253, 256, 270

Egito Antigo, 12, 25

Einstein, Albert, 16, 98, 102, 118-9, 123, 155, 157-8, 160, 172, 176-8, 192, 207, 256, 258, 261; anel de Einstein, 163; constante cosmológica, 177, 192, 256, 258, 260; teoria da gravidade, 118-9, 123, 155, 261; teoria da relatividade, 102; teoria da relatividade geral, 16, 119, 176-7, 256

elementos químicos, 22-3, 63, 99, 101-2, 109, 114, 125-7, 135, 138, 188, 230-2, 239-40; criação dos elementos primordiais, 230

elétrons, 92, 106, 110, 142, 169, 201, 230-1, 234, 237, 241; spin, 237

Encélado (lua de Saturno), 51

endereço cósmico, 76

energia escura, 260-1

energia excedente, 227-8

"Época da Reionização", 241

Eratóstenes, 25-7

Éris (planeta-anão), 54

esferas celestes, 12-3

espaço: como faixa elástica, 179-80; curvado negativamente, 212; curvado positivamente, 212; curvatura do, 211-3; definição, 157; deformação do, 119; densidade do, 234; escalas de, 20, 22; geometria do, 211, 215; plano, 211-2; topologia do, 211, 217; velocidade de expansão do, 194, 257; *ver também* universo

espectrômetros, 148

espectroscópio, 15, 131

Estados Unidos: Congresso dos, 85; Fundação Nacional de Ciência, 125; Maxima (experimento norte-americano de 1998), 217

estrelas: amarelas, 102-3, 107-9; anãs brancas, 73, 106-8, 110-1, 115, 125, 254, 262; anãs negras, 107, 108; azuis, 100, 102-3, 108-9, 112, 117, 142, 240; binárias, 60; brancas, 102-3, 108-10, 142, 240; brilho das, 56-7, 95, 100-1, 145, 191; catálogo de Ptolomeu, 12-3; cefeidas, 66-7, 71, 73-4, 98, 176, 191, 197-9; centro de, 127; ciclo de vida de, 125-6; classificação de, 99-100; composição de, 103-4, 106, 108; constelações, 13, 69, 262; cores de, 95, 100-3; da Via Láctea, 70, 104; de nêutrons, 94, 115-7, 122-5, 127, 129, 145, 250, 266; espectro das, 96, 99, 100; fusão de, 73; gigantes vermelhas, 104-5, 107, 109, 112, 127, 262; magnitudes de, 56, 82; mais brilhantes, 62; mais

282

próximas, 10, 19, 42, 58 63, 126, 160-1; mecanismos internos de, 262; números de, 55-6, 98, 145; nuvem berçário, 127; padrões de absorção, 128, 188-9, 240; pressão do gás, 95; primeiras, 240-; primeiros catálogos de, 11; pulsares, 117, 250; temperaturas de, 102-3, 109, 240; vermelhas, 102-3, 108, 142, 262; zona habitável em volta de, 134; *ver também* Sol; supernovas
estruturas cósmicas, 154, 168, 228, 261
"éter" (quinto elemento), 12
Euclid (satélite da Agência Espacial Europeia), 165
Europa, 10; Agência Espacial Europeia, 44, 50, 61, 113, 165; Observatório Europeu do Sul (Alemanha), 85, 125; Telescópio Extremamente Grande [Extremely Large Telescope] (Observatório Europeu do Sul, Alemanha), 85
Europa (lua de Júpiter), 50
Europa Clipper (missão da Nasa), 50
exoplanetas (planetas extrassolares), 18, 129, 131, 135
Explorador de Rádio da Idade das Trevas (projeto de satélite), 241

F

Fermi, Enrico, 166
ferro, 46, 101, 109, 125
Feynman, Richard, 147
ficção científica, 46
Finlay-Freundlich, Erwin, 160
física, 123, 170, 178, 227; leis da, 118, 151, 172, 193, 221, 261-2

físicos, 17, 166-7, 170, 173, 200, 206, 234, 237, 253, 261
fissão nuclear, 95
Fleming, Williamina, 99-100, 127
Fobos (lua de Marte), 46
Foley, Ryan, 124, 270
força "forte", 110
Ford, Kent, 146, 148, 150, 172
fotografia, 66, 91, 160, 163, 173, 253; invenção da, 15
Fowler, Ralph, 107
Frail, Dale, 129, 131
França, 10, 39, 53
Freedman, Wendy, 198-9, 270
Frenk, Carlos, 152
fria, partículas de matéria escura, 168
Friedmann, Alexander, 177-8
Fundação Nacional de Ciência (EUA), 125
fusão nuclear, 95
futuro, em direção ao, 265-7

G

Gaia (satélite da Agência Espacial Europeia), 61
Galáxia, a *ver* Via Láctea
galáxias: aglomerados de, 22, 68, 92, 144, 161, 168, 171-2, 175, 179, 193, 225, 260; anãs, 70, 114, 246; brilho das, 186; categorias de, 141-2; colisões galácticas, 10, 70, 140, 247-9; deslocamento de, 185-6, 188, 190, 195; desvio espectral para o vermelho [*redshift* em inglês], 189; distantes, 72, 94, 107, 165, 173, 186, 190, 256-7; distribuição de, 142; elípticas, 142, 247; esféricas, 249; espirais, 61, 68, 138, 140-2, 148-9, 190, 225, 246-9; formatos de, 140, 142, 165, 249; fusão

de, 246, 251; giro de, 149, 155;
Grande Debate, 258; Grupo
Local, 68-70, 72, 77, 122, 220-
1; grupos de, 68, 72, 74, 154;
irregulares, 142; movimento
das, 72, 190; movimento de, 146;
protogaláxias, 239; próximas,
138, 190, 251, 255, 257; rotação
das, 172; superaglomerados, 71-
2, 74-5, 78, 142, 165, 168, 175, 225;
velocidades excessivas, 146
Galileo (espaçonave), 48
Galileu Galilei, 14, 18, 50, 63, 69, 82,
114; telescópio de, 82
Galle, Johann, 53
Gamow, George, 200, 204, 230-1
Ganimedes (lua de Júpiter), 50
gás: colapso e conversão em estrelas,
239; pressão do, 95, 97, 239
geocentrismo, 12
Ghez, Andrea, 139-40
gigantes vermelhas (estrelas), 104-5,
107, 109, 112, 127, 262
Gold, Thomas, 194
Grand Tack (hipótese para
surgimento de Júpiter), 48
Grande Colisor de Hádrons, 170-1
Grande Debate (Shapley e Curtis,
1920), 258
"Grande Debate: A cosmologia está
resolvida?, O" (Peebles e Turner,
1998), 258
Grande Telescópio de Levantamento
Sinóptico (Chile), 165
gravidade, 30, 48, 52, 53, 67-8, 71,
84, 96-8, 102, 104, 106, 108-
9, 116, 118-9, 123, 126, 140, 143-6,
151-2, 155, 157-8, 163, 168-9, 171-2,
176, 186, 193, 208, 234, 236-7, 239,
245-6, 251-2, 256, 260-1; atração
gravitacional, 28, 30, 43, 108, 155,
191, 234, 252, 256; da Lua, 26,
28, 30; da Terra, 30, 143, 252; de

Marte, 45; dinâmica newtoniana
modificada (*modified Newtonian
dynamics*, Mond), 172; força da, 95,
110, 118, 150, 251; leis da gravidade
de Newton, 53, 140, 172; lente
gravitacional, 158, 161-3, 173, 267;
ondas gravitacionais, 120, 122-3,
209, 250, 266; teoria da gravidade
de Einstein, 118-9, 123, 155, 261
Grécia Antiga, 9, 11
Green Bank, telescópio de (Virgínia
Ocidental, EUA), 90, 250
Griest, Kim, 170
Gruber (prêmio de Cosmologia),
199
Grupo Local (galáxias), 68-70, 72, 77,
122, 220-1
Guerra dos Sete Anos (França-
Inglaterra, 1756-63), 40
Gunn, Jim, 243
Guth, Alan, 208-9

H

Hale (telescópio), 147-8, 198
Hale, George Ellery, 147, 158,
160, 267
Halley, Edmund, 35, 37, 39-40, 267
Harvard, Universidade: Centro de
Astrofísica de Harvard, 152;
"computadoras" de Harvard, 66,
98-9, 147; observatório da, 15, 66,
98, 128, 178
Haumea (planeta-anão), 54
Havaí, 85, 124-5, 139, 249, 254
Heisenberg, Werner, 16
hélio, 16, 47, 51-3, 63, 95-6, 101, 104,
106, 108-9, 126-7, 167, 188, 230-1,
234, 236, 239, 241
heliocentrismo, 12, 113
Henderson, Thomas, 60
Herman, Robert, 200, 204

Herschel, William, 47, 52, 55, 86, 91, 104

Hertzsprung-Russell, diagrama de, 101

Hewish, Antony, 117

hidrogênio, 16, 47, 51-3, 63, 95-6, 99, 101-4, 106, 108-9, 126-7, 138, 165, 167, 170, 188, 217, 230-1, 234, 236-41, 243-4, 253; fusão do, 96, 108; neutro, 243-4

Higgs, bóson de, 171

High-z (equipe de busca de supernovas), 254

Hiparco, 12, 56

Holanda, 82

Homestake, experimento de, 167

horas-luz, 42, 57, 77

horizonte astronômico, 10

horizonte cósmico, 74, 263

Horrocks, Jeremiah, 35

Hoyle, Fred, 194, 200, 207

Hubble (telescópio) *ver* Telescópio Espacial Hubble

Hubble, Edwin, 16, 71, 140, 145, 147, 176, 186, 190-2, 194, 197-200, 254, 256; constante de Hubble, 197, 198; lei de Hubble, 192, 254

Hulse, Russell, 122-3

Humason, Milton, 191, 197

Humboldt, Alexander von, 47

Huygens, Christiaan, 57-8

I

Idade das Trevas cósmica, 236-8, 240-2

Idade Média, 13, 19

Igreja católica, 13-4

Ijjas, Anna, 210

"Illustris: The Next Generation" (simulações de 2017), 154

imagens digitais, 261

Índia, 10, 13, 40, 107

inflação cósmica, 207-10, 221, 223, 226-8; radiação cósmica de fundo em micro-ondas (RCFM), 206-7, 209, 215, 230-1, 233-4, 236-7, 254, 258

ínflaton, campo, 208-9, 210, 227-8

infravermelho, 81, 86-7, 91, 93, 113, 124-5, 128, 138-9, 244, 266

Inglaterra, 11, 98, 107

Instituto Carnegie de Ciências (Washington, D.C.), 147

Instituto de Tecnologia da Califórnia, 55, 115, 145, 199

Instituto de Tecnologia de Massachusetts (MIT), 178, 204

International Pulsar Timing Array, 250

invisível, matéria *ver* matéria escura

íons/ionização, 138

Irlanda, 10, 117

J

Jansky, Karl, 16

Janssen, Zacharias, 82

Japão: agência espacial japonesa, 43, 45; Akatsuki (sonda japonesa), 45; Super-Kamiokande (experimento), 167

Jodrell Bank, Observatório (Inglaterra), 90, 250

Juno (asteroide), 47

Juno (sonda de Nasa), 50

Júpiter, 14, 31-2, 34, 42, 47-51, 95, 129, 131-2, 135; composição gasosa de, 47; distância da Terra, 32, 34, 42; encolhimento de, 48; Grand Tack, 48; Grande Mancha Vermelha de, 48; luas de, 14, 50, 69, 82; missões espaciais para, 50; papel no sistema solar, 48

Jupiter Icy Moons Explorer (espaçonave), 50

K

Kajita, Takaaki, 168
Karoo, deserto de (África do Sul), 90
Kelly, Patrick, 163, 270
Kennicutt, Robert, 199
Kepler (satélite da Nasa), 129, 131
Kepler, Johannes, 14-5, 35, 37, 82, 84, 114, 131
Kilpatrick, Charlie, 124
Kitt Peak, Observatório de (Arizona, EUA), 161
Kuiper, Cinturão de, 53

L

Laboratório de Radiação (Instituto de Tecnologia de Massachusetts), 204
Laboratórios de Telefonia Bell (Nova Jersey), 16, 206
lambda *ver* constante cosmológica
Laniakea (superaglomerado), 72-3, 75, 76
Large Underground Xenon (LUX, Dakota do Sul), 171
Las Campanas, Observatório (Chile), 124
Le Verrier, Urbain, 53
Leavitt, Henrietta Swan, 65-7, 71, 98-9, 176; lei de Leavitt, 66, 191
lei de Hubble, 192, 254
lei de Leavitt, 66, 191
Lemaître, Georges, 178, 184, 186, 190-2, 194
lente gravitacional, 158, 161-3, 173, 267
Levin, Janna, 220
Lexell, Anders, 52
LGM-1 (estrela), 117
Ligo (*Laser Interferometer Gravitational-Wave Observatory*) [Observatório de Ondas Gravitacionais por Interferometria Laser], 120, 122-4, 209, 250
limite de Chandrasekhar, 107, 110
Linde, Andrei, 221
Lippershey, Hans, 82
Livro das estrelas fixas, O (Abd al-Rahman al-Sufi), 13, 69
Lua, 9-12, 14-5, 19, 26, 28-31, 43, 46, 55, 69, 77, 82, 90, 112-4, 144, 160, 169, 238, 241; crateras na, 82; distância da Terra, 28; eclipses da, 10-1; fases da, 10; formação da, 28; gravidade da, 26, 28, 30; idade da, 28; iluminada pela luz solar, 12, 30; lado oculto da, 28; pousos das missões Apollo, 28; primeira fotografia da (1840), 15
luz, 93; comprimentos de onda, 16, 44, 79, 81, 87, 89, 91, 93, 98, 111, 122, 125, 142, 148, 161, 188, 190, 238, 243-4, 266; de supernovas, 110-1, 255; desvio espectral para o vermelho [*redshift* em inglês], 188-9, 255; infravermelha, 81, 86-7, 91, 93, 113, 124-5, 128, 138-9, 244, 266; lente gravitacional, 158, 161-3, 173, 267; luz fóssil, 204, 207; micro-ondas, 44, 87-90, 204, 207, 210, 215, 230, 236; não visível, 16, 87; no início do universo, 215; ondas de rádio, 16, 44, 81, 89-90, 94, 111, 116-7, 122, 161, 206, 238, 240, 244, 266; primordial, 200, 202-3, 205, 208; quasares, 161; radiação cósmica de fundo em micro-ondas (RCFM), 206-7, 209, 215, 230-1, 233-4, 236-7, 254, 258; raios gama, 93-4, 111, 122, 124, 161; raios X, 91-4, 111-3, 116, 119, 125, 173; temperatura da, 86-7, 236; ultravioleta, 81, 90-2, 108-9, 125, 240-1, 244; velocidade da, 19, 116,

118, 125, 168, 208, 228; visível, 44, 82, 86-7, 90, 91, 111-2, 128, 130, 137, 240, 244, 261, 266

M

Machos (*massive astrophysical compact halo objects*) [objetos com halo compacto e grande massa], 169
Maddox, Steven, 253
Magalhães, Fernão de, 68
Makemake (planeta-anão), 54
Maragha, observatório de (centro de pesquisa na antiga Pérsia), 13
marés, 26, 28, 30-1
Marius, Simon, 69
Marte, 9, 31-2, 34, 45-6, 48-9, 105, 134; água em, 46; atmosfera de, 46; distância da Terra, 32, 105; gravidade, 45; luas de, 45-6; missões para, 46; possibilidade de vida em, 46; Programa de Exploração de Marte (Nasa), 46; rotação de, 45; tamanho de, 45
Mason, Charles, 40-1
matemática, 178, 195
matéria escura, 22, 145-6, 149-55, 161, 165, 168-73, 175, 204, 217, 225-6, 239, 245, 247, 251-2, 256, 258, 260, 266; argumento a favor da existência, 150; composição da, 169; dinâmica newtoniana modificada (*modified Newtonian dynamics*, Mond), 172; gravidade e, 146, 172; partículas de, 168, 193, 208, 228, 230-1, 234, 236-7; partículas de matéria escura fria, 168
Mather, John, 236
Mauna Kea, vulcão (Havaí), 85
Maxima (experimento norte-americano de 1998), 217
Mayor, Michel, 129

McDonald, Art, 168
McMurdo, Estação (Antártida), 217
mecânica quântica, 16, 101, 106, 147, 210, 227, 237, 260
medida, unidades de, 42
Mercúrio, 31-2, 35, 43-4, 48-51, 104-5, 129, 132, 134; crateras de, 43; distância da Terra, 32, 105; missões para, 43; noite em, 43; rotação de, 43; temperatura em, 43; translação de, 43
Mesopotâmia, 11
Messenger (espaçonave robótica da Nasa), 43
Messier, Charles, 69-70
metano, 51-3, 87, 135
Metius, Jacob, 82
Metzger, Brian, 125
micro-ondas, 44, 87-90, 204, 207, 210, 215, 230, 236
Milgrom, Mordehai, 172
Molucas, Ilhas ("Ilhas das Especiarias"), 68
Monte Wilson, Observatório (Califórnia, EUA), 67, 147, 191, 197-8
Mould, Jeremy, 199
mulheres astrônomas, 18, 66, 98, 135, 147
multiverso, 221
múon, 167

N

Nasa (National Aeronautics and Space Administration), 43, 50, 53, 85-6, 94, 113, 129-30, 236, 244, 258, 271; Chandra, Observatório de Raios X (telescópio espacial), 94, 113, 125; Europa Clipper (missão), 50; Juno (sonda), 50; Kepler (satélite), 129, 131; Messenger (espaçonave robótica), 43; Neil

287

Gehrels Swift, Observatório,
94; New Horizons (sonda), 53;
Programa de Exploração de Marte,
46; Telescópio Espacial de Raios
Gama Fermi, 94, 124; Telescópio
Espacial Spitzer, 113, 138
Nasir al-Din Tusi, 13
Nebulosa da Cabeça de Cavalo, 127
Nebulosa do Caranguejo, 113
"nebulosas planetárias", 104
Neil Gehrels Swift, Observatório
(Nasa), 94
Netuno, 32-4, 42, 49, 52-5, 57;
distância da Terra, 32; distância
do Sol, 42; órbita de, 53
neutrinos, 165-9, 193, 230, 231, 256;
cósmicos, 165-6, 168; "problema
do neutrino solar", 167; sabores
de, 167
nêutrons, 106, 110, 116-7, 138, 166, 169,
193, 230; estrelas de nêutrons, 94,
115-7, 122-5, 127, 129, 145, 250, 266
névoa, 231, 234
New Horizons (sonda da Nasa), 53
Newton, Isaac, 15, 53, 81, 84, 140,
158, 172
nitrogênio, 51, 127, 230
Novikov, Igor, 204
Novo México (EUA), 125, 154
nucleossíntese, 230
nuvem berçário, 127
Nuvens de Magalhães (galáxias), 9,
66, 68, 114, 142, 262; Grande
Nuvem de Magalhães, 69,
114, 246; Pequena Nuvem de
Magalhães, 68

O

objetos com halo compacto e grande
massa (*massive astrophysical
compact halo objects*, Machos), 169

Observatório de Ondas
Gravitacionais por
Interferometria Laser *ver* Ligo
Observatório de Raios X Chandra
(telescópio espacial da Nasa), 94,
113, 125
olhos humanos, limitações dos, 79,
81-2, 84, 94
ondas de rádio, 16, 44, 81, 89-90, 94,
111, 116-7, 122, 161, 206, 238, 240,
244, 266
ondas gravitacionais, 120, 122, 123,
209, 250, 266
Órion (constelação), 9, 19, 21, 61,
112, 262
Ostriker, Jerry, 150
ouro, 125
oxigênio, 104, 106, 108-9, 127, 135,
230, 239-40
ozônio, 91, 135

P

Pacini, Franco, 116
Palas (asteroide), 47
Palomar, Observatório (Califórnia),
115, 147, 198; telescópio
Hale, 147-8, 198; telescópio
Schmidt, 115
paralaxe, 35-6, 58, 59-61, 65, 114
parsecs (unidade de distância), 60,
191; megaparsecs, 199
partículas de matéria escura fria,
168
Pauli, Wolfgang, 166
Payne-Gaposchkin, Cecilia, 16, 96,
101, 160
Peebles, Jim, 150, 204, 206, 234, 258,
270
Pegasus (constelação), 69
Penzias, Arno, 206-7

288

Pérsia, 13; observatório de Maragha (centro de pesquisa na antiga Pérsia), 13

Peru, 66

peso: da Terra, 143-4, 251; do universo, 254

Pesquisa Swope de Supernova (Chile), 124

Peterson, Bruce, 243

Piazzi, Giuseppe, 47

Pickering, Edward, 66, 98-9

pinturas rupestres, 10

Pioneer (espaçonave), 48

Planck, Max, 16

Planeta 9 (no sistema solar), 55

Planeta X, busca pelo (no sistema solar), 53

planetas: a olho nu, 9, 34; alinhamento dos, 34; diversidade de, 22, 78, 129; extrassolares, 18, 129, 131, 135; gasosos, 132; habitáveis, 51, 134; períodos orbitais dos, 32; planetas-anões, 31, 47, 53-5; primeiros registros, 11

platina, 125

Plêiades (aglomerado estelar), 100

Plutão, 47, 53-4, 188; como planeta-anão, 47, 53-5; descoberta de, 54; rebaixamento das patentes planetárias, 54-5

poeira cósmica, 63, 138, 175

Pogson, Norman, 56

Polar (estrela), 61

Pontecorvo, Bruno, 167

Porto Rico: Observatório de Arecibo em, 90, 122, 250

prêmio Gruber de Cosmologia, 199

Principia (Newton), 15

"problema do neutrino solar", 167

Procyon (estrela), 61

Programa de Exploração de Marte (Nasa), 46

Projeto Cosmológico de Supernova (Universidade da Califórnia em Berkeley), 254

protogaláxias, 239

prótons, 106, 110, 117, 138, 142, 169, 193, 230

Proxima Centauri (estrela), 56-7, 134

Ptolomeu, Cláudio, 12-3, 15, 18, 56

pulsares (estrelas de nêutrons), 117, 250

Q

quântica, física *ver* mecânica quântica

quasares, 161-3, 241, 243-4

Queloz, Didier, 129

quilonova, 125

R

rádio, ondas de, 16, 44, 81, 89-90, 94, 111, 116-7, 122, 161, 206, 238, 240, 244, 266

radiotelescópios, 89-90, 137, 204, 240, 250

raios gama, 93-4, 111, 122, 124, 161

raios X, 91-4, 111-3, 116, 119, 125, 173

"rebote", modelos, 210

Refsdal (supernova), 163

Refsdal, Sjur, 163

Reines, Frederick, 166

Reino Unido, 39, 53, 90, 250

Reionização, Época da, 241, 243

revolução copernicana, 13

Ritter, Johann, 91

Roll, Peter, 206

Röntgen, Wilhelm, 92

Rosenberg, Hans, 100

Royal Astronomical Society (Londres), 40, 100, 107

Rubin, Vera, 146-8, 150, 172, 186, 200, 261, 266

Russell, Henry Norris, 100-1

S

Sagittarius A (buraco negro), 140

Saha, Meghnad, 101

Sandage, Allan, 198-9

Saturno, 31-2, 34, 42, 48-52, 57, 126; anéis de, 50-1, 57, 126; composição gasosa de, 51; densidade de, 51; distância da Terra, 32, 42; luas de, 51; rotação de, 51; ventos em, 51

Schmidt (telescópio), 115

Schmidt, Brian, 254

Schrödinger, Erwin, 16

Shapley, Harlow, 67, 70, 98, 175, 178, 258

simulações computacionais, 23, 150, 152, 237, 239, 241, 247, 249

Sirius (estrela), 58, 61, 109

sistema solar, 10, 12, 17, 20, 23, 26, 31-2, 39, 42-4, 47-8, 50-7, 61-2, 67, 76-7, 104, 128-9, 132, 134-5, 171, 172, 226, 247, 260-2; Cachinhos Dourados (zona habitável do sistema solar), 134; escala do, 42-3, 271; órbita ao redor da Via Láctea, 262; papel fundamental de Júpiter no, 48; período orbital, 37; planetas a olho nu, 9, 34; posições planetárias, 37, 42; tamanho do, 34-5; vazio, 31-2; ver também Sol

Slipher, Vesto, 53, 188, 190-1

Sloan Digital Sky Survey (equipe de busca por quasares), 154, 243

Smith, George, 16

Soderberg, Alicia, 111

Sol, 10-5, 19, 22-3, 25-6, 28-35, 37-46, 48-9, 51-2, 54-60, 63, 65, 73, 77, 79, 81, 86, 91, 96, 100, 103-10, 113, 115-7, 123, 126-32, 134, 137, 139, 144, 158, 160, 166-9, 176, 179, 225, 239, 244, 246, 249, 262-3; brilho do, 103-4; centro do, 96, 104, 106; ciclo de vida do, 104-7, 110, 126-7, 262; colapso do centro do, 106; como anã branca (no futuro), 107, 110, 262; como anã negra (no futuro), 107; como estrela amarela, 103, 128; como gigante vermelha (no futuro), 104-5; composição do, 96, 126; densidade do, 96; distância da Terra, 32, 34, 42, 132; eclipses do, 96; expectativa de vida do, 106; formação do, 126-8; modelo heliocêntrico, 12, 113; neutrinos do, 167-8; nuvem berçário do, 127; "problema do neutrino solar", 167; tamanho do, 96, 105; temperaturas no, 96; volume do, 96; ver também estrelas; planetas; sistema solar; Vizinhança Solar

spin, 237

Spitzer, Lyman, 85

Springel, Volker, 154

Square Kilometre Array (SKA), 90, 240, 266

Steinhardt, Paul, 210, 221, 223

Stonehenge (Inglaterra), 11

Struve, Friedrich, 60

Sudbury, Observatório de Neutrinos de (Canadá), 167

sumérios, 11

superaglomerados, 71-2, 74-5, 78, 142, 165, 168, 175, 225

Super-Kamiokande (experimento japonês), 167

supernovas, 73-5, 110-8, 127, 145, 162-3, 166, 199, 241, 254-6, 262; alertas de, 115; causas, 110; High-z (equipe de busca de supernovas), 254; luz de, 110-1; mais antiga registrada, 112; mais brilhantes já registradas, 113; observadas mais recentemente, 111-2; Pesquisa Swope de Supernova (Chile), 124; Projeto Cosmológico de Supernova (Universidade da Califórnia em Berkeley), 254; registradas, 113; Supernova de Tycho, 113-4; tipo Ia, 73, 111, 162, 199, 254; *ver também* estrelas

supersimetria, 170-1

T

taxa de expansão do universo, 191, 197-8, 253-5, 257

Taylor, Joseph, 122-3, 270

Telescópio de Raios X Swift, 111

Telescópio Espacial de Raios Gama Fermi, 94, 124

Telescópio Espacial Hubble, 61, 85-6, 91, 163, 192, 198-9, 244, 249; "guerras do Hubble", 198; Projeto Key do, 199

Telescópio Espacial James Webb, 135, 244, 266

Telescópio Espacial Spitzer, 113, 138

Telescópio Extremamente Grande [Extremely Large Telescope] (Observatório Europeu do Sul, Alemanha), 85

Telescópio Gigante de Magalhães (Chile), 84-5

Telescópio Víctor M. Blanco (Chile), 254

telescópios: de micro-ondas, 204, 210; de raios gama, 94; espaciais, 61, 85, 124, 129-30, 199; infravermelhos, 137-8; invenção, 10, 14; invenção, 82; qualidade das imagens, 85; radiotelescópios, 89-90, 137, 204, 240, 250; refletores, 84-5; refratores, 82, 84; ultravioleta, 91

temperatura: das cores, 86-7; de estrelas, 102-3, 109, 240; de Vênus, 44; do Sol, 96; temperatura ambiente, 201, 234; zero absoluto, 200

tempo: passagem do, 42, 118, 251; primeiro trilionésimo de trilionésimo de bilionésimo de segundo do universo, 208, 226-7; tempo zero, 193, 207

teoria da relatividade geral, 16, 119, 176, 177, 256

teoria do estado estacionário, 194, 200, 204, 207

Terra, 9, 11-4, 22-3, 25-6, 28-32, 34-6, 43, 48-9, 51-2, 55, 58-60, 65, 96, 101, 113, 119, 123, 126-7, 129-31, 134, 143-4, 179, 197, 203, 262; atmosfera da, 34, 85-7, 92, 166, 217, 236; curvatura da, 25-6; diâmetro da, 25, 45, 96; distância da Lua, 26; distância do Sol, 32, 34, 42, 132; e a Lua, 9-12, 14-5, 19, 26, 28-31, 55, 69, 82, 90, 112-4, 144, 160, 169, 238, 241; fontes de luz, 12, 30, 160; geocentrismo, 12; gravidade da, 30, 45, 143, 252; idade da, 197; inclinação do eixo da, 25; marés, 26, 28, 30-1; órbita da, 85, 176; peso da, 143-4, 251; polo Norte, 25, 29, 62, 211; rotação da, 26, 30-1; tamanho da, 25-7, 33, 53, 106, 115, 134

Titã (lua de Saturno), 51, 57

Tombaugh, Clyde, 53, 188

Trappist-1 (sistema solar), 134-5
Triângulo, galáxia do, 70, 146
Turner, Mike, 258, 260
Turok, Neil, 210

U

ultravioleta, 81, 90-2, 108-9, 125, 240-1, 244
União Astronômica Internacional, 54, 100
Unidade Astronômica (UA), 42
unidades de medida, 42
universo: amanhecer cósmico, 240-1, 244; *big crunch* [grande implosão], 252-3; como névoa, 231; criação dos elementos primordiais, 230; curvado negativamente, 212; curvado positivamente, 212, 214; densidade do, 217, 234, 253; densidade crítica, 253, 256, 258; em expansão, 177, 191, 193-4, 251, 254-5; "Época da Reionização", 241; evolução do, 23, 251, 265; finito, 218, 220, 222-3; futuro do, 253, 265-7; hoje, 75, 175; Idade das Trevas cósmica, 236-42; idade do, 74, 195-6, 199, 253, 265; infinito, 218, 221; irregularidades no, 226; modelos "rebote", 210; multiverso, 221; observável, 17, 75-6, 142, 162, 165, 209, 217-8, 221; origem do, 23, 207; peso do, 254; plano, 253; primeiro trilionésimo de trilionésimo de bilionésimo de segundo, 208, 226-7; primeiros minutos, 232; protogaláxias, 239; resfriamento do, 201, 208, 230, 234; tamanho do, 23, 220-1; taxa de expansão, 191, 197-8, 253-5, 257; tempo

zero, 193, 207; teoria do estado estacionário, 194, 200, 204, 207; universos-bolhas, 221; velocidade de expansão do, 194, 257; *ver também* big bang; espaço
Urano, 32, 34, 49, 52-3, 55; descoberta de, 52; distância da Terra, 32; distância do Sol, 32; movimento de, 52; órbita de, 53; orientação de, 52; ventos em, 52
Ursa Menor (constelação), 61

V

vácuo, energia de, 256, 258, 260
Vaucouleurs, Gérard de, 198-9
Vega (estrela), 15, 60
velocidade: da luz, 19, 116, 118, 125, 168, 208, 228; de expansão do universo, 194, 257
Vênus, 31-2, 34-40, 43-5, 48-9, 58, 104-5, 113, 267; atmosfera de, 43-5, 134; distância da Terra, 32, 36-7, 105; missões para, 44-5; rotação de, 44-5; semelhanças com a Terra, 43; sistema climático de, 44-5; temperatura de, 44; trânsitos de, 34-5, 69, 270; ventos em, 45; vulcões em, 44
Venus Express (espaçonave da Agência Espacial Europeia), 44-5
vermelhas, estrelas, 102-3, 108, 142, 262
Very Large Array (Novo México), 125
Vesta (asteroide), 47
Via Láctea, 9-10, 16-7, 20, 23, 56, 61-4, 66-71, 73, 76-7, 94, 112-4, 116, 122, 126-7, 132, 134, 137-40, 145, 162, 175-6, 184, 187, 190, 195, 199, 206, 220, 225, 242, 245-7, 249-50, 262, 266; braços da, 61, 111, 138, 140, 246; colisão futura com

Andrômeda, 140, 262; estrelas da, 70, 104; formação da, 245-6; giro da, 61; idade da, 65; nosso lugar na, 225; órbita do sistema solar ao redor da, 262; pulsares na, 250; tamanho da, 67; *ver também* galáxias
vida extraterrestre, 45, 265
Virgem (superaglomerado), 72-3, 76, 154
Vizinhança Solar, 56-7, 60-2, 77, 112, 126, 134, 247
Volders, Louise, 146
Voyager (espaçonave), 48

W

Walsh, Dennis, 161
Weymann, Ray, 161
Whipple, John Adams, 15
White, Simon, 152
wi-fi, 88, 238
Wilkinson, David, 206, 258
Wilson, Robert, 206-7
Wimp (*weakly interacting massive particle*) [partícula massiva fracamente interativa], 169-70
WMAP (*Wilkinson Microwave Anisotropy Probe*) [Sonda Wilkinson de Anisotropia de Micro-ondas], 258
Wolszczan, Aleksander, 129, 131

X

XMM-Newton, Observatório (Agência Espacial Europeia), 113

Y

Yerkes, Observatório (Wisconsin, EUA), 84

Z

Zeldovich, Yakov, 168, 204, 234
zero absoluto (temperatura), 200
Zwicky, Fritz, 115-6, 145-6, 150-1, 161-3, 267

Our Universe: An Astronomer's Guide © Jo Dunkley, 2019
Todos os direitos reservados, incluindo direitos de reprodução
da obra completa ou em partes em qualquer formato.

Todos os direitos desta edição reservados à Todavia.

Grafia atualizada segundo o Acordo Ortográfico da Língua
Portuguesa de 1990, que entrou em vigor no Brasil em 2009.

capa e ilustração de capa
Laurindo Feliciano
preparação
Cacilda Guerra
índice remissivo
Luciano Marchiori
revisão
Ana Maria Barbosa
Karina Okamoto

Dados Internacionais de Catalogação na Publicação (CIP)

Dunkley, Jo
  Nosso universo : a história do cosmo e seus
mistérios / Jo Dunkley ; tradução Alexandre Bruno
Tinelli. — 1. ed. — São Paulo : Todavia, 2023.

  Título original: Our Universe: An Astronomer's Guide
  ISBN 978-65-5692-424-3

  1. Ciências naturais. 2. Matemática. 3. Astronomia.
  I. Tinelli, Alexandre Bruno. II. Título.

CDD 523.1

Índice para catálogo sistemático:
1. Ciências naturais e matemática : Astronomia 523.1

Bruna Heller — Bibliotecária — CRB 10/2348

todavia
Rua Luís Anhaia, 44
05433.020 São Paulo SP
T. 55 11. 3094 0500
www.todavialivros.com.br

fonte
Register*
papel
Pólen natural 80 g/m²
impressão
Geográfica